Passwort Deutsch 3

Kurs- und Übungsbuch

Ernst Klett Sprachen
Stuttgart

Passwort Deutsch 3
Kurs- und Übungsbuch

von Ulrike Albrecht, Christian Fandrych (Systematische Grammatik), Gaby Grüßhaber, Uta Henningsen, Oliver Hesselmann, Angela Kilimann, Harald Knaus, Renate Köhl-Kuhn, Karen Papendieck

1. Auflage A1   5 4 3 2 | 2012 2011 2010 2009

Alle Drucke dieser Auflage können nebeneinander benutzt werden, sie sind untereinander unverändert. Die letzte Zahl bezeichnet das Jahr des Druckes.

Internet: www.klett.de, www.password-deutsch.de
E-Mail: info@passwort-deutsch.de

Projektleitung: Jürgen Keicher
Redaktion: Silvia Klötzer, Alicia Padrós, Christine Schlotter
Beratung: Dr. Evelyn Frey, Ronald Grätz
Zeichnungen: Dorothee Wolters
Fotografie: Jürgen Leupold
Layout: Andreas Kunz, Andrea Schmid
Umschlaggestaltung: Silke Wewoda
Herstellung: Katja Schüch
Satz: Lihs GmbH, Medienhaus, Ludwigsburg; Medienproduktion Isabella Helm, Herrenberg
Druck: Grafos S.A., Barcelona • Printed in Spain

ISBN: 978-3-12-675847-5

Was ist Passwort Deutsch?

Unabhängig davon, welche Erfahrungen Sie bisher gesammelt haben und ob Sie im In- oder Ausland Deutsch lehren oder lernen – **Passwort Deutsch** ist das richtige Lehrwerk für Sie:

Passwort Deutsch bietet Ihnen einen direkten Zugang zur deutschen Sprache, zu Land und Leuten, zu Kultur und Kommunikation. Gezeigt wird die moderne Lebenswirklichkeit von Personen und Figuren an verschiedenen Schauplätzen in den deutschsprachigen Ländern.

Passwort Deutsch ist transparent, pragmatisch und kleinschrittig. Sie wissen an jeder Stelle, was Sie warum machen, und haben alles, was Sie zur Bewältigung der Aufgaben brauchen. Die gleichmäßige Progression passt sich dem individuellen Lernrhythmus an.

Passwort Deutsch begleitet Sie in vier Bänden durch die gesamte Grundstufe. Band 5 bereitet auf das *Zertifikat Deutsch* und auf den Übergang in die Mittelstufe vor.

Passwort Deutsch integriert kommunikative, interkulturelle und handlungsorientierte Sprachvermittlungsmethoden. Ein ausgewogenes Fertigkeitentraining ist in diesem Zusammenhang genauso wichtig wie eine konsequente Wortschatz- und Grammatikarbeit.

Passwort Deutsch ist leicht zugänglich, effizient und motivierend. Mit dem kombinierten Kurs- und Übungsbuch, einem umfassenden Internet-Angebot sowie weiteren attraktiven Lehrwerkkomponenten stehen Ihnen viele Materialien und Medien zur Verfügung.

Was bietet Passwort Deutsch?

Kursbuch: Sechs gleichmäßig aufgebaute Lektionen à 12 Seiten • Alles für die gemeinsame Arbeit im Kurs • Vermittlung von Wortschatz und Grammatik • Aufbau der sprachlichen Fertigkeiten • Rubrik *Im Deutschkurs* für die Kurskommunikation • Grammatikübersicht am Ende jeder Lektion

Übungsbuch: Zu jeder Kursbuchlektion eine Übungsbuchlektion à 16 Seiten • Vielfältiges Angebot zur Festigung und Erweiterung des im Kurs Erlernten • Binnendifferenzierung im Unterricht • Hausaufgaben • Selbstständiges Wiederholen

Anhang: Übersichten zum Nachschlagen • Unterstützung bei der Vor- und Nachbereitung des Unterrichts • Lösungen zum Übungsbuch • Systematische Grammatik • Verbliste • Alphabetische Wortliste

Viel Erfolg und viel Spaß in der Praxis wünschen Ihnen

Autoren und Verlag

Inhaltsverzeichnis

Inhaltsverzeichnis

Kursbuch		Inhalte	Grammatik	
Lektion 17	➤ **Die Schwabenmetropole: Stuttgart** ➤ Robert Bosch – ein Erfinder ➤ „Lehrjahre sind keine Herrenjahre" ➤ Der Familienrat tagt ➤ Schwäbische Landeskunde ➤ Traumberuf: Dichter ➤ Grammatik	Erfindungen und Erfinder • Ausbildungswege • Meinungsverschiedenheiten • ein Lied • über lokale Besonderheiten informieren • Biografisches erzählen **Aussprache:** Auslautverhärtung	Nebensätze: Relativsätze • *müssen* und *sollen* • *mögen* + Akkusativ • n-Deklination	56
Lektion 18	➤ **Eine Firma in Hannover** ➤ Die Geschichte der Firma Minolta ➤ Aus der Mitarbeiterzeitschrift ➤ Ein Vorstellungsgespräch ➤ Ein Betriebsausflug ➤ Arbeit am Computer ➤ Grammatik	Berufliche Tätigkeiten • ein Firmenporträt • über Vergangenes sprechen • eine Bewerbung • Kollegengespräche • den Computer benutzen **Aussprache:** Gefühle ausdrücken	Präteritum: regelmäßige und unregelmäßige Verben, untrennbare Verben • Nebensätze: *als* (temporal) und *wenn* • Nebensätze: *obwohl*	68

Übungsbuch   81

Anhang   179

Arbeiten mit Passwort Deutsch

Kursbuch

Alles, was Sie für das Kursgeschehen brauchen.
Vorschläge für den Ablauf und dafür, welche Sozial- und Arbeitsformen sich für die einzelnen Aufgaben eignen, finden Sie im Lehrerhandbuch.

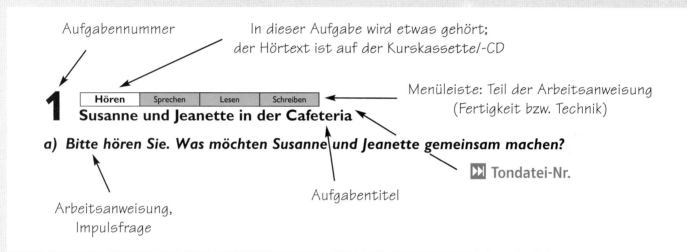

Aufgabennummer

In dieser Aufgabe wird etwas gehört; der Hörtext ist auf der Kurskassette/-CD

Menüleiste: Teil der Arbeitsanweisung (Fertigkeit bzw. Technik)

1 | Hören | Sprechen | Lesen | Schreiben |
Susanne und Jeanette in der Cafeteria

a) Bitte hören Sie. Was möchten Susanne und Jeanette gemeinsam machen?

▶▶ Tondatei-Nr.

Aufgabentitel

Arbeitsanweisung, Impulsfrage

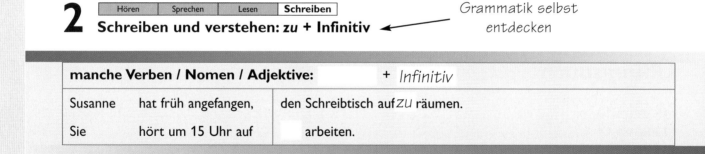

2 | Hören | Sprechen | Lesen | **Schreiben** |
Schreiben und verstehen: *zu* + Infinitiv

Grammatik selbst entdecken

manche Verben / Nomen / Adjektive:		+ *Infinitiv*
Susanne	hat früh angefangen,	den Schreibtisch auf *zu* räumen.
Sie	hört um 15 Uhr auf	arbeiten.

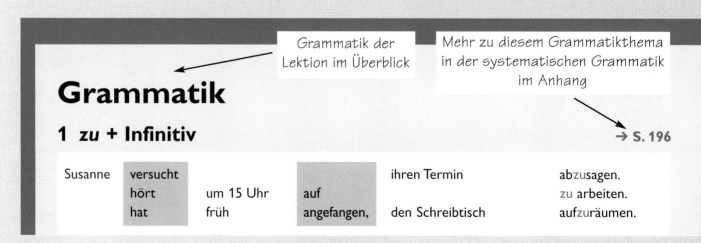

Grammatik der Lektion im Überblick

Mehr zu diesem Grammatikthema in der systematischen Grammatik im Anhang

Grammatik

1 *zu* + Infinitiv

→ S. 196

Susanne	versucht			ihren Termin	abzusagen.
	hört	um 15 Uhr	auf		zu arbeiten.
	hat	früh	angefangen,	den Schreibtisch	aufzuräumen.

4 zu + Infinitiv

Bei manchen Verben, Nomen und Adjektiven kann *zu* + Infinitiv stehen.

Hast du schon versucht ihn *zu* sprechen?
Hast du Lust mich nachher anzurufen?
Es ist wirklich anstrengend, an diesem
Computer *zu* arbeiten.

Tipp Bei trennbaren Verben steht
zu zwischen Präfix und Verb:
anzurufen.

Die Konstruktion mit *zu* + Infinitiv steht nach dem Hauptsatz.
zu + Infinitiv steht ganz am Ende.

*Die systematische Grammatik
fasst die grammatischen
Themen des Kursbuchs in
Kapiteln zusammen.*

6

| Hören | Sprechen | Lesen | Schreiben |

 47

Hören und sprechen: Akzente im Satz ←

*In den Lektionsablauf
integrierte Ausspracheübungen; der Hörtext
ist auf der
Kurskassette/-CD*

Wo sind die Akzente? Bitte markieren Sie.

1. Hast du L⬜u⬜st, mit mir ins K⬜i⬜no zu gehen?

Übungsbuch

Alles, was Sie zur Wiederholung, Erweiterung und Differenzierung des im Kurs Erlernten verwenden können.
Alle Übungen sind auch für Hausaufgaben oder zum selbstständigen Lernen geeignet; der Lösungsschlüssel
im Anhang erlaubt auch die Selbstkontrolle.

| Seite 48/49 | Aufgabe 2–6 |

*Verweis auf die Seite bzw. die Aufgaben im
Kursbuch, zu denen die Übungen passen*

Lernthema, Arbeitsanweisung

Beispiel: Wie funktioniert die Übung?

1 **zu + Infinitiv. Ergänzen Sie.**

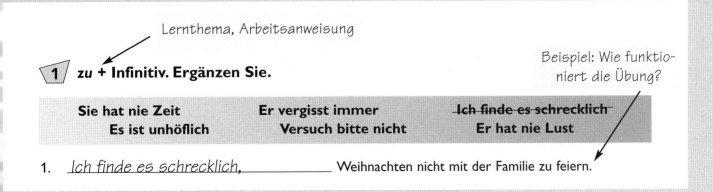

Sie hat nie Zeit	Er vergisst immer	~~Ich finde es schrecklich~~
Es ist unhöflich	**Versuch bitte nicht**	**Er hat nie Lust**

1. *Ich finde es schrecklich,* _____ Weihnachten nicht mit der Familie zu feiern.

Passwort
7

Lektion 13 Europastadt Aachen

1 Eine Aachen-Collage

| Hören | Sprechen | Lesen | Schreiben | ▶▶ 1–4 |

a) Welche Bilder passen zu den Aachen-Assoziationen von Altbundespräsident Richard von Weizsäcker? Notieren Sie bitte.

1. Kaiser Karl der Große, König der Franken (768–814)   Bild _____
2. Pferde beim Reitturnier CHIO   Bild _____
3. Aachener Printen von Lambertz   Bild _____

> Wenn ich an Aachen denke, kommen mir Karl der Große, Pferde und Lambertz in den Sinn.

A

B

C

b) Was findet man noch in Aachen?

1. Eine wirklich europäische Region: Das grenzüberschreitende Gewerbegebiet
   „Avantis" liegt sowohl in Deutschland als auch in den Niederlanden.   Bild _____

2. Karneval im Rheinland: Jedes Jahr bekommt jemand in Aachen den „Orden wider
   den tierischen Ernst".   Bild _____

3. Ballonfahrten: Eine aufregende Möglichkeit, die Gegend im Dreiländereck zwischen
   Deutschland, Belgien und den Niederlanden von oben zu sehen.   Bild _____

c) Hören Sie bitte die vier Szenen und ordnen Sie jedem Hörtext ein Bild zu.

Text 1: Bild _____   Text 2: Bild _____   Text 3: Bild _____   Text 4: Bild _____

2

| Hören | **Sprechen** | Lesen | Schreiben |

Haben Sie Lust auf Projektarbeit?

Wählen Sie ein Thema oder suchen Sie ein eigenes Interessengebiet.

1. Wer war Karl der Große?
2. Kochen, backen, braten – Spezialitäten aus
   den deutschsprachigen Ländern
3. Sport ist Mord – oder?
4. Leute und ihre (Haus-)Tiere
5. Karneval, Fasnacht, Fasching – wo und wie
   feiert man dieses Fest?

Merkzettel Projekte:
1. Wählen Sie ein Thema und
   bilden Sie Arbeitsgruppen.
2. Sammeln Sie Informations-
   materialien, interviewen Sie Leute,
   gehen Sie in die Bibliothek,
   recherchieren Sie im Internet ...
3. Präsentieren Sie Ihre Ergebnisse
   im Kurs (Texte, Collagen, Wand-
   zeitungen ....).

D

E
AVANTIS

F

Im Ballon über Aachen und Umgebung

1 | Hören | Sprechen | **Lesen** | Schreiben |
Ein Geschenk für Papa

a) Lesen Sie die Geburtstagskarte.

> *Lieber Papa,*
> *zu deinem 60. Geburtstag gratulieren wir dir herzlich und wünschen dir alles Liebe und Gute. Hoch sollst du leben! Und deshalb schenken wir dir einen Gutschein für eine Fahrt im Heißluftballon über Aachen und Umgebung. Treffpunkt ist die Weststraße 24 c in Aachen morgen um 9 Uhr.*
> *„Glück ab und gut Land", wie der Ballonfahrer sagt, von deinen drei Töchtern*
> *Charlotte, Barbara und Katharina*

b) Wie gratuliert man zum Geburtstag?

1. ☒ Herzlichen Glückwunsch!
2. ☐ Fröhliche Weihnachten!
3. ☐ Aufrichtiges Beileid.
4. ☐ Alles Gute zum Geburtstag.

5. ☐ Alles Liebe.
6. ☐ Gutes neues Jahr!
7. ☐ Frohe Ostern!
8. ☐ Ich gratuliere dir zum Geburtstag.

2 | **Hören** | Sprechen | Lesen | Schreiben | ⏭ 5
Herr Arnold und der Pilot im Gespräch

1. Alles ist von oben ganz klein. _____ ⓡ ⓕ
2. Die Aussicht ist schlecht. _____ ⓡ ⓕ
3. Die Alltagsprobleme werden klein. _____ ⓡ ⓕ
4. Das Industriegebiet ist groß. _____ ⓡ ⓕ
5. Die Moorlandschaft ist einsam und schön. _____ ⓡ ⓕ
6. Die Grenzen sind offen. _____ ⓡ ⓕ

3 | Hören | **Sprechen** | **Lesen** | Schreiben |
Nach der Ballonfahrt – eine E-Mail

Sprechen Sie im Kurs: Was ist Ihre Meinung? Lesen Sie dann die E-Mail.

Ballonfahrten sind ☐ aufregend: ein Abenteuer ☐ gefährlich: ein Risiko ☐ unnötig: ein Luxus

> Hallo, ihr drei Lieben,
> meine Ballonfahrt war das wahre Glück: das herrliche Wetter, die tolle Aussicht, der leise Wind ... wunderbar!! Und dann die kleinen Häuser und die winzigen Autos unter mir — wie Spielzeug. Zuerst sind wir über den neuen Industriepark Avantis geflogen und dann weiter über das niederländische Grenzgebiet. Leider hat uns der Wind nicht über das Hohe Venn getrieben. Ihr wisst ja, ich liebe die einsame Landschaft dort. Die Landung nord-westlich von Maastricht war auch ganz schön spannend. Aber es ist alles gut gegangen. Noch mal ganz herzlichen Dank und hoffentlich bald wieder mal „Glück ab und gut Land", vielleicht mit euch zusammen?
> Euer Papa

4 | Schreiben und verstehen: die Adjektivdeklination mit dem bestimmten Artikel (1)

Hören | Sprechen | Lesen | **Schreiben**

	Nominativ				Akkusativ		
m	leise:	der	*leise*	Wind	neu:	den		Industriepark
f	toll:	die		Aussicht	einsam:	die		Landschaft
n	wahr:	das		Glück	niederländisch:	das		Grenzgebiet
Pl	klein:	die		Häuser	winzig:	die	*winzigen*	Autos

5 | Die Region Aachen

Hören | Sprechen | Lesen | **Schreiben**

Ergänzen Sie die richtige Endung.

1. Das südöstlich_e__ Gebirge bei Aachen ist die Eifel.
2. Die Aachener nutzen die offen_____ Grenzen für Einkäufe an Sonntagen und spätabends, wenn die Geschäfte in Deutschland geschlossen sind.
3. In den 30er Jahren haben die Nationalsozialisten den so genannten Westwall zum „Schutz Deutschlands" gebaut. Noch heute kann man die unheimlich_____ Reste im Wald bei Aachen finden.
4. In Aachen gab es die erst_____ frei_____ Zeitung Deutschlands nach dem Zweiten Weltkrieg.
5. Das niederländisch_____ Maastricht ist inzwischen ziemlich berühmt. Denn 1991 haben hier die zwölf damaligen Mitgliedsländer der Europäischen Union den europäisch_____ Vertrag von Maastricht beschlossen.
6. Die belgisch_____ Stadt Eupen liegt nicht weit von Deutschland. Eupen und die Region um Eupen sind das einzig_____ deutschsprachig_____ Gebiet in Belgien.

6 | Länder und Abenteuer

Hören | **Sprechen** | Lesen | Schreiben

a) Was ist charakteristisch für Ihre Region? Bitte beschreiben Sie.

~~die Berge~~ ~~das Meer~~ die Aussicht auf	weit wunderbar einsam
der Blick auf die Luft das Gebirge	trocken grün ~~kristallklar~~
die Natur die Landschaft der Strand	~~hoch~~ feucht frei ...

> Die hohen Berge, der …

> Das kristallklare Meer, die …

b) Sind Sie auch schon einmal geflogen? Was war Ihr spannendster Flug? Erzählen Sie.

> Ich bin schon mal in einem Sportflugzeug geflogen. Das war toll.

> Ich fliege nie, ich habe Flugangst.

Es geht los – „Avantis"

1 | Hören | **Sprechen** | **Lesen** | Schreiben |
„Avantis" – das erste grenzüberschreitende Gewerbegebiet Europas

a) Was passt? Kreuzen Sie an.

1. In einem Gewerbegebiet gibt es
   - ☐ Wohnhäuser
   - ☐ Firmen
   - ☐ Gärten
   - ☐ Museen
   - ☐ Unternehmen
   - ☐ Betriebe
   - ☐ Schulen
   - ☐ Straßen
2. In einem Gewerbegebiet kann man
   - ☐ wohnen
   - ☐ Urlaub machen
   - ☐ einen Beruf lernen
   - ☐ arbeiten

b) Lesen Sie bitte zuerst die folgenden Fragen und dann den Zeitungsartikel. Was steht im Text?

1. Der Gewerbepark „Avantis" gehört dem Geschäftsführer Han Hardy. —————— r f
2. Der Gewerbepark „Avantis" bietet schon heute 7 000 bis 12 000 Arbeitsplätze. —— r f
3. Der Gewerbepark „Avantis" liegt zum Teil in Deutschland und zum Teil in den Niederlanden. — r f

Die Proteste der Naturschützer sind beendet, der Bau der Autobahnen läuft und die Räume des Unternehmens „Centipedes" (Kommunikation und Mobiltelefone) sind fast bezugsfertig. „Ein Unikum – die deutsch-niederländische Grenze führt quer durch diesen Betrieb", sagt Han Hardy, Geschäftsführer des Wissenschafts- und Gewerbeparks „Avantis". Ungefähr 15 Jahre will man sich noch Zeit nehmen, um das erste grenzüberschreitende Gewerbegebiet Europas zu füllen. Interessant für die Region sind insbesondere Unternehmen der Informations- und Biotechnologie, der Biomedizin, der Automobilentwicklung, der Kunststoffe und der Luft- und Raumfahrt. Man erwartet 7 000 bis 12 000 Arbeitsplätze.

c) Bitte sprechen Sie im Kurs über die folgenden Fragen.

1. Was ist „Avantis"?
2. Zu welchen Ländern gehört „Avantis"?
3. Welche Firmen sind für „Avantis" interessant?
4. Was glauben Sie: Welche Argumente können die Naturschützer gegen „Avantis" formulieren?
5. Was denken Sie: Welche Argumente sprechen für das grenzüberschreitende Gewerbegebiet?

2 Schreiben und verstehen: der Genitiv

Hören | Sprechen | Lesen | **Schreiben**

	bestimmter Artikel			unbestimmter Artikel		
m	Geschäftsführer	*des*	Gewerbepark s	Geschäftsführer	*eines*	*Gewerbepark__*
f	Unternehmen		Biomedizin	Unternehmen	*einer*	Region
n	Räume		Unternehmen s	Räume		*Unternehmen__*
Pl	Proteste		Naturschützer	Achtung: Bau	*von*	Autobahnen

Eigennamen ohne Artikel: Gewerbegebiet *Europa_____*

3 Lesen Sie den Zeitungsartikel noch einmal!

Hören | Sprechen | **Lesen** | Schreiben

Markieren Sie alle Genitive (Artikel und Nomen) aus dem Zeitungstext.

4 Wessen?

Hören | Sprechen | Lesen | **Schreiben**

Ergänzen Sie bitte den bestimmten oder unbestimmten Artikel im Genitiv und – wenn nötig – ein „s".

1. Der Name d*es* Gewerbegebiet*s* Aachen-Heerlen ist „Avantis".
2. Der Name d____ Geschäftsführer____ ist Han Hardy.
3. Die geplante Zahl d____ Arbeitsplätze____ für das Jahr 2015 liegt bei 7 000 bis 12 000.
4. „Avantis" ist das erste grenzüberschreitende Gewerbegebiet____ Europa____.
5. Die Verkehrsverbindungen e____ Gewerbepark____ müssen vielseitig und gut sein.
6. Den Standort e____ Firma____ muss man sorgsam auswählen.

5 Hören und sprechen: b, f, v und w

Hören | **Sprechen** | Lesen | Schreiben ▶▶ 6

a) Der Buchstabe „v" klingt manchmal wie „w" und manchmal wie „f".
Was hören Sie hier?

1. Verkehr   w   (f)   5. Avantis   w   f
2. nervös   w   f   6. vielleicht   w   f
3. Velo   w   f   7. Vorsicht   w   f
4. Vollmond   w   f   8. Verb   w   f

b) Ergänzen Sie den richtigen Buchstaben: b, f, v oder w? Sprechen Sie die Wörter laut.

1. ____allon
2. ____andern
3. ____eg
4. ____erkäuferin
5. ____irma
6. ____abrik
7. ____undespräsident
8. ____oche
9. ____us
10. ____isitenkarten
11. Ge____iet
12. Ge____erbe
13. ____erb
14. ____orteil
15. ____ietnam

Aachener Printen

1 | Hören | Sprechen | Lesen | Schreiben |

Die Geschichte der Aachener Printe

a) Lesen Sie und beantworten Sie dann die Frage: Wie schmecken Printen?

Ursprünglich war die Printe ein Gebäck in Form von kunstvollen Figuren, Mustern und Motiven. Dazu hat man den Teig in Formen gedrückt. Von diesem Drücken, dem „Prenten", hat die Printe ihren Namen. Noch heute kann man sich einen Eindruck von den frühen kunstvollen Formen in den „Alt Aachener Kaffeestuben" machen, wo alte Printenmodelle zur Besichtigung ausgestellt sind.

Um das Jahr 1800 herum gab es eine Zeit lang Probleme mit dem Import von Zucker und Honig. Die Printenbäcker haben deshalb Sirup verwendet, aber damit wurde der Teig zäh und war nicht mehr formbar. Etwa um 1820 hatte Bäckermeister Henry Lambertz aus Aachen die Idee zu einer neuen Printenform: die einfache, flache Printe, wie wir sie heute kennen. Seither sind Printen weit über Aachen hinaus bekannt und beliebt geworden, denn man kann sie industriell herstellen und gut versenden.

Printen schmecken ☐ scharf ☐ bitter ☐ süß ☐ sauer

b) Welche Spezialitäten gibt es bei Ihnen? Sprechen Sie im Kurs.

2 | Hören | Sprechen | Lesen | Schreiben |

Haben Sie den Lesetext verstanden?

a) Ergänzen Sie die richtige Antwort.

> **Die moderne Printe ist einfach und flach.   Ja, man kann Printen industriell herstellen.**
> **Ja, der Name Printe kommt von „prenten", drücken.**
> **Die Printe war ursprünglich ein Gebäck mit kunstvollen Formen.**
> **Weil es eine Zeit lang keinen Zucker und Honig mehr gab.**

1. Wissen Sie, was die Printe ursprünglich war?

_____

2. Haben Sie verstanden, woher der Name Printe kommt?

_____

3. Können Sie erklären, warum die Printenbäcker Sirup verwendet haben?

_____

4. Beschreiben Sie bitte, wie die moderne Printe aussieht.

_____

5. Ich möchte wissen, ob man Printen industriell produzieren kann.

_____

b) Bitte ergänzen Sie.

1. Wissen Sie, *wo* man die kunstvollen Printenmodel *besichtigen kann* _____?
_____ in den Alt Aachener Kaffeestuben _____.

2. Haben Sie verstanden, _____ die Idee zu einer neuen Printenform _____?
_____ die Idee zu einer neuen Printenform.

3. Wissen Sie, *ob* man die ersten Printen industriell _____?
Nein, _____ konnte _____ produzieren.

3

| Hören | Sprechen | Lesen | **Schreiben** |

Schreiben und verstehen: Nebensätze mit W-Wort oder *ob*

Nebensätze mit W-Wort			
Ich weiß jetzt,	*woher*	der Name Printe	*kommt* .
Ich kann dir erklären,		die modernen Printen	*erfunden hat* .
Hast du verstanden,	*warum*	die Bäcker Sirup statt Zucker	?

Nebensätze mit *ob*			
Ich möchte wissen,	*ob*	man Printen auch industriell	.
Die Lehrerin fragt,		Printen süß	*schmecken* .

4

| Hören | **Sprechen** | Lesen | Schreiben |

Was möchten Sie vom Leben alles wissen?

a) Sammeln Sie zu zweit möglichst viele Fragen.

> Warum führen die Menschen Kriege?

> Was soll ich heute kochen? Und morgen? Und übermorgen …

> Haben die Deutschen immer so kleine Familien?

b) Berichten Sie im Kurs, welche Fragen Ihr Partner oder Ihre Partnerin hat.

> Paolo möchte wissen, warum die Menschen Kriege führen.

> Tomoko überlegt jeden Tag, was sie kochen soll.

> Ousmane fragt, ob …

5

| Hören | **Sprechen** | Lesen | Schreiben |

Botschafter für indiskrete Fragen

Stellen Sie Ihrem Nachbarn eine Frage über einen anderen Kursteilnehmer. Ihr Nachbar fragt für Sie den anderen Kursteilnehmer. Dieser Kurskollege antwortet, wenn ihm die Frage nicht zu indiskret ist.

Der CHIO – Pferdesport in Aachen

1 Kleine Unterhaltung

| Hören | **Sprechen** | Lesen | Schreiben |

Sprechen Sie im Kurs.

Reiten Sie auch?

Waren Sie schon mal bei einem Pferderennen?

Welchen Sport treiben Sie?

2 Der CHIO in Aachen

| Hören | Sprechen | **Lesen** | Schreiben | ▶▶ 7

a) Was, wann, wo? Bitte lesen Sie und antworten Sie dann.

CHIO, das internationale Dressur-, Spring- und Fahrturnier findet alljährlich im Juni in Aachen statt. Das große Ereignis für alle Pferdefreunde ist durch seine ganz besondere Atmosphäre inzwischen so beliebt geworden, dass jährlich bis zu 300 000 Zuschauer nach Aachen zum CHIO kommen.

Was? _____ Wann? _____ Wo? _____

b) Was macht den CHIO so interessant? Was hören Sie? Kreuzen Sie an.

1. ☐ Das aufmerksame Publikum.
2. ☐ Die Reiter mit den schicken Uniformen.
3. ☐ Die vielen Stände mit dem leckeren Essen.
4. ☐ Das Pferd mit dem starken Körper.
5. ☐ Das Fell der wunderschönen Tiere.
6. ☐ Die Atmosphäre der lebendigen Stadt Aachen.
7. ☐ Die Größe des berühmten Pferdefestes.
8. ☐ Das Ereignis des internationalen Pferdesports.

3 Schreiben und verstehen: die Adjektivdeklination mit dem bestimmten Artikel (2)

| Hören | Sprechen | Lesen | **Schreiben** |

	Dativ		Genitiv		
m	mit dem *starken*	Körper	das Ereignis des	*internationalen*	Pferdesports
f	aus der	Welt	die Atmosphäre der		Stadt
n	mit dem	Essen	die Größe des		Pferdefestes
Pl	mit den	Uniformen	das Fell der		Tiere

4

| Hören | Sprechen | Lesen | **Schreiben** | ⏩ 8 |

Dressurreiterin Heike Jensing auf „Walzerkönig". Eine Reportage

a) Hören Sie bitte die Reportage und verbinden Sie dann die Adjektive mit den passenden Nomen.

berühmt —————┐ das Publikum
international   │   die Sicherheit
sensibel   │   der Charakter
harmonisch ——————┘ das Pferd „Walzerkönig"
enorm   die Reiterin
erfolgreich   das Vertrauen
intelligent   die Bewegung
groß   das Tier

b) Setzen Sie nun die Adjektive im Dativ oder Genitiv ein.

1. Jetzt reitet Heike Jensing auf ihrem Pferd, dem _berühmten_ „Walzerkönig", auf das Turnierfeld.

2. Der Applaus des _____ Publikums gefällt dem _____ Tier gar nicht, aber Heike Jensing beruhigt „Walzerkönig" schnell wieder.

3. Die Zuschauer sind begeistert von den _____ Bewegungen und von der _____ Sicherheit der _____ Reiterin.

4. Und sie sind überzeugt von dem _____ Charakter des Pferdes und dem _____ Vertrauen zwischen Reiterin und Pferd.

5

| Hören | **Sprechen** | Lesen | Schreiben |

Was gefällt Ihnen an Ihrem Wohnort?

Zählen Sie Dinge oder Personen mit ihren besonderen Charakteristiken auf.

die Lokale ~~die Häuser~~		die Kleider ~~die Türen~~		eng ~~bunt~~ laut
~~das Stadtzentrum~~		das Essen die Farben		schön gut offen
die Leute das Klima		die Musik		viel alt
die Feste die Plätze		die Geschäfte die Luft		angenehm fremd
die Straßen ...		die Kinder ...		...

Mir gefallen die Häuser mit den bunten Türen.

Mir gefällt das Stadtzentrum mit …

Zwei Aachener Preise

1

| Hören | Sprechen | **Lesen** | **Schreiben** |

Der „Karlspreis" und der „Orden wider den tierischen Ernst"

Bitte sortieren Sie die Sätze zu zwei Texten.

1. Mit ihm wurde eine Brücke zwischen europäischer Vergangenheit und Zukunft geschlagen.
2. Er hat einen Gefangenen über die Karnevalstage aus der Haft entlassen, weil man es dem armen Sünder nicht zumuten konnte, „die höchsten Feiertage im Rheinland" hinter Gittern zu verbringen.
3. Der erste Ordensritter war 1950 Mister J. A. Dugdale in Aachen.
4. Mit dem internationalen Karlspreis zu Aachen werden seit 1950 Persönlichkeiten und Institutionen ausgezeichnet, wenn diese sich um Europa und die europäische Einigung verdient gemacht haben.
5. Seit 1950 verleiht der Aachener Karnevalsverein (AKV) diesen Orden alljährlich einem Vertreter des öffentlichen Lebens, der die Politik durch Humor und oft auch Selbstironie vermenschlicht.
6. Der Namensgeber des Karlspreises ist Karl der Große. Er gilt als erster Einiger Europas und hat Ende des achten Jahrhunderts Aachen zu seiner Lieblingspfalz gewählt.

Der „Karlspreis"

Mit dem internationalen Karlspreis zu Aachen werden seit 1950 Persönlichkeiten und Institutionen ausgezeichnet, wenn diese sich um Europa und die europäische Einigung verdient gemacht haben.

Der „Orden wider den tierischen Ernst"

Seit 1950 verleiht der Aachener Karnevalsverein (AKV) diesen Orden alljährlich einem Vertreter des öffentlichen Lebens, der die Politik durch Humor und oft auch Selbstironie vermenschlicht.

2

| Hören | **Sprechen** | **Lesen** | Schreiben |

Der Euro – ein ungewöhnlicher Preisträger

a) Was glauben Sie? Hat der Euro den „Karlspreis" oder den „Orden wider den tierischen Ernst" bekommen?

Die seit dem 1. Januar 2002 bestehende einheitliche Währung der Europäischen Union hat einen „entscheidenden, Epoche machenden Beitrag zum Zusammenwachsen der Völker Europas" geleistet.

☐ „Karlspreis"
☐ „Orden wider den tierischen Ernst"

b) Verschiedene Länder, aber nur eine Währung: Wie finden Sie das?

Grammatik

1 Die Adjektivdeklination mit dem bestimmten Artikel → S. 205

	m	**f**	**n**	**Pl**
Nominativ	der leise Wind	die tolle Aussicht	das wahre Glück	die offenen Grenzen
Akkusativ	den leisen Wind	die tolle Aussicht	das wahre Glück	die offenen Grenzen
Dativ	dem leisen Wind	der tollen Aussicht	dem wahren Glück	den offenen Grenzen
Genitiv	des leisen Windes	der tollen Aussicht	des wahren Glücks	der offenen Grenzen

Regel: Nach dem bestimmten Artikel hat das Adjektiv entweder die Endung *-e* oder *-en*.

2 Der Genitiv → S. 203

	m	**f**	**n**	**Pl**
bestimmt	der Chef des Gewerbeparks	Unternehmen der Biotechnologie	die Räume des Unternehmens	der Bau der Autobahnen
unbestimmt	der Betreiber eines Industrieparks	die Unternehmen einer Region	die Räume eines Unternehmens	*(Achtung:)* der Bau von Autobahnen
possessiv	der Fahrer seines Ballons	das Geschenk seiner Frau	das Ende seines Abenteuers	der Gutschein seiner Töchter
negativ	keines	keiner	keines	keiner
Eigennamen ohne Artikel	die Grenzen Europas	Europas Grenzen		
Personennamen	Heike Jensings Pferd	Heikes Uniform		

Achtung: Henry Lambertz' Printenrezept, Markus' Arbeitsplatz

3 Nebensätze mit W-Wort oder *ob* → S. 194

Hauptsatz	Subjunktion		Satzende
Hast du verstanden,	woher	der Name Printe	kommt?
Ich weiß nicht,	wer	die modernen Printen	erfunden hat.
Ich möchte wissen,	warum	die Bäcker Sirup statt Zucker	verwendet haben.
Die Lehrerin fragt,	ob	Printen süß	schmecken.
Ich möchte wissen,	ob	man Printen auch industriell	herstellen kann.

— Nebensatz —

Regel: Der Nebensatz beginnt mit einem W-Wort oder mit *ob* und endet mit dem konjugierten Verb.

Lektion 14

Zu Besuch in Dresden

1

Hören	Sprechen	**Lesen**	Schreiben

Erinnerungen an eine Dresden-Reise

Bitte ordnen Sie die Begriffe den Abbildungen zu.

das Rezept   die Broschüre   das Tagebuch   die Fahrkarte   ~~der Spendenaufruf~~

1

Überweisungsauftrag/Zahlschein

Benutzen Sie bitte diesen Vordruck
für die Überweisung des Betrages von
Ihrem Konto oder zur Bareinzahlung.
Den Vordruck bitte nicht beschädigen,
knicken, bestempeln oder beschmutzen.

(Name und Sitz des beauftragten Kreditinstituts)   (Bankleitzahl)

Empfänger
STIFTUNG FRAUENKIRCHE DRESDEN
Konto-Nr. des Empfängers   Bankleitzahl
970023700   500 800 00

Aktion „Stifterbrief" zugunsten der   DM od. EUR*   → Bitte immer ausfüllen
Stiftung Frauenkirche Dresden   D M   Betrag

PLZ/Ort des Auftraggebers: (max. 27 Stellen)

Straße des Auftraggebers: (max. 27 Stellen)

Name des Auftraggebers/Einzahlers: (max. 27 Stellen)

Konto-Nr. des Kontoinhabers   19

S P E N D E

Der „Ruf aus Dresden" einer Bürgerinitiative fand in
der ganzen Welt ein Echo. Die Frauenkirche soll wieder erstehen als eine Stätte für Gottesdienste im
Geiste des Friedens und der Versöhnung, für
Konzerte, Vorträge sowie Begegnungen, die zur
Verständigung zwischen den Menschen und Völkern
beitragen. Sie können dieses Ziel jetzt mit einem
ganz persönlichen Beitrag unterstützen.

Der Spendenaufruf

2

Privat   0
Name, Vorname des Versicherten

X   Graf
    Hertha   geb. am
    Hauptstr. 2   14.03.33
    01258 Dresden
                Versicherungsnummer   Personennummer

5720266   19.04.02
Rp. (Bitte Leerräume durchstreichen)

Optipress 2mg Tbl. 100

****

PKV-H

Dr. med. Georg ...
Internist
Hauptstr. 28a · Tel. ...

systemform MediaCard GmbH & Co. KG

2 Verena bei ihrer Oma

**a) Eine Woche in Dresden. Was können die beiden da machen?
Bitte sammeln Sie Vorschläge.**

Vielleicht ...

Sie können ...

**b) Was haben Verena und ihre Oma
in dieser Woche wirklich vor?
Bitte hören Sie und tragen Sie
die Aktivitäten in den Kalender ein.**

*Verena, 19, Mathematik-
studentin in München*

*Hertha Graf, 69,
Rentnerin, verwitwet*

6 Sonntag	**7** Montag	**8** Dienstag	**9** Mittwoch	**10** Donnerstag	**11** Freitag	**12** Samstag

c) Vergleichen Sie Ihre Notizen im Kurs. Was haben die anderen gehört?

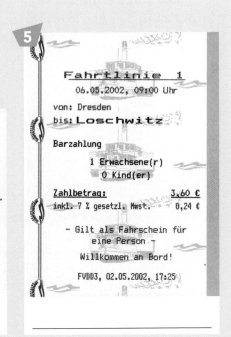

Verena im Museum

Adrian Ludwig Richter:
Überfahrt über die Elbe (1837)

Conrad Felixmüller:
Liebespaar vor Dresden (1928)

1

| Hören | Sprechen | Lesen | **Schreiben** |

In der Gemäldegalerie

a) Was sehen Sie auf den Bildern? Sortieren Sie die Wörter.

~~der Fluss~~   ~~das Ohr~~   die Hand   der Anzug   das Ufer   der Fuß   die Wolke
das Hemd   das Bein   die Nase   das Knie   der Finger   der Nebel
der Hals   die Sonne   ~~Strümpfe~~   die Brücke   das Gesicht   das Gebäude
der Arm   der Himmel   der Rücken   der Mond   die Mütze   der Kopf
Augen   der Mantel   Haare   die Haut   der Mund

Landschaft	Kleidung	Körper
der Fluss	*Strümpfe*	*das Ohr*

b) Welche Adjektive passen zu den Bildern? Bitte sammeln Sie.

realistisch, kühl, neblig, fremd, langweilig

2 Eine Führung durch die Galerie

| Hören | Sprechen | Lesen | Schreiben | ⏩ 10 |

a) Über welches Bild sprechen die Museumsbesucher? Und was sagen sie über das Bild?

| fröhlich | traurig | ruhig | friedlich | langweilig |
| harmonisch | | unheimlich | | schrecklich |

b) Was sagt die Museumsführerin über das Bild? „Wir sehen hier ...“

1. eine ☐ harmonische ☒ schöne Landschaft,
2. einen ☐ klaren ☐ blauen Himmel,
3. einen ☐ breiten ☐ ruhigen Fluss,
4. einen ☐ steilen ☐ hohen Berg mit einer alten Burg,
5. zwei ☐ weise ☐ alte Männer,
6. ein Kind mit einem ☐ kleinen ☐ grünen Zweig,
7. einen Mann mit einem ☐ traurigen ☐ langweiligen Gesicht,
8. ein ☐ junges ☐ verliebtes Paar.

3 Welche Kombinationen passen zu dem Bild?

| Hören | Sprechen | **Lesen** | Schreiben |

1. In der Mitte des Bootes sitzt
2. Auf dem Berg links steht
3. In der Mitte fließt
4. Auf dem Fluss fährt
5. Auf dem Boot sind
6. Am Himmel sind nur
7. Vor dem Liebespaar sitzt

ein paar kleine Wolken.
ein romantisches Liebespaar.
ein altes Boot.
verschiedene Menschen.
ein trauriger, junger Mann.
ein breiter, ruhiger Fluss.
eine alte Burg.

4 Schreiben und verstehen: die Adjektivdeklination mit dem unbestimmten Artikel

| Hören | Sprechen | Lesen | **Schreiben** |

	Nominativ		**Akkusativ**		**Dativ**	
m	ein *traurig__*	Mann	einen *hoh__*	Berg	mit einem *alten*	Mann
f	eine *alt__*	Burg	eine *schö__*	Landschaft	mit einer *jungen*	Frau
n	ein *alt__*	Boot	ein *jung__*	Paar	mit einem *kleinen*	Kind
Pl	*verschieden__*	Menschen	*alt__*	Männer	mit *traurigen*	Leuten

5 Bildbeschreibungen

| Hören | **Sprechen** | Lesen | Schreiben |

Beschreiben Sie die Bilder mithilfe der Nomen und Adjektive aus Aufgabe 1. Sie können auch eigene Bilder mitbringen.

> Man sieht einen hohen Berg mit ...

> Ein junges Paar steht am Ufer eines Flusses ...

Adele Zwintscher

1 "Bildnis der Gattin des Künstlers"

Hören | Sprechen | **Lesen** | Schreiben

a) Wie viele Personen kommen in dem Text vor?

Nach der Führung schaut Verena sich einige Bilder noch einmal allein an. Das „Bildnis der Gattin des Künstlers" gefällt ihr sehr gut. Was denkt diese Frau? Wie fühlt sie sich? Wohin geht sie? Verena steht lange vor dem Bild. Da sagt ein alter Museumswärter plötzlich: „Ja, die Adele. Jetzt steht sie immer noch da."

„Immer noch?", fragt Verena.

„Na ja. Eigentlich wollte sie in die Kirche gehen. Aber keiner hat sie geweckt. Und dann musste alles sehr schnell gehen. In Windeseile hat sie sich das Gesicht gewaschen, sich gekämmt und sich nur ein bisschen geschminkt. Sie hat sich angezogen und wollte schnell aus dem Haus.

Und jetzt steht sie immer noch an der Tür. Denn als sie hinaus wollte, sagte ihr Mann plötzlich: ‚Halt! Bleib so stehen! Beweg dich nicht! Das sieht wunderschön aus.

Lass mich schnell eine Skizze machen!'

‚Jetzt doch nicht! Ich bin schon spät dran. Ich muss mich beeilen.'

‚Bitte! Es muss jetzt sein! Dann tu ich auch alles für dich.

Was wünschst du dir?'

‚Kann ich mir etwas Neues kaufen?'

‚Alles, was du willst.'

‚Also gut, 15 Minuten, aber nicht länger!'

Und jetzt steht sie immer noch da."

b) Bitte lesen Sie den Text mit verteilten Rollen.

2 Adeles Sonntagmorgen. Was fehlt?

Hören | Sprechen | **Lesen** | Schreiben

1. Adele hat verschlafen. Sie muss sich _beeilen_.
2. Sie _____ sich das Gesicht und kämmt _____.
3. Dann schminkt sie _____ schnell ein bisschen.
4. Sie _____ sich an, geht zur Tür und sagt ihrem Mann auf Wiedersehen.
5. Aber jetzt soll sie sich nicht _____. Ihr Mann will sie zeichnen.
6. Dafür kann sie sich morgen etwas Neues _____.

3 Was denkt Adele?

Hören | Sprechen | **Lesen** | Schreiben

1. Ich darf ☐ mir ☒ mich nicht bewegen, hat Oskar gesagt.
2. Na ja, dafür kann ich ☐ mir ☐ mich ja nachher etwas wünschen.
3. Wie sehe ich eigentlich aus? Ich habe ☐ mir ☐ mich ja heute kaum geschminkt.
4. Gott sei Dank habe ich ☐ mir ☐ mich wenigstens die Haare ordentlich gekämmt.
5. Ach Oskar, beeile ☐ dir ☐ dich, die Kirche fängt gleich an. Deine Viertelstunde ist vorbei!
6. Aber jetzt ziehe ich ☐ mir ☐ mich wirklich sofort den Mantel an und gehe …

4 Schreiben und verstehen: das Reflexivpronomen (Akkusativ und Dativ)

		Akk.			Dat.	Akk.
ich	wasche	*mich*	**ich**	wasche		den Hals
du	kämmst		**du**	kämmst		die Haare
er • sie • es	schminkt		**er • sie • es**	schminkt	*sich*	den Mund
wir	waschen	*uns*	**wir**	waschen	*uns*	die Hände
ihr	kämmt	*euch*	**ihr**	kämmt	*euch*	die Haare
sie • Sie	schminken	*sich*	**sie • Sie**	schminken	*sich*	die Augen

5 Machen Sie Interviews mit Ihren Kurspartnern!

a) Was machen Sie am Morgen? Was nicht?

> sich waschen   sich beeilen   sich die Zähne putzen   sich rasieren
> sich die Haare waschen   sich die Haare kämmen   sich die Schuhe ausziehen
> sich anziehen   sich schminken   sich ins Bett legen

Ich muss mich immer sehr beeilen.

Ich schminke mich nie.

b) „Ich fühle mich wohl, wenn die Sonne scheint." Und Sie?

> sich freuen   sich ärgern   sich elegant anziehen   sich erholen
> sich nicht wohl fühlen   sich wohl fühlen   sich gestresst fühlen

6 Hören und sprechen: -ich, -ig oder -ik

a) Was hören Sie: -ich oder -ik?

-ich / -ik   1. [X] 2. [] 3. [] 4. [] 5. [] 6. [] 7. [] 8. [] 9. [] 10. []

b) Hören Sie und sprechen Sie bitte: -ich oder -ig?

1. herzlich – herzliche Grüße; glücklich – glückliche Kinder; fröhlich – fröhliche Menschen;
   gefährlich – gefährliche Hunde; schriftlich – schriftliche Übungen
2. wenig – wenige Wochen; billig – ein billiger Wein; windig – windiges Wetter; neblig – neblige Tage;
   traurig – ein trauriges Gesicht
3. Ich möchte richtig sprechen. Das ist manchmal nicht leicht, aber für mich wirklich wichtig.

Verena und Frau Graf beim Arzt

1 Im Wartezimmer
Hören | Sprechen | Lesen | Schreiben ▶▶ 13–18

a) Welche Krankheiten finden Sie in den Zeichnungen? Notieren Sie den passenden Buchstaben.

1. ☐ Er/Sie hat Schnupfen.
2. ☐ Er/Sie hat sich das Bein gebrochen.
3. ☐ Er/Sie hat Husten.
4. ☐ Er/Sie hat Fieber.
5. ☐ Er/Sie hat Bauchschmerzen.

6. ☐ Sein/Ihr Arm ist gebrochen.
7. ☐ Sein/Ihr Hals tut weh.
8. ☐ Er/Sie hat eine Allergie.
9. ☐ Er/Sie ist erkältet.
10. ☐ Er/Sie hat Kopfschmerzen.

b) Wer hat wohl welche Krankheit? Sprechen Sie im Kurs.

(C hat bestimmt eine Allergie.)   (E hat wohl …)   (Wahrscheinlich …)

c) Bitte schreiben Sie die Nummer des Hörtextes unter das passende Bild.

A B C D E F

1

_____

2 Verenas Gespräch mit dem Arzt
Hören | Sprechen | Lesen | Schreiben ▶▶ 19

a) Hören Sie: Welche Diagnose stellt der Arzt?

Verena hat ☐ eine Angina   ☐ eine Grippe   ☐ eine Magen-Darm-Grippe

b) Was macht der Arzt? Bitte nummerieren Sie und hören Sie dann zur Kontrolle den Hörtext. Danach ordnen Sie bitte die Sätze A–H zu.

☐ nach dem Problem fragen	**A** „Ich verschreibe Ihnen ein Antibiotikum."	1	B
☐ die Patientin untersuchen	**B** „Guten Tag!"	2	
☐ ein Rezept schreiben	**C** „Was fehlt Ihnen denn?"	3	
☐ sich verabschieden	**D** „Bitte sagen Sie A."	4	
1 die Patientin begrüßen	**E** „Das ist eine Halsentzündung."	5	
☐ eine Diagnose stellen	**F** „Brauchen Sie eine Krankmeldung?"	6	
☐ etwas empfehlen	**G** „Auf Wiedersehen und gute Besserung."	7	
☐ die Patientin krankschreiben	**H** „Bleiben Sie zwei Tage im Bett."	8	

3 Welche Ratschläge gibt der Arzt?

| Hören | Sprechen | Lesen | Schreiben | ▶▶ 20

Der Arzt hat auch Frau Graf untersucht. Es war ihre jährliche Routineuntersuchung.
Jetzt gibt er ihr einige Ratschläge.

1. Frau Graf, Sie sollten auf Ihr Gewicht achten. _____   r f
2. Essen Sie kein Fleisch mehr. _____   r f
3. Sie sollten mehr Obst und Gemüse essen. _____   r f
4. Ab und zu dürfen Sie ruhig auch was Süßes essen. _____   r f
5. Trinken Sie weniger Kaffee. _____   r f
6. Außerdem sollten Sie sich so viel wie möglich bewegen! _____   r f

4 Schreiben und verstehen: Ratschläge mit *sollte*

ich	sollte	wir	sollten
du	solltest	ihr	solltet
er • sie • es	sollte	sie • Sie	

5 Leben Sie gesund?

a) Was tun Sie für Ihre Gesundheit?

Ich gehe zweimal in der Woche joggen.

Ich esse vegetarisch.

b) Welcher Ratschlag bei welchem Problem?

Yoga machen	ein Aspirin nehmen	sich bei schöner Musik entspannen
Schlaftabletten nehmen	jemand fragen	eine Diät machen	weniger rauchen
nicht so viel arbeiten	sich mehr bewegen	bei der Krankenkasse anrufen

1. Ich habe Kopfschmerzen.
2. Ich finde mich zu dick.
3. Ich kann nachts nicht schlafen.

4. Ich habe meine Versichertenkarte verloren.
5. Ich verstehe das nicht.
6. …

Du solltest Yoga machen.

Sie sollten weniger …

Nimm doch eine …

Fragen Sie doch …

6 Dialog beim Arzt

Bitte übernehmen Sie eine Rolle: Wer ist der Arzt, wer ist der Patient?

Dresdens Wahrzeichen

1 Die Frauenkirche

Hören | **Sprechen** | Lesen | Schreiben

a) Bitte notieren Sie, welche Notiz 1–6 zu welchem Abschnitt A–F gehört.

Verena will für ihre Uni-Zeitung eine Reportage über den Wiederaufbau der Frauenkirche schreiben. Sie hat schon einen Plan für die Reportage und hat auch einige Textideen notiert.

1. Erinnerung an die Vergangenheit *B*
2. Der Gedanke zum Wiederaufbau _____
3. Vorbereitungen für den Aufbau _____

4. Aufbauarbeiten _____
5. Kosten _____
6. Spenden _____

A

1993 haben Architekten und Denkmalpfleger mit der Vorbereitung des Aufbaus begonnen: Sie haben Trümmersteine fotografiert, gemessen und nummeriert. Jeden einzeln. Und dann mussten sie von jedem wissen, wo früher sein Platz im Ganzen war. Denn jeder Stein muss wieder genau an seinen Platz.

B

Ein kühler Wind weht um die Frauenkirche. Ich stehe davor und berühre einen Stein. Er ist schwarz. Schwarz vom Feuer des 13. Februar 1945, als Dresden in einer Kriegsnacht zu Asche wurde. Dieser Stein hier ist einer von vielen, die jahrelang unter den Trümmern der Frauenkirche gelegen haben. Einer von 98 390 Steinen.

C

Für diese Arbeit braucht man viele Jahre. Zu den alten Steinen haben Steinmetze tausende neuer Steine gehauen. Und alle aus dem hellen Elbsandstein der Region. Jetzt setzen sie alte und neue Steine zusammen, wie bei einem riesigen Puzzle. Die Frauenkirche entsteht in ihrer alten Schönheit neu.

D

Und was kostet das? 130 Millionen Euro netto. Und wer bezahlt das? Erstaunlich! Es sind fast alles private Spenden.

E

Dresdner Bürger hatten die Idee, dieses wunderbare Bauwerk aus seinen Trümmern wiederaufzubauen. Sie wollten der Kunststadt Dresden eines seiner großen Denkmäler zurückgeben. 1990 hat man einen Verein zum Wiederaufbau der Dresdner Frauenkirche gegründet. Dieser hatte anfangs nur 14 Mitglieder, aber fast täglich kommen welche dazu. Inzwischen sind es mehr als 6000 in über 20 Ländern aller Kontinente.

F

Keiner kann Dresden ohne Spende für den Wiederaufbau verlassen, wenn er die Steine der Frauenkirche berührt hat. Man kann einen winzigen Stein kaufen als Teil einer Dresdner Armbanduhr. Man kann aber auch einen echten Kirchenstein adoptieren und auf Plänen genau sehen, wo dieser sitzt. Meiner hat die Nummer DV Z 60.

b) Sprechen Sie im Kurs.

Wie finden Sie das Wiederaufbauprojekt?
Kennen Sie andere, ähnliche Aufbauprojekte?
Wissen Sie, warum Dresden 1945 gebrannt hat?

2

| Hören | Sprechen | **Lesen** | Schreiben |

Bitte markieren Sie. Was ist richtig?

1. Verena braucht für ihre Reportage auch Fotos. Deshalb geht sie zur Frauenkirche und
   macht ☐ keine ☒ welche.
2. Sie berührt einen Stein. ☐ Der ☐ Keiner ist ganz schwarz.
3. Es ist ☐ jeder ☐ einer von 98 390 Steinen.
4. Die Architekten haben ☐ jeden ☐ keinen gemessen, denn sie müssen von ☐ einem ☐ jedem
   wissen, wo er früher war.
5. Später soll ☐ keiner ☐ jeder an seinem Platz sitzen.
6. Möchtest du auch einen Stein von der Frauenkirche adoptieren? ☐ Dieser ☐ Jeder kann das tun.
7. Aber natürlich muss man ☐ keinen ☐ einen adoptieren.
8. Verena hat ☐ einen ☐ jeden adoptiert. ☐ Jeder ☐ Ihrer hat die Nummer DV Z 60.

3

| Hören | Sprechen | Lesen | **Schreiben** |

Schreiben und verstehen: Artikelwörter als Pronomen

	der, dieser, jeder als Pronomen			*einer, keiner, meiner* als Pronomen		
	Nominativ	**Akkusativ**	**Dativ**	**Nominativ**	**Akkusativ**	**Dativ**
m	der *dieser* jeder	diesen	dem diesem	keiner	einen meinen	keinem meinem
f	die diese	die jede	der dieser jeder	eine meine	keine	einer keiner meiner
n	das dieses	jedes	dem diesem jedem	eins keins meins	meins	einem keinem meinem
Pl	die alle	die diese alle	denen diesen allen	welche keine	welche	welchen keinen meinen

4

| Hören | **Sprechen** | Lesen | Schreiben |

Vermutungen

Überlegen Sie sich Fragen zu Dresden und / oder zu Ihrem Kursort.

die Oper	der Flughafen	der Fluss	ausländische Restaurants
der Park	Hochhäuser	der Zoo	die Tanzschule	die Universität
Ruinen		die U-Bahn	gute Kinos

Was denkst du, gibt es in Dresden Hochhäuser?

Ja, ich glaube, es gibt welche.

13. Februar 1945

1 | Hertha Grafs Bericht

| Hören | Sprechen | **Lesen** | **Schreiben** |

a) Sie haben drei Titel zur Auswahl. Bitte lesen Sie den Text und wählen Sie dann eine Überschrift.

A Die Bombennacht   **B** Die Rettung   **C** Verantwortung übernehmen

Noch heute habe ich die Bilder dieser Nacht im Kopf. Ich sehe mich immer noch auf dem Dürerplatz stehen, meine fünfjährige Schwester an meiner rechten Hand, mein Köfferchen in der linken. Und um uns herum ein Meer von Feuer und Rauch! Wir aber stehen da und warten. „Wir sind bald wieder bei euch", haben die Eltern gesagt, „ihr wartet hier auf uns." Sie sind in unser Haus zurückgelaufen. Vielleicht können sie dort noch ein paar wichtige Sachen heraus- holen, vielleicht ist nicht alles verbrannt. Warum dauert das nur so lange? Wir warten hier sicher schon eine Stunde. Oder sind es erst fünf Minuten? Meine Augen tun weh und meine Schwester weint. Aber wer weint nicht in dieser Nacht?
„Gisela, Hertha, kommt mit!" ruft eine bekannte Stimme. Es ist aber nicht unsere Mutter, sondern eine Nachbarin mit ihrem Baby auf dem Arm. Wir bleiben stehen. „Wir warten auf unsere Eltern, sie werden sicher bald kommen."
„Hier könnt ihr nicht bleiben, der Rauch tötet euch."
Schließlich gehen wir mit, denn ich weiß wirklich nicht, ob meine Eltern wieder zu uns zurück- finden, und ich habe die Verantwortung für meine Schwester. Wir versuchen zwischen den brennenden Häusern zum Elbufer zu kommen, aber es ist kaum noch möglich vorwärts zu kommen. Die junge Frau treibt uns weiter: „Wir müssen hier durch, wir müssen es schaffen, eine andere Rettung bleibt uns nicht."
Schließlich geht es doch nicht mehr weiter und wir müssen in einen Keller gehen und dort auf den Morgen warten. Hier erleben wir den zweiten Bombenangriff und der ist noch viel schreck- licher. Jetzt bin ich mit meiner Schwester allein, ohne Eltern, zwischen alten, kranken Menschen und Müttern mit ihren Kindern. Und alle haben Angst.

b) Hertha berichtet über die folgenden Stichpunkte. Schreiben Sie bitte zu jedem Stichpunkt einen Satz.

- ihre Eltern
- ihre Schwester
- ihr Haus
- ihre Nachbarin
- ihre Angst
- ihr Verhalten

2 | Die Nacht vom 13. Februar 1945

| Hören | **Sprechen** | Lesen | Schreiben |

Wählen Sie einen der Notizzettel mit Wörtern aus dem Text. Erzählen Sie mithilfe der fünf Wörter.

1.
Schwester
warten
Eltern
Nachbarin
mitgehen

2.
Nachbarin
Elbufer
schaffen
Keller
Morgen

3.
Rauch
Feuer
versuchen
Keller
Angst

Grammatik

1 Das Reflexivpronomen → S. 197, 200, 208

Reflexivpronomen: Akkusativ		
ich	wasche	mich
du	kämmst	dich
er • sie • es	zieht	sich an
wir	waschen	uns
ihr	kämmt	euch
sie • Sie	ziehen	sich an

Reflexivpronomen: Dativ			
ich	wasche	mir	das Gesicht
du	kämmst	dir	die Haare
er • sie • es	zieht	sich	die Jacke an
wir	waschen	uns	die Hände
ihr	kämmt	euch	die Haare
sie • Sie	ziehen	sich	die Schuhe an

Regel: Das Reflexivpronomen steht im Akkusativ. Wenn man aber genau sagt, *was* man wäscht, kämmt, anzieht usw., steht das Reflexivpronomen im Dativ.

Akkusativ: ich beeile mich, ich freue mich, ich erhole mich, ich entspanne mich, ich fühle mich gut
Dativ: ich überlege mir eine Frage

Regel: Wenn das Reflexivpronomen obligatorisch ist → immer im Akkusativ oder immer im Dativ.

2 Die Adjektivdeklination mit dem unbestimmten Artikel → S. 205

	m	**f**	**n**	**Pl**
Nominativ	ein alter Mann	eine junge Frau	ein kleines Kind	traurige Leute
Akkusativ	einen alten Mann	eine junge Frau	ein kleines Kind	traurige Leute
Dativ	einem alten Mann	einer jungen Frau	einem kleinen Kind	traurigen Leuten
Genitiv	eines alten Mannes	einer jungen Frau	eines kleinen Kindes	trauriger Leute

Regel: Der unbestimmte Artikel hat die Signalendungen manchmal nicht. Dann hat das Adjektiv die Signalendungen.

3 Pronomen → S. 206

Die Pronomen der, dieser, jeder				*Die Pronomen* einer, keiner, meiner		
	Nominativ	Akkusativ	Dativ	Nominativ	Akkusativ	Dativ
m	der	den	dem	einer	einen	einem
	dieser	diesen	diesem	keiner	keinen	keinem
	jeder	jeden	jedem	meiner	meinen	meinem
f	die	die	der	eine	eine	einer
	diese	diese	dieser	keine	keine	keiner
	jede	jede	jeder	meine	meine	meiner
n	das	das	dem	ein(e)s	ein(e)s	ein(e)m
	dieses	dieses	diesem	kein(e)s	kein(e)s	kein(e)m
	jedes	jedes	jedem	mein(e)s	mein(e)s	mein(e)m
Pl	die	die	denen	welche	welche	welchen
	diese	diese	diesen	keine	keine	keinen
	alle	alle	allen	meine	meine	meinen

Regel: Diese Wörter kann man als Artikelwörter (vor dem Nomen) und als Pronomen (allein) verwenden. Als Pronomen haben sie immer die Signalendungen (= die Endungen des bestimmten Artikels). Steht danach ein Adjektiv, hat es die Endung -e oder -en.

Lektion 15 In Wien zu Hause

1 Bilder aus Wien

Hören | **Sprechen** | **Lesen** | Schreiben

a) Bitte ordnen Sie die Texte den Bildern zu.

1. Eine der wichtigsten kulturellen Einrichtungen der Stadt steht seit 1869 in der Ringstraße: die Wiener Staatsoper, eine der ersten Opernadressen der Welt. Jeweils im Februar findet hier der Opernball statt: Aus Bühne und Parkett wird für eine Nacht ein großer Tanzboden.   Bild _____

2. Jahrhundertelang war die Hofburg kaiserliches Palais und Residenz der Habsburger. Heute hat der österreichische Bundespräsident in dieser „Stadt in der Stadt" seinen Sitz, hier befinden sich unter anderem ein Konferenzzentrum, die Nationalbibliothek, verschiedene Museen und Sammlungen.   Bild _____

3. Diplomatie und Völkerverständigung haben in Wien Tradition. Deshalb waren die Wiener stolz, als man 1979 am Ufer der Donau die UNO-City eröffnete und Wien somit nach New York und Genf die dritte UNO-Stadt wurde.   Bild _____

4. Nach einer Legende kam der Kaffee 1683 nach Wien. Damals war Wien von den Türken belagert. Nach der Befreiung der Stadt fand man Säcke mit Kaffeebohnen und so konnte man das erste von vielen Wiener Kaffeehäusern gründen.   Bild _____

5. Architektonische Glanzleistung oder großer Fehler? Die vier 70 Meter hohen Gasometer lieferten bis 1984 Gas für die Stadt. Danach waren sie außer Betrieb, bis Stararchitekten den Auftrag bekamen, das Innere der Gasometer zu Wohn-, Arbeits- und Verkaufsräumen umzubauen. Die Meinungen über diesen Umbau sind geteilt.   Bild _____

6. Für den Künstler Friedensreich Hundertwasser war die Architektur der 70er Jahre zu uniform, zu wenig menschlich und zu wenig naturfreundlich. Die Stadt Wien gab ihm die Möglichkeit, sein ökologisches Traum-Wohnhaus zu realisieren. Wie fühlt man sich in so einem berühmten Gebäude? Stören die vielen Touristen nicht das tägliche Leben? Gibt es da noch genug Lebensqualität?   Bild _____

b) Welches Gebäude interessiert Sie am meisten? Warum?

Schmankerl aus Österreich

a) In welchen Gebäuden aus Aufgabe 1 finden die Gespräche jeweils statt?

1. Dialog 1: _____
2. Dialog 2: _____
3. Dialog 3: _____

4. Dialog 4: _____
5. Dialog 5: _____
6. Dialog 6: _____

b) Wie sagt man in Österreich dazu? Bitte finden Sie das passende Wort.

das Packerl	~~servus~~	die Station	das Beisel	vis-à-vis	die Stiege

1. hallo: _servus_ _____
2. die Treppe: _____
3. gegenüber: _____
4. die Haltestelle: _____
5. die Kneipe: _____
6. das Paket, das Päckchen: _____

c) Gibt es in Ihrem Land verschiedene Sprachen, Dialekte oder Akzente?

A

B

C

D

E

F

Im UNO-Gebäude

1 | Hören | Sprechen | **Lesen** | Schreiben |

Ein Praktikum bei der UNO

a) Bitte überprüfen Sie, ob Attila in seinem Brief alle Fragen seines Freundes beantwortet hat.

Attila Koltai aus Budapest hat Rechtswissenschaften studiert und macht gerade zusammen mit seiner Freundin Krisztina ein Praktikum bei der UNO in Wien. Sein Freund Jan aus Mannheim hat ihn um einige Informationen zu diesem Praktikum gebeten. Er wollte wissen,

1. wie Attila die Praktikantenstelle gefunden hat,
2. was er in seinem Praktikum macht,
3. wie es ihm gefällt,
4. welche Voraussetzungen man für so ein Praktikum braucht.

Lieber Jan,   Wien, 25. April

du möchtest auch ein Praktikum bei der UNO machen? Das kann ich dir wirklich empfehlen, denn man lernt unglaublich viel hier. Für mich ist es faszinierend, ich habe wirklich das Gefühl von „vereinten Nationen", weil ich mit Menschen aus der ganzen Welt zusammenarbeite. Aber die Idee für das Praktikum hatte gar nicht ich selbst, sondern meine Freundin Krisztina hat mir diesen Vorschlag gemacht. Sie hat dann auch die Bewerbungsformulare im Internet entdeckt, und ich musste sie nur noch ausfüllen.
Hier in Wien sind ja nicht die großen Organisationen der Vereinten Nationen wie in New York oder Genf, sondern eher unbekannte wie zum Beispiel UNIDO (Organisation für industrielle Entwicklung), IAEO (Internationale Atomenergieorganisation) oder ODCCP (Büro für Drogenkontrolle und Verbrechensverhütung). Aber ich habe einen sehr interessanten Platz beim Informationsdienst (UNIS), und Krisztina gefällt es auch bei der ODCCP.
Du weißt ja, dass die UNO ihre Praktikanten nicht bezahlt. Das heißt, du brauchst ein Stipendium, oder deine Eltern geben dir das Geld. Und wie sieht es mit deinen Sprachkenntnissen aus? Ich weiß, das war nie deine Stärke, aber du musst mindestens gut Englisch sprechen. Du kannst mich gern anrufen, wenn du noch Fragen hast, oder du schaust mal im Internet unter http://www.unis.unvienna.org nach. Dort bekommst du alle notwendigen Informationen. Ich schlage vor, du wartest nicht mehr lange, sondern schickst deine Bewerbung so schnell wie möglich ab.
Melde dich bald!
Herzliche Grüße
Attila

---

b) Welche Sätze sind richtig?

1. Die UNO nennt man auf Deutsch auch „Vereinte Nationen". _____ **r f**
2. Sie hat ihren Sitz ausschließlich in New York. _____ **r f**
3. Sie besteht aus vielen einzelnen Unterorganisationen. _____ **r f**
4. Als UNO-Praktikant verdient man gut. _____ **r f**
5. Als UNO-Mitarbeiter muss man gut Englisch sprechen. _____ **r f**

2

| Hören | Sprechen | Lesen | **Schreiben** |

2 Schreiben und verstehen: die Konjunktionen *aber, denn, und, sondern, oder*

Hauptsatz 1	Hauptsatz 2			
	Position 0: Konjunktion	**Position 1**	**Position 2**	
Jan war nie gut in Fremdsprachen,	*aber*	*er*	*muss*	gut Englisch sprechen.
Attila kann ein Praktikum bei der UNO empfehlen,	*denn*			unglaublich viel.
Krisztina hat die Formulare entdeckt	*und*			sie nur noch ausfüllen.
Jan soll nicht mehr lange warten,	*sondern*	*(*	*soll)*	die Bewerbung abschicken.
Für ein Praktikum brauchst du ein Stipendium	*oder*			dir das Geld.

3 Sätze bilden

| Hören | Sprechen | Lesen | **Schreiben** |

Bitte finden Sie die passende Konjunktion und schreiben Sie die Sätze richtig.

1. Jan und Attila kennen sich gut, *haben / studiert / sie / in Passau / zusammen / .*
2. Jan kommt aus Mannheim, *kommt / aus Budapest / Attila / .*
3. Jan möchte ein Praktikum bei der UNO machen, *hat / beworben / er / sich / noch nicht / .*
4. Informationen zum Praktikum kann er im Internet finden, *ruft / an / er / seinen Freund / .*
5. Er soll mit der Bewerbung nicht mehr lange warten, *soll / bewerben / er / gleich / sich / .*

1. *Jan und Attila kennen sich gut, denn sie haben* _____
2. _____

4 Ein persönlicher Brief

| Hören | Sprechen | Lesen | **Schreiben** |

Bitte schreiben Sie einen Brief über Ihren Deutschkurs.

Schreiben Sie,
1. wie Sie diesen Kurs gefunden haben,
2. was Sie im Kurs machen,
3. was Ihnen gefällt und was nicht,
4. mit wem Sie im Kurs zusammen lernen.

Wohnhäuser

1 | Hören | **Sprechen** | Lesen | Schreiben |

Zwei Gebäude – bitte beschreiben Sie sie!

> Die Häuser auf dem rechten Bild sind rund.

2 | Hören | Sprechen | **Lesen** | **Schreiben** |

Wohnen im Hundertwasserhaus oder im Gasometer?

a) Was glauben Sie, wer sind die Autoren der zwei Textausschnitte: ein Bewohner, ein Journalist, ein Architekt?

„Ein bunter Fleck in der grauen Stadtlandschaft" heißt es in vielen Reiseführern, aber für die Bewohner ist das Hundertwasserhaus in der Löwengasse, Wien Mitte, mehr als dieser bunte Fleck. Für sie ist das ökologische Traumhaus, das Hundertwasser 1982–1985 auf einem Grundstück der Stadt Wien bauen durfte, tatsächlich eine „Oase für Menschlichkeit" geworden. Ein ungewöhnliches Haus: keine Symmetrie, bunte Fassade, alle Fenster haben unterschiedliche Formen und Farben. Auf Balkonen und Dächern wachsen hunderte von Pflanzen. Hier gibt es sogar Baummieter: Bäume, die aus dem Fenster wachsen dürfen. So haben die anderen Mieter das Gefühl, mitten in der Natur zu leben. In den 50 Wohnungen leben alte und junge Leute, Familien, Singles. Möglichkeiten sich zu treffen gibt es in Gemeinschaftsräumen, auf gemeinsam genutzten Terrassen oder im Café.

Also mir gefällt es hier zu wohnen. Mir gefällt auch die Idee alten Gebäuden, die ihre Funktion verloren haben, eine neue zu geben. Die vier Gasometer stehen seit 100 Jahren hier in Wien-Simmering. Nach 1984 haben sie ihre Funktion als Gaslieferanten für die Stadt verloren, aber seit 2001 sind sie mit Leben gefüllt: Eine riesige Einkaufsstraße mit rund 70 Geschäften verbindet jetzt die vier Bauten. Es gibt über 600 moderne Wohnungen, 11 000 Quadratmeter Büroraum, ein Studentenwohnheim, Restaurants, Kneipen, Kinos und eine Veranstaltungshalle für mehr als 4000 Besucher. Es ist wie eine Stadt in der Stadt, man findet hier alles. Und wenn man trotzdem nach Wien rein möchte, ist das auch kein Problem: Mit der U-Bahn ist man in wenigen Minuten in der Innenstadt. Die Bewohner sind vor allem jüngere Leute. Besonders das Studentenwohnheim ist sehr beliebt, da gibt es lange Wartelisten für Bewerber. Zum Glück habe ich ein Zimmer bekommen.

b) Lage – Bauzeit – Bewohner – Besonderheiten: Suchen Sie im Text.

Hundertwasserhaus

Lage: Löwengasse, Wien Mitte

Gasometer

Lage:

3 Eine Umfrage

▶▶ 27–31

Hören | Sprechen | **Lesen** | **Schreiben**

a) Hundertwasserhaus oder Gasometer? Wer spricht über welches Gebäude?

1. _Gasometer_   2. _____   3. _____   4. _____

b) Bitte hören Sie noch einmal. Wer wünscht sich was?

1. Er würde gern _im Gasometer wohnen_ .
   Er hätte gern _____ .
2. Sie hätte gern _____ .
   Sie würde gern _____ .
3. Er wäre gern _____ .
   Er würde gern _____ .
4. Sie wäre gern _____ .
   Sie hätte gern _____ .

> mit Freunden zusammen wohnen
> Mieterin im Hundertwasserhaus
> ~~im Gasometer wohnen~~
> allein   einen Dachgarten
> ein Zimmer im Studentenwohnheim
> alles selbst entscheiden
> ein kleines Haus

4 Kombinieren Sie Wünsche!

Hören | **Sprechen** | Lesen | Schreiben

> in Wien   Architekt   die Stadt besichtigen   eine große Wohnung
> ein Haus am Meer   im Zentrum wohnen   Mieter im Gasometer   allein
> ein eigenes Haus   in einer Wohngemeinschaft leben   ...

(Sie hätte gern ...)   (Wir wären gern ...)   (Ich würde lieber ...)   (Ich wäre am liebsten ...)

5 Schreiben und verstehen: Konjunktiv II – Wünsche

Hören | Sprechen | Lesen | **Schreiben**

	sein	haben			andere Verben: würde + Infinitiv
ich			(gern)	**ich**	_würde (lieber)_ umziehen
du	_wärst_	_hättest_	(gern)	**du**	_würdest (gern)_ in Wien leben
er • sie • es	_wäre_		(gern)	**er • sie • es**	im Gasometer wohnen
wir			(gern)	**wir**	ins Zentrum fahren
ihr	_wärt_	_hättet_	(gern)	**ihr**	_würdet (lieber)_ im Zentrum wohnen
sie • Sie	_wären_	_hätten_	(gern)	**sie • Sie**	auf der Terrasse sitzen

6 Ich wäre gern ..., ich hätte gern ..., ich würde gern ...

Hören | **Sprechen** | Lesen | Schreiben

Familie, wohnen, arbeiten, studieren, reisen ... Was sind Ihre Wünsche und Träume?

Im Opernhaus

Hören | **Sprechen** | **Lesen** | Schreiben

1 Der Wiener Opernball

**a) Welche Informationen bekommen Sie im Text über diese Zahlen:
1877, 5000, 200, 15 000, 180?**

Wien ist nicht nur die Hauptstadt Österreichs. Wien ist die Hauptstadt der Walzer und der Bälle. Keine andere Weltstadt hat so viele Tanzveranstaltungen zu bieten wie die Donaumetropole. Höhepunkt der Ballsaison ist seit 1877 der Wiener Opernball.

Dieser Ball – in Österreich das gesellschaftliche Ereignis überhaupt – ist jedes Jahr Monate vorher ausverkauft. Zu den rund 5000 Gästen des traditionsreichen Balles in der Wiener Staatsoper zählen berühmte Persönlichkeiten aus Politik und Wirtschaft, aber auch Künstler aus dem In- und Ausland und natürlich tanzfreudige Bürger, die hier die Gelegenheit suchen, mit den Größen der Gesellschaft in Kontakt zu kommen. Dafür sind ihnen auch die 200 Euro Eintritt nicht zu viel. Vielleicht sieht man sie ja sogar noch im Fernsehen, das fast die ganze Nacht live vom Ort des Geschehens berichtet.

Wer es gern richtig prominent und komfortabel hat, reserviert sich einen Logenplatz im Parterre der Oper. Das kostet circa 15 000 Euro! Dafür ist man mittendrin im Geschehen: Man sieht die 180 Debütanten-Paare* beim Eröffnungswalzer in ihren weiten weißen Ballkleidern und schwarzen Fracks im Walzertakt dicht an sich vorbeitanzen. Vielleicht hat man dort sogar einen Blick auf (Ex-)Weltstars, die oft speziell zu diesem Ereignis nach Wien kommen.

* Debütanten = junge Frauen und Männer, die zum ersten Mal am Opernball teilnehmen dürfen.

b) „Wie oft findet der Wiener Opernball statt?" Formulieren Sie drei Fragen zum Text und stellen Sie diese im Kurs.

c) Tanzen Sie gern? Wo kann man bei Ihnen tanzen gehen? Erzählen Sie.

Hören | **Sprechen** | Lesen | Schreiben ▷▷ 32–33

2 Smalltalk beim Opernball

a) Hören Sie das Gespräch und ordnen Sie die Sätze.

☐ Wie gern würde ich mit Ihnen tanzen, aber das geht leider nicht! Ich habe eine Knieverletzung.

☐ Mir wäre der Teesalon lieber.

☐ Aber natürlich. Wohin würden Sie lieber gehen, in den Teesalon oder in die Bar?

1 Gnädigste! Dürfte ich Sie bitten, den nächsten Walzer mit mir zu tanzen?

☐ Könnten Sie bitte noch einen Moment hier warten, ich würde gern meinen Fotoapparat mitnehmen.

☐ Oh, das tut mir aber Leid! Dürfte ich Sie dann wenigstens zu einem Gläschen Champagner einladen?

☐ Das ist doch selbstverständlich!

b) Hören Sie jetzt bitte, was die Personen denken. Sprechen Sie dann über den Unterschied zwischen Gedanken und Worten.

c) Spielen Sie den Dialog erst ohne, dann mit Hintergedanken.

3 Bitten und Fragen

Hören | Sprechen | **Lesen** | Schreiben

a) Welche Bitte ist höflicher: A oder B?

1. A Die Eintrittskarte bitte! B Dürfte ich bitte Ihre Eintrittskarte sehen?
2. A Würden Sie Ihren Mantel bitte an der Garderobe abgeben? B Ihren Mantel müssen Sie an der Garderobe abgeben.
3. A Könnten Sie mir bitte sagen, wo der Teesalon ist? B Wo ist denn bitte der Teesalon?
4. A Kann ich mal Ihr Handy benutzen? B Könnte ich mal Ihr Handy benutzen?
5. A Eine Flasche Champagner! B Wir hätten gern eine Flasche Champagner!
6. A Würden Sie bitte noch zwei Gläser bringen? B Bringen Sie noch zwei Gläser bitte!

b) Freundliche Bitten. Wie viele Kombinationsmöglichkeiten finden Sie?

1. Dürfte ich   ein Aspirin für mich?
2. Dürften wir   mir helfen?
3. Könnte ich   uns bitte ein Wasser mitbringen?
4. Könntest du   dein Handy benutzen?
5. Könnten Sie   das Fenster öffnen?
6. Würdet ihr   einen Moment Zeit?
7. Hätten Sie   mir bitte 10 Euro leihen?
8. Hättest du   hier rauchen?

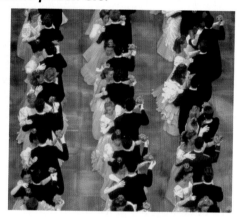

4 Schreiben und verstehen: Konjunktiv II – höfliche Bitten und Fragen

Hören | Sprechen | Lesen | **Schreiben**

dürfen			können		
	ich Sie etwas	fragen?		ich das Fenster	öffnen?
				du mir Geld für den Champagner	leihen?
	wir hier	rauchen?	*Könnten*	wir uns mal	unterhalten?
			Könntet	ihr die Mäntel an die Garderobe	bringen?
			Könnten	Sie mal mein Glas	halten?

5 Könnte ich ...

Hören | **Sprechen** | Lesen | Schreiben

Stellen Sie selbst höfliche Fragen.

1. Sie wollen etwas leihen, essen, trinken ...
2. Sie brauchen etwas, eine Information, Hilfe ...

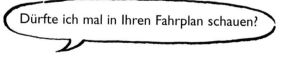

Dürfte ich mal in Ihren Fahrplan schauen?

Würden Sie ...

Hätten Sie vielleicht Kleingeld?

Wiener Kaffeehäuser

1 Ein Reiseführer

Hören | **Sprechen** | **Lesen** | Schreiben

a) Lesen Sie und machen Sie dann ein Wiener-Kaffeehaus-Quiz.

Stein

1090, Währinger Straße 6–8
Tel. 3 19 72 41
U3: Herrengasse
Mo bis Sa 7–1 Uhr, So 9–1 Uhr
modernes, aber gemütliches Kaffeehaus
vis-à-vis der Universität, auch für Langschläfer
(Frühstück bis 20 Uhr); Garten, Nichtraucherzone,
Fotoausstellungen; 4 Internet-Plätze (täglich von
10 bis 23 Uhr); spezielle Kinder-Speisekarte,
sonntags von 10 bis 18 Uhr Kinderbetreuung.

Diglas

1010, Wollzeile 10
Tel. 5 12 84 01 Fax 5 12 57 65-17
U3: Stubentor
7–24 h, 365 Tage im Jahr geöffnet
klassisches Wiener Kaffeehaus
in zentraler Lage, nur wenige Schritte vom
Stephansdom
Prächtige Ausstattung, warme, wohnliche
Atmosphäre, die junge Menschen anzieht.
Mit interessantem Frühstücksangebot und
internationalen Tageszeitungen.

Frauenhuber

1010, Himmelpfortgasse 6
Tel. 5 12 83 83
U1, U3: Stephansplatz
Mo–Sa 8–23.30 Uhr
Wiens ältestes Kaffeehaus
Wie ein gemütliches Wohnzimmer eingerichtet:
Auf dem Parkettboden liegen kleine Teppiche,
an den Wänden hängen kleinformatige Bilder.
Angenehmer Kaffeeduft durchweht das Lokal,
neben Wiener Mehlspeisen (Apfel-, Topfen-,
Zwetschkenstrudel, Hausmannstorte) gibt es
täglich ein Menü der traditionellen Wiener Küche.

Hawelka

1010, Dorotheergasse 6
Tel. 5 12 82 30
U1, U3: Stephansplatz
Mo, Mi–Sa 8–2 Uhr, So 16–2 Uhr, Di Ruhetag
unbedingtes Muss für jeden Wien-Besucher
1938 von Leopold Hawelka gegründet
Legendärer Künstlertreffpunkt der 60er und
70er Jahre, aber auch heute immer voll.
Nach 22 Uhr gibt es die berühmten Buchteln
von Frau Hawelka.

Dommayer

1130, Dommayergasse
Tel. 82 54 65
U4: Hietzing
täglich 7–24 h
ältestes Konzert-Café Wiens
seit 1787
Jeden ersten Samstag im Monat (14–16 Uhr) spielt
das Damen-Salonorchester „Wiener Walzermädchen".
Von Mai bis September jeden 3. Sonntag im Monat
„Kaffeehaustheater".
Traditionelles Kaffeehausangebot, leckere Torten.

Demel

1010, Kohlmarkt 14
Tel. 5 35 17 17-39 Fax 5 35 17 17-26
U3: Herrengasse
10–19 Uhr
bekannteste und teuerste Konditorei Wiens
1785 gegründet.
Edle, aber kühle Atmosphäre, für gemütlichen
Plausch nicht geeignet. Probieren Sie das Veilcheneis,
das Demel schon Kaiserin Sissi geliefert hat.
Die Besonderheit im Demel: Hier komponieren Sie
Ihren Kaffee selbst, nach eigenem Geschmack. Sie
bekommen alle Zutaten einzeln: schwarzen Kaffee,
heißes Wasser, frische Kaffeemilch.

> Welches Kaffeehaus ist am Sonntag geschlossen?

> Welches Kaffeehaus hat Kaiserin Sissi Eis geliefert?

b) Bitte sammeln Sie: Was kann man im Kaffeehaus machen?

2 Ins Kaffeehaus!

Hören | Sprechen | **Lesen** | Schreiben

a) Vergleichen Sie Ihre Liste aus 1 b mit dem folgenden Text.

Du möchtest bei Walzermusik von früheren Zeiten träumen – ins Kaffeehaus!
Du brauchst Wohnzimmeratmosphäre, aber nicht zu Hause – ins Kaffeehaus!
Du möchtest sehen und fühlen, wo Wiener Literatur entstanden ist – ins Kaffeehaus!
Allein! 12 Uhr nachts! Du musst jetzt noch raus und Leute seh'n – ins Kaffeehaus!
Du möchtest essen, was schon einer Kaiserin geschmeckt hat – ins Kaffeehaus!
Du liest gerne Zeitung und willst keine kaufen – ins Kaffeehaus!

b) Bitte suchen Sie möglichst zu jeder Textzeile ein passendes Kaffeehaus. Schreiben Sie dann den Text weiter und ergänzen Sie noch drei Sätze.

3 Café Bräunerhof

Hören | Sprechen | Lesen | **Schreiben**

Ergänzen Sie folgende Wörter: die Atmosphäre, das Frühstücksangebot, das Kaffeehaus, der Autor, Zeitungen.

Traditionelles _____ mit gemütlicher _____, internationalen _____
und gutem _____. Thomas Bernhard, bekannter österreichischer _____, hat sich
hier wie zu Hause gefühlt.

4 Schreiben und verstehen: die Adjektivdeklination ohne Artikel

Hören | Sprechen | Lesen | **Schreiben**

	Nominativ	Akkusativ	Dativ
m	*angenehm___* Kaffeeduft	*schwarz___* Kaffee	nach *eigen___* Geschmack
f	*warm___* Atmosphäre	*frisch___* Milch	in *zentral___* Lage
n	*klassisch___* Kaffeehaus	*heiß___* Wasser	mit *gut___* Frühstücksangebot
Pl	*lecker___* Torten	*jung___* Menschen	mit *international___* Zeitungen

5 Was findet man in Wiener Kaffeehäusern?

Hören | **Sprechen** | Lesen | Schreiben

~~schwarz~~ verschieden
lecker gemütlich gut
international traditionell

Frühstück Küche Mehlspeisen
~~Kaffee~~ Apfelkuchen
Atmosphäre Zeitungen

Es gibt schwarzen Kaffee, …

6 Projekt: Machen Sie einen Gaststättenführer für Ihren Kursort!

Hören | Sprechen | Lesen | **Schreiben**

Wiener und ihre Häuser

1 | Hören | Sprechen | Lesen | Schreiben | ▶▶ 34–37
Wiener Persönlichkeiten

a) Architekt, Komponist, Psychoanalytiker, Kaiserin. Wer hatte welchen Beruf?

1. Otto Wagner: *Architekt*

2. Johann Strauß: _____

3. Sigmund Freud: _____

4. Sissi: _____

b) Hören Sie bitte: Welche der vier Persönlichkeiten hat in welchem Haus gewohnt?

1. _____   2. _____   3. _____   4. _____

c) Bitte hören Sie noch einmal die Informationen zu jeder Person, wählen Sie die passenden Stichpunkte und schreiben Sie für jede einen Notizzettel.

| 1825–1899 | ~~1837–1898~~ | 1841–1918 | 1856–1939 | Architekt im Jugendstil |

Begründer der Psychoanalyse   Kaiserin von Österreich   Komponist
Walzer und Operetten   40 Miethäuser gebaut   Bau der Wiener Stadtbahn
in Griechenland gelebt   Medizin studiert   nach London geflohen
das formelle Leben hat sie krank gemacht   Vater war auch Musiker

1. *1837–1898,* _____

d) Wer ist in Ihrem Land bekannt? Warum?
Bitte sprechen Sie im Kurs.

> Bei uns ist … sehr bekannt, weil …

2 | Hören | Sprechen | Lesen | Schreiben | ▶▶ 38–39
Hören und sprechen: ü

a) In welchen Wörtern hören Sie den Laut ü?

1. ☒   2. ☐   3. ☐   4. ☐   5. ☐   6. ☐   7. ☐   8. ☐   9. ☐   10. ☐

b) Bitte hören und sprechen Sie.

1. Fluss – Flüsse; Buch – Bücher; wissen – müssen; Kuchen – Küche; Frühstück – frisch
2. suchen – sieben – süß; griechisch – grüßen – Gruß; Zug – ziehen – Zypern

Grammatik

1 Die Konjunktionen *a*ber, *d*enn, *u*nd, *s*ondern, *o*der („aduso")

→ S. 194

Hauptsatz 1	Konjunktion: Position 0	Hauptsatz 2 Pos. 1	Pos. 2	
Jan war nie gut in Fremdsprachen,	aber	er	muss	gut Englisch sprechen.
Attila empfiehlt ein UNO-Praktikum,	denn	man	lernt	unglaublich viel.
Krisztina macht auch ein Praktikum(,)	und	(sie)	ist	sehr zufrieden.
Nicht Attila hat die Stelle gesucht,	sondern	Krisztina	hatte	die Idee.
Du brauchst ein Stipendium(,)	oder	die Eltern	geben	dir Geld.

Regel: Konjunktionen zwischen zwei Hauptsätzen stehen auf Position 0.

2 Konjunktiv II

→ S. 199

	haben		**sein**	
ich	hätte		wäre	
du	hättest	gern, nicht so gern,	wärst	gern, nicht so gern,
er • sie • es	hätte	lieber …	wäre	lieber … + *Ortsangabe,*
wir	hätten	+ *Akkusativ-Objekt*	wären	*Adjektiv, Nomen*
ihr	hättet		wärt	
sie • Sie	hätten		wären	

	Modalverben				*andere Verben*	
	können		**dürfen**			
ich	könnte		dürfte		würde	
du	könntest		dürftest		würdest	
er • sie • es	könnte	+ *Infinitiv*	dürfte	+ *Infinitiv*	würde	(+ gern …)
wir	könnten		dürften		würden	+ *Infinitiv*
ihr	könntet		dürftet		würdet	
sie • Sie	könnten		dürften		würden	

Regel: Mit dem Konjunktiv II äußert man Wünsche und höfliche, freundliche Fragen und Bitten.

3 Die Adjektivdeklination ohne Artikel

→ S. 205

	m	f	n	Pl
Nominativ	schwarzer Kaffee	heiße Schokolade	kaltes Bier	kühle Getränke
Akkusativ	schwarzen Kaffee	heiße Schokolade	kaltes Bier	kühle Getränke
Dativ	schwarzem Kaffee	heißer Schokolade	kaltem Bier	kühlen Getränken
Genitiv	schwarzen Kaffees	heißer Schokolade	kalten Biers	kühler Getränke

Regel: Kein Artikel → das Adjektiv bekommt die Signalendungen (= die Endungen des bestimmten Artikels). *Achtung:* Genitiv maskulin und neutrum!

Lektion 16
Eine E-Mail aus Zürich

1

Hören	Sprechen	Lesen	Schreiben

Susanne schreibt an ihre Freundin Tamara

a) Bitte lesen Sie und beantworten Sie dann die Fragen:
Woher kommt Susanne? Wo wohnt sie jetzt?
Was macht sie beruflich?

b) Über welche Themen schreibt Susanne?
Bitte nummerieren Sie in der richtigen Reihenfolge.
Was sagt sie zu diesen Themen?

- ☐ Wohnungssuche
- ☐ Arbeitskollegen
- ☐ Sprachprobleme
- ☐ Ausländer in Zürich
- ☐ Besuch zu Hause
- ☐ 1 Arbeit und Freizeit

c) Was glauben Sie:
Ist Susanne in Zürich glücklich?
Sammeln Sie Argumente und begründen Sie Ihre Meinung.

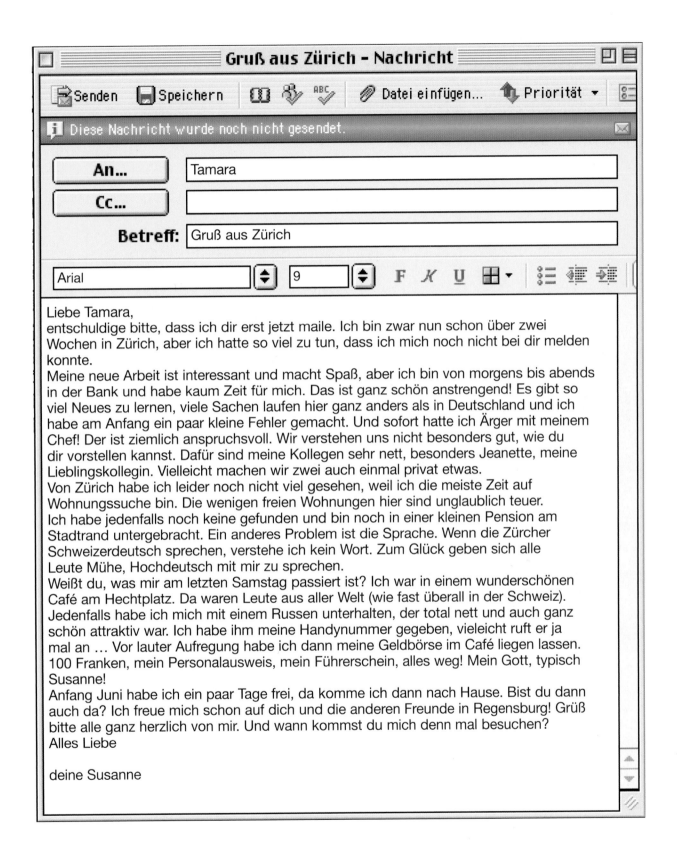

Gruß aus Zürich - Nachricht

Senden   Speichern   ABC   Datei einfügen...   Priorität ▾

ℹ Diese Nachricht wurde noch nicht gesendet.

An... | Tamara

Cc... |

Betreff: | Gruß aus Zürich

Arial | 9 | F K U

Liebe Tamara,
entschuldige bitte, dass ich dir erst jetzt maile. Ich bin zwar nun schon über zwei
Wochen in Zürich, aber ich hatte so viel zu tun, dass ich mich noch nicht bei dir melden
konnte.
Meine neue Arbeit ist interessant und macht Spaß, aber ich bin von morgens bis abends
in der Bank und habe kaum Zeit für mich. Das ist ganz schön anstrengend! Es gibt so
viel Neues zu lernen, viele Sachen laufen hier ganz anders als in Deutschland und ich
habe am Anfang ein paar kleine Fehler gemacht. Und sofort hatte ich Ärger mit meinem
Chef! Der ist ziemlich anspruchsvoll. Wir verstehen uns nicht besonders gut, wie du
dir vorstellen kannst. Dafür sind meine Kollegen sehr nett, besonders Jeanette, meine
Lieblingskollegin. Vielleicht machen wir zwei auch einmal privat etwas.
Von Zürich habe ich leider noch nicht viel gesehen, weil ich die meiste Zeit auf
Wohnungssuche bin. Die wenigen freien Wohnungen hier sind unglaublich teuer.
Ich habe jedenfalls noch keine gefunden und bin noch in einer kleinen Pension am
Stadtrand untergebracht. Ein anderes Problem ist die Sprache. Wenn die Zürcher
Schweizerdeutsch sprechen, verstehe ich kein Wort. Zum Glück geben sich alle
Leute Mühe, Hochdeutsch mit mir zu sprechen.
Weißt du, was mir am letzten Samstag passiert ist? Ich war in einem wunderschönen
Café am Hechtplatz. Da waren Leute aus aller Welt (wie fast überall in der Schweiz).
Jedenfalls habe ich mich mit einem Russen unterhalten, der total nett und auch ganz
schön attraktiv war. Ich habe ihm meine Handynummer gegeben, vieleicht ruft er ja
mal an ... Vor lauter Aufregung habe ich dann meine Geldbörse im Café liegen lassen.
100 Franken, mein Personalausweis, mein Führerschein, alles weg! Mein Gott, typisch
Susanne!
Anfang Juni habe ich ein paar Tage frei, da komme ich dann nach Hause. Bist du dann
auch da? Ich freue mich schon auf dich und die anderen Freunde in Regensburg! Grüß
bitte alle ganz herzlich von mir. Und wann kommst du mich denn mal besuchen?
Alles Liebe

deine Susanne

2 Hören | Sprechen | **Lesen** | Schreiben ▶▶ 40
Susanne telefoniert mit ihrer Mutter

Hören Sie und vergleichen Sie mit dem Brief. Was erzählt Susanne ihrer Mutter nicht?

In der Bank

1 **Susannes Arbeitsplatz**

Was ist wo? Bitte nummerieren Sie.

- ☐ der Geldautomat
- ☐ der Auszugsdrucker
- 1 der Schalter
- ☐ die Kasse

2 | Hören | Sprechen | Lesen | Schreiben | ▶▶ 41–44

2 **In der Bank ist viel los**

a) Wer möchte was tun?

einzahlen	überweisen	wechseln	ausdrucken
eröffnen	eingeben	~~abheben~~	

1. Susanne bedient Herrn Stäger. Er möchte morgen früh ein Motorrad kaufen und _hebt_ deshalb 2 500 Schweizer Franken _ab_.
2. Frau Garí aus Spanien steht an der Kasse und möchte Geld _____. Sie hat nur Euro, aber keine Schweizer Franken.
3. Herr Leber steht am Drucker und _____ seine Kontoauszüge _____.
4. Frau Bertucelli hat gerade ihre Karte in den Geldautomaten geschoben und _____ jetzt ihre Geheimzahl _____.
5. Herr Strittmatter hat noch kein Konto bei der Bank und möchte jetzt eins _____.
6. Frau Schuppli möchte ihrer Tochter in Basel 400 Franken _____.
7. Herr Löffner kommt gerade in die Schalterhalle. Er bringt jeden Tag das Geld aus seinem Geschäft auf die Bank und _____ es auf das Geschäftskonto _____.

b) Mit wem spricht Susanne? Hören Sie und notieren Sie die Namen aus 2 a.

1. Dialog 1: _Herr Strittmatter_
2. Dialog 2: _____
3. Dialog 3: _____
4. Dialog 4: _____

3 Drei Kontomodelle

Hören | Sprechen | **Lesen** | Schreiben ▶▶ 45

a) Lesen Sie und ergänzen Sie bitte die Tabelle.

Das Privatkonto *Direkt*

Ihre Vorteile:
- Ein-/Auszahlungen und Überweisungen an unseren Automaten
- EC-Karte gratis
- Kontoauszüge am Auszugsdrucker
- Telefon-/Online-/Internet-Banking

Preis pro Monat: 00,00 CHF
Leistungen gegen Aufpreis:
- VISA- oder EUROCARD Standard 27,80 CHF p.a.
- Ein-/Auszahlungen und Überweisungen am Schalter 0,80 CHF
- Kontoauszüge am Schalter 0,50 CHF

Das Privatkonto *Classic*

Ihre Vorteile:
- Ein-/Auszahlungen und Überweisungen am Schalter oder an unseren Automaten
- EC-Karte inklusive
- kostenlose VISA- oder EUROCARD Standard
- Telefon-/Online-/Internet-Banking

Preis pro Monat: 17,30 CHF
Leistungen gegen Aufpreis:
- zusätzliche EC-Karte 14,00 CHF p.a.
- VISACARD Gold 149,50 CHF p.a.
- Kontoauszüge am Schalter 0,50 CHF

Das Privatkonto *Exklusiv*

Ihre Vorteile:
- Ein-/Auszahlungen und Überweisungen am Schalter oder an unseren Automaten
- bis zu drei EC-Karten gratis
- Telefon-/Online-/Internet-Banking
- VISA- oder EUROCARD Standard
- EUROCARD Gold
- 2 % Guthabenzinsen

Preis pro Monat: 26,00 CHF
Alle Leistungen inklusive!

	Direkt	Classic	Exklusiv
1. Die VISA-Kreditkarte ist kostenlos.		X	X
2. Man muss für Überweisungen am Schalter extra bezahlen.			
3. Man kann online Geld überweisen.			
4. Man bekommt für das Geld auf dem Konto Zinsen.			
5. Man kann am Schalter kostenlos Geld abheben.			
6. Am Schalter muss man für Kontoauszüge etwas bezahlen.			

b) Herr Strittmatter möchte ein Konto eröffnen. Hören Sie: Für welches Modell aus Aufgabe 3a entscheidet er sich? Warum?

☐ Direkt   ☐ Classic   ☐ Exklusiv

c) Hören Sie und notieren Sie Sätze für ein Rollenspiel in der Bank.

Ich möchte gern ein Konto bei Ihnen eröffnen.

4 Möchten Sie ein Konto eröffnen?

Hören | **Sprechen** | Lesen | Schreiben

Wählen Sie eine Situation und spielen Sie Dialoge mithilfe der Broschüren aus Aufgabe 3.

1. Sie leben allein in Zürich und arbeiten als Computerspezialist/in. Sie verdienen sehr gut.
2. Sie arbeiten bei einem Schweizer Zirkus und sind fast immer auf Reisen. Ihre Frau / Ihr Mann lebt mit den Kindern in Zürich.
3. Sie arbeiten im Haushalt bei verschiedenen Familien und haben kein festes Einkommen.

Freizeitbeschäftigungen

1 | Hören | Sprechen | Lesen | Schreiben | ▶▶ 46

Susanne und Jeanette in der Cafeteria

a) *Bitte hören Sie. Was möchten Susanne und Jeanette gemeinsam machen?*

☐ einen Einkaufsbummel   ☐ einen Spaziergang am Fluss Limmat   ☐ einen Ausflug

b) *Hören Sie noch einmal. Welches Foto passt nicht zum Dialog?*

1  **2**  **3**  **4**

c) *Hören Sie noch einmal und verbinden Sie bitte.*

① Susanne hat um 7 Uhr angefangen
② Jeanette hört heute erst um 6 Uhr auf
③ Jeanette möchte Susanne Zürich
④ Susanne findet es toll, etwas mit Jeanette
⑤ Jeanette muss am Sonntag zu ihren Eltern
⑥ Susanne versucht ihren Termin
⑦ Es ist sehr angenehm, auf dem Hechtplatz in der Sonne
⑧ Es ist anstrengend, am Samstag in der Stadt
⑨ Susanne hat Zeit, am Bahnhof
⑩ Susanne verspricht pünktlich

A	zu unternehmen.
B	aufzuräumen.
C	zeigen.
D	zu arbeiten.
E	zu sitzen.
F	einzukaufen.
G	abzusagen.
H	zu kommen.
I	fahren.
K	anzurufen.

1	B
2	
3	
4	
5	
6	
7	
8	
9	
10	

2 | Hören | Sprechen | Lesen | **Schreiben**

Schreiben und verstehen: *zu* + Infinitiv

manche Verben / Nomen / Adjektive:	+ *Infinitiv*	
Susanne	hat früh angefangen,	den Schreibtisch auf ZU räumen.
Sie	hört um 15 Uhr auf	arbeiten.
Sie	versucht	ihren Termin ab sagen.
Susanne	hat Zeit,	am Bahnhof an rufen.
Es	ist angenehm,	auf dem Hechtplatz in der Sonne .
Es	ist anstrengend,	am Samstag in der Stadt .

3 Susanne telefoniert mit ihrer Freundin Tamara

| Hören | Sprechen | Lesen | **Schreiben** |

Infinitiv mit oder ohne zu? Bitte ergänzen Sie.

Susanne Sag mal, hast du Lust, nächste Woche nach Zürich _ZU_ kommen? Ich höre schon am
Donnerstagmittag auf _____ arbeiten und habe dann ein langes Wochenende.

Tamara Tut mir Leid, da muss ich zu Hause _____ bleiben. Meine Cousine kommt zu Besuch.

Susanne Bring sie doch mit! Es ist bestimmt lustig, zu dritt in Zürich aus_____gehen.

Tamara Wir haben aber kein Auto und es ist sicher sehr teuer, mit dem Zug _____ fahren, oder?

Susanne Ja, das stimmt. Versuch doch ein Auto _____ leihen. Von deinem Bruder zum Beispiel.
Wenn er möchte, kann er ja auch mit_____kommen.

Tamara Na gut, ich kann ihn ja mal _____ fragen.

4 Freizeitaktivitäten

| Hören | **Sprechen** | Lesen | Schreiben |

*Was machen Sie gern in Ihrer Freizeit? Was nicht? Ergänzen Sie die Sätze und suchen Sie
dann im Kurs Personen mit Ihren Ansichten.*

1. Es ist sehr schön, …
2. Es ist langweilig, …
3. Ich finde es toll, …
4. Ich finde es blöd, …

> Ich finde es langweilig, am Abend fernzusehen. Sie auch?

> Ich finde es toll, Rad zu fahren, und du?

5 Pläne für das Wochenende

| Hören | **Sprechen** | Lesen | Schreiben |

*Machen Sie Pläne für das Wochenende. Überreden Sie dann andere Kursteilnehmer mit-
zukommen. Am Ende gewinnt die größte Gruppe.*

> Hast du Lust, am Wochenende in die Berge zu fahren?

> Tut mir Leid, da kann ich nicht. Ich möchte am Samstag mit Ryo Fußball spielen.

6 Hören und sprechen: Akzente im Satz

| **Hören** | Sprechen | Lesen | Schreiben | ⏩ 47

Wo sind die Akzente? Bitte markieren Sie.

1. Hast du L[u]st, mit mir ins K[i]no zu gehen?
2. Versuch doch bitte pünktlich zu kommen!
3. Es ist sehr anstrengend, am Samstag einzukaufen.
4. Tut mir Leid, da kann ich nicht.
5. Sie haben mir versprochen mich anzurufen.
6. Ich finde es langweilig, in der Sonne zu liegen.

„Blinde Kuh"

1 Eine Werbeanzeige in der Zeitung

| Hören | **Sprechen** | Lesen | Schreiben |

a) Bitte lesen Sie.

Blinde Kuh – das Restaurant im Dunkeln

Hören, tasten, schmecken, riechen: Verlassen Sie die Welt des Sehens und geniessen Sie Ihr Essen in Dunkelheit. Unsere blinden Kellner helfen Ihnen!

Noch Fragen? Rufen Sie an: ☎ 01/421 50 50

Blinde Kuh • Mühlebachstrasse 148 • 8008 Zürich

b) Welche Fragen haben Sie an die „Blinde Kuh"? Sammeln Sie in Gruppen und diskutieren Sie dann Ihre Fragen im Kurs.

Ist das ein Restaurant nur für Blinde?

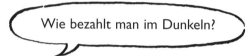

Wie bezahlt man im Dunkeln?

2 Susanne ruft beim Restaurant „Blinde Kuh" an

| **Hören** | Sprechen | Lesen | Schreiben | ▶▶ 48 |

a) Bitte hören Sie. Auf welche Ihrer Fragen aus Aufgabe 1 b gibt es Antworten?

b) Richtig Ⓡ oder falsch Ⓕ?

1. Das Restaurant hat am Samstag ab 21 Uhr einen Tisch frei. _____ Ⓡ Ⓕ
2. Im Restaurant ist es völlig dunkel. _____ Ⓡ Ⓕ
3. Es gibt am Samstagabend im Restaurant ein Konzert. _____ Ⓡ Ⓕ
4. Die meisten Gäste sind blind. _____ Ⓡ Ⓕ
5. Der Koch ist auch blind. _____ Ⓡ Ⓕ
6. Man bezahlt in der Bar, weil es da hell ist. _____ Ⓡ Ⓕ

3 Aus dem Gästebuch

| Hören | Sprechen | **Lesen** | **Schreiben** |

a) Welche Einträge sind positiv, welche negativ?

1

Wir haben ziemlich lange auf einen freien Tisch gewartet und haben erst spät mit dem Essen angefangen. Aber es hat sich gelohnt! Das Essen, der Service, einfach alles war prima. Wir freuen uns schon auf das nächste Mal!

Dietmar und Ingrid Koch

2 Ich war das erste Mal hier, aber ich habe mich sehr schnell an die Dunkelheit gewöhnt. Schmecken, tasten, riechen und hören – das Essen und die Musik waren wirklich wundervoll! Ich habe mich vorher nicht für Blinde interessiert, heute haben Sie mir die Augen geöffnet. Herzlichen Dank!

Marcel Matysiak

3 Mein Bruder hat mich hier zu einem Geburtstagsessen eingeladen. Ich habe mich wirklich sehr über ihn geärgert, denn er hat mir nicht erzählt, was das hier ist. Ich hatte die ganze Zeit Angst vor der Dunkelheit!

Regula Espenlaub

4 Ich habe mich hier mit alten Schulfreunden getroffen. Es war unglaublich lustig! Am Anfang habe ich mein Weinglas umgeschüttet, direkt auf meinen Salatteller. Meine Freundin Doris hat ihre Gabel verloren und nie wieder gefunden. Zum Glück hat uns der Kellner beim Essen geholfen.

Beate Karle

b) Bitte ergänzen Sie.

1. Marcel Matysiak hat sich schnell _an die Dunkelheit_ gewöhnt.
2. Marcel hat sich vorher nicht _____ interessiert.
3. Beate Karle hat sich _____ getroffen.
4. Der Kellner hat Beate und Doris _____ geholfen.
5. Dietmar und Ingrid Koch haben lange _____ gewartet.
6. Sie haben erst spät _____ angefangen.
7. Herr und Frau Koch freuen sich _____.
8. Regula Espenlaub hatte Angst _____.
9. Frau Espenlaubs Bruder hat sie _____ eingeladen.
10. Frau Espenlaub hat sich _____ geärgert.

4

| Hören | Sprechen | Lesen | **Schreiben** |

Schreiben und verstehen: Verben mit Präpositional-Objekt

Verb + Präposition + Akkusativ		Verb + Präposition + Dativ	
warten	_auf_	anfangen	
sich freuen		jemanden einladen	
sich gewöhnen		Angst haben	
sich interessieren		sich treffen	
sich ärgern		jemandem helfen	_bei_

5

| Hören | Sprechen | Lesen | **Schreiben** |

Ihre Sprachschule

Stellen Sie sich vor, Ihre Sprachschule hat ein Gästebuch. Schreiben Sie etwas über Ihre Erfahrungen. Möchten Sie Ihre Texte im Kurs veröffentlichen?

Das schwarze Brett

1 Zwei Nachrichten am elektronischen schwarzen Brett der Bank

Hören | **Sprechen** | **Lesen** | Schreiben

a) Wer ist Ihnen sympathischer? Welche Unterschiede sehen Sie?

Guten Tag! oder: Grüezi miteinander! Ich bin also die Neue, und wie viele sicher schon gemerkt haben, komme ich aus Deutschland, aus Regensburg. Natürlich habe ich noch einige Probleme mit der Sprache, aber langsam gewöhne ich mich an das „Schwyzerdütsch". Ich fühle mich im internationalen Zürich sehr wohl und freue mich auch schon auf meinen ersten Urlaub in der Schweiz: Da will ich eine Tour durch die Alpen machen. Das wird bestimmt schön. In meiner Freizeit lese und fotografiere ich gern. Viel Zeit nehme ich mir aber auch für meine Freunde. Meine grosse Schwäche: Ich telefoniere zu viel, vor allem mit meiner Grossmutter in Regensburg …
Auf gute Zusammenarbeit! Ihre Susanne Knab, Kundenberaterin

Lange habe ich auf diesen Tag gewartet. Jetzt ist es endlich so weit: Nach 38 Jahren gehe ich in Pension. 38 harte, aber erfolgreiche Jahre für die Bank. An dieser Stelle möchte ich mich bei allen Kollegen für die gute Zusammenarbeit bedanken. Sie haben viel geleistet und mir beim Aufbau unserer Filiale sehr geholfen. Gerne erinnere ich mich an unsere schönen Betriebsausflüge und an die gemeinsamen Weihnachtsfeiern. All das fehlt mir schon jetzt, aber ich freue ich mich trotzdem auf die nächsten Jahre. Jetzt kann ich endlich mehr an mich, an meine Uhrensammlung und an meine Frau denken. Ausserdem muss ich mich jetzt mehr um meine Enkel kümmern und öfter mal auf sie aufpassen. Ich mache mir also keine Sorgen um die Zukunft. Langweilig wird es mir bestimmt nicht!
Allen noch eine schöne Zeit und viel Erfolg bei der Arbeit,
Ihr Johann Tritschler, Filialleiter

b) Haben Sie die Nachrichten verstanden? Bitte verbinden Sie.

① Womit hat Susanne Probleme?
② Mit wem telefoniert Susanne oft?
③ Wobei haben die Kollegen geholfen?
④ Woran erinnert sich Herr Tritschler gern?
⑤ Worum macht sich Herr Tritschler keine Sorgen?
⑥ An wen möchte Herr Tritschler jetzt mehr denken?

A An die schönen Betriebsausflüge.
B An seine Frau.
C Mit der Sprache.
D Beim Aufbau der Filiale.
E Mit ihrer Großmutter.
F Um die Zukunft.

1	C
2	
3	
4	
5	
6	

2 Schreiben und verstehen: W-Wörter mit Präpositionen

Hören | Sprechen | Lesen | **Schreiben**

	Person		keine Person	
Akkusativ	*An* _____ denkt Herr Tritschler?		*Womit*	hat Susanne Probleme?
			*Wo*_____	haben die Kollegen geholfen?
Dativ	*Mit* _____ telefoniert Susanne?		*Wor*_____	erinnert sich Herr Tritschler gern?
			*Wor*_____	macht er sich keine Sorgen?

3

| Hören | Sprechen | Lesen | Schreiben |

▶▶ 49

Susanne telefoniert mit ihrer schwerhörigen Großmutter

Hören Sie und setzen Sie dann das Telefonat mit diesen Gesprächsthemen fort.

1. Susanne freut sich auf den Urlaub.
2. Sie unterhält sich gern mit Jeanette.
3. Sie interessiert sich für die Stadt Zürich.
4. Sie muss auf die Kinder einer Kollegin aufpassen.
5. Sie hätte gern mehr Zeit für ihre Hobbys.
6. Sie möchte sich mehr Zeit für ihre Freunde nehmen.

> Ich freue mich auf den Urlaub.

> Worauf freust du dich?

> Auf den Urlaub!

4

| Hören | Sprechen | **Lesen** | **Schreiben** |

Die Nachricht von Susanne – was passt zusammen?

> Sie nimmt sich Zeit für sie.
> Sie telefoniert oft mit ihr.
> ~~Sie hat noch Probleme damit.~~
> Sie freut sich schon darauf.

1. Susanne versteht noch nicht so gut „Schwyzerdütsch". *Sie hat noch Probleme damit.*
2. Sie hat viele Freunde. _____
3. Ihre Großmutter wohnt in Regensburg. _____
4. Sie hat bald Urlaub. _____

5

| Hören | Sprechen | Lesen | **Schreiben** |

Schreiben und verstehen: Bezug auf Präpositional-Objekte

Person: Präposition + Personalpronomen		keine Person: da(r)- + Präposition	
für wen?	*für* *sie*	womit?	*da*____
mit wem?		worauf?	*dar*____

6

| Hören | Sprechen | Lesen | **Schreiben** |

Die Nachricht von Herrn Tritschler – was fehlt?

1. Die Kollegen haben ihm geholfen. Er bedankt sich *dafür*.
2. Er geht in Pension. Er hat lange _____ gewartet.
3. Er muss bald nicht mehr arbeiten. Er freut sich schon _____.
4. Die Betriebsausflüge waren toll. Er erinnert sich gern _____.
5. Er hat Enkel. Er muss _____ aufpassen.

Ein Quiz

1 | Hören | Sprechen | **Lesen** | Schreiben |

Was wissen Sie über die Schweiz?

Die Lösungen sind im Übungsbuch (Lektion 16) versteckt.

1. Die Schweiz hat … London.
   A mehr Einwohner als   **X** etwa so viele Einwohner wie   **C** weniger Einwohner als

2. Die Hauptstadt der Schweiz ist …
   A Zürich   **B** Bern   **C** Genf

3. Der höchste Berg der Schweiz ist …
   A der Monte Rosa   **B** der Mont Blanc   **C** das Matterhorn

4. Mehr als die Hälfte der Schweizer sprechen als Muttersprache …
   A Deutsch   **B** Französisch   **C** Italienisch

5. Die Sprachgrenze zwischen der französischsprachigen und der deutschsprachigen Schweiz nennt man auch …
   A Biergraben   **B** Spagettigraben   **C** Röstigraben

6. In der Schweiz leben etwa … Ausländer.
   A 5 %   **B** 10 %   **C** 20 %

7. Die Schweiz ist seit … Mitglied der Vereinten Nationen (UNO).
   A 1948   **B** 1988   **C** 2002

8. In der Schweiz können die Frauen seit … an allen politischen Wahlen teilnehmen.
   A 1918   **B** 1968   **C** 1990

9. Ein bekannter Schweizer Schriftsteller heißt …
   A Hermann Hesse   **B** Max Frisch   **C** Thomas Mann

10. Jeder Schweizer Mann hat …
    A eine Kuckucksuhr   **B** ein Gewehr   **C** ein Taschenmesser

2 | Hören | Sprechen | Lesen | **Schreiben** |

Was wissen die anderen Kursteilnehmer über Ihr Land oder Ihre Heimatregion?

Schreiben Sie ein Quiz darüber.

Grammatik

1 zu + Infinitiv
→ S. 196

Susanne	versucht			ihren Termin	abzusagen.
Sie	hört	um 15 Uhr	auf		zu arbeiten.
Sie	hat	früh	angefangen,	den Schreibtisch	aufzuräumen.
Sie	hat	Zeit,		am Bahnhof	anzurufen.
Es	ist	angenehm,		in der Sonne	zu sitzen.
	ist	anstrengend,		am Samstag in der Stadt	einzukaufen.

Satzklammer

zu + Infinitiv

> *Regel:* Manche Verben, Nomen und Adjektive → *zu* + Infinitiv; *zu* + Infinitiv steht am Satzende.
> Wenn es für das Verständnis hilfreich ist → Komma vor *zu* + Infinitiv.

2 Verben mit Präpositional-Objekt
→ S. 197, 201

Verb + Präposition + Akkusativ:

Kochs	haben	lange auf einen Tisch	gewartet.
Marcel	hat	sich nicht für Blinde	interessiert.

Verb + Präposition + Dativ:

Beate	hat	sich mit Freunden	getroffen.
Ihr Bruder	hat	sie zum Essen	eingeladen.

Verb + Präposition + Akkusativ / Dativ + Präposition + Akkusativ / Dativ:

Herr Tritschler	hat	sich bei den Kollegen	für die Zusammenarbeit	bedankt.

Satzklammer

> *Regel:* Bei Verben mit Präpositional-Objekt gehört die Präposition fest zum Verb.
> Manche Verben haben sogar zwei Präpositional-Objekte.

Bezug auf Präpositional-Objekte, Fragen nach Präpositional-Objekten

Herr Tritschler hat sich bei ihnen bedankt.　　Bei wem hat sich Herr Tritschler bedankt?
　　　　　　　　　　　　　　　　　　　　　(→ *Bei den Kollegen*)

> *Regel:* Person → Präposition + Pronomen: *auf euch, über sie, bei ihnen, vor ihr.*
> Bei Fragen: Präposition + W-Wort: *Auf wen? Über wen? Bei wem? Vor wem?*

Herr Tritschler hat sich dafür schon bedankt.　　Wofür hat sich Herr Tritschler bedankt?
　　　　　　　　　　　　　　　　　　　　　(→ *Für die Zusammenarbeit*)

> *Regel:* Keine Person → *da* + Präposition: *darauf, darüber, dabei, davor.*
> Bei Fragen: *wo* + Präposition: *Worauf? Worüber? Wobei? Wovor?*

Lektion 17 Die Schwaben-metropole: Stuttgart

1 Hören | Sprechen | **Lesen** | Schreiben
Bilder aus Stuttgart

Lesen Sie bitte. Welcher Text passt zu welchem Bild?

1. Stuttgart ist das Zentrum einer der industriestärksten Regionen der Bundesrepublik. Rund 440 000 Arbeits-plätze bietet die Stadt allein, 1,3 Millionen die ganze Region. In keiner anderen deutschen Großstadt wird aber auch so viel Wein produziert wie hier. Es gibt Leute, die neben ihrem normalen Job einen kleinen Weinberg besitzen und sich in ihrer Freizeit darum kümmern. Bild _____

2. Robert Bosch, Sohn eines Bauern und Bierbrauers, gründet am 15. November 1886 in einem Hinterge-bäude in der Stuttgarter Rotebühlstraße seine „Werkstatt für Feinmechanik und Elektrotechnik". Um 1900 hat das Unternehmen schon 45 Arbeiter, die ab 1902 vor allem den Bosch-Magnetzünder für die Automo-bilindustrie herstellen. Heute ist Bosch ein großer Hightech-Konzern, der in der ganzen Welt produziert. Bild _____

3. Im neuen Ausbildungszentrum der Firma Bosch in Stuttgart-Feuerbach lernen und arbeiten 570 Auszubil-dende. 45 Ausbilder unterrichten hier die Lehrlinge – Jungen und Mädchen – in mehreren technischen Be-rufen. Neben der praktischen Ausbildung müssen die Azubis auch die Berufsschule besuchen. Bild _____

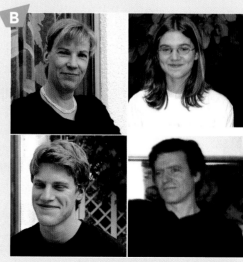

4. Das sind die Streckers. Klaus Strecker ist 43 und arbeitet bei Bosch. Erika Strecker (41) ist Sekretärin von Beruf. Melanie (14) geht noch zur Schule, ihr Bruder Matthias (17) macht eine Lehre im selben Betrieb wie sein Vater. Klaus und Erika Strecker sind seit drei Jahren geschieden, die Kinder leben bei ihrer Mutter in einer Wohnung in Bad Cannstatt, einem Stadtteil von Stuttgart. Ihren Vater sehen die beiden meistens an den Wochenenden. Bild _____

2 Eine Stuttgarter Familie

| Hören | Sprechen | Lesen | Schreiben | ▶▶ 50–51 |

a) Familie Strecker stellt sich vor. Bitte ergänzen Sie.

1. Klaus Strecker ist *Industriemeister* von Beruf.
2. Erika Strecker arbeitet als Sekretärin in einer Grund- und Haupt_____.
3. Matthias Strecker macht eine Lehre als Industrie_____.
4. Melanie Strecker ist noch Schülerin. Aber nach der Schule möchte sie Biologie oder _____ studieren.

b) Hören Sie weiter. Über welche Themen sprechen die Streckers? Kreuzen Sie an.

1. ☐ Stuttgart ist eine grüne Großstadt: Auf dem Stadtgebiet gibt es ungewöhnlich viele Parks und Wälder.
2. ☐ Die „Wilhelma" ist einer der ältesten und schönsten zoologisch-botanischen Gärten in Deutschland; mit etwa 9000 Tieren und rund 1,7 Millionen Besuchern im Jahr zugleich einer der größten.
3. ☐ Stuttgart ist international: Die Stadt hat den zweitgrößten Ausländeranteil aller deutschen Städte.
4. ☐ Stuttgart ist nach Budapest die mineralwasserreichste Großstadt Europas: Täglich fließen über 22 Millionen Liter aus den Quellen.
5. ☐ Wie die Italiener essen auch die Schwaben gern Pasta, z. B. Spätzle und Schupfnudeln.
6. ☐ Die „Neue Staatsgalerie" gehört seit ihrer Eröffnung 1984 zu den wichtigsten Kunstmuseen in Deutschland.
7. ☐ Die Hauptstadt der deutschen HipHop-Musik heißt Stuttgart. Aber auch für andere Musikrichtungen von Oper bis Jazz findet man hier ein großes Angebot.
8. ☐ Gottlieb Daimler und Wilhelm Maybach bauten 1886 in Stuttgart das erste Auto mit vier Rädern. Noch heute spielt die Automobilindustrie eine zentrale Rolle für die ganze Region.

Robert Bosch – ein Erfinder

1 Produkte der Firma Bosch

| Hören | **Sprechen** | Lesen | **Schreiben** |

a) Was ist was?

> <u>die Waschmaschine</u>   der Roboter   das Bügeleisen   das Navigationssystem
> die Klimaanlage   die Zündkerze

1. Eine _Waschmaschine_ ist eine Maschine, die Wäsche automatisch wäscht.
2. Eine _____ ist ein Apparat, der für die richtige Temperatur in Gebäuden sorgt.
3. Eine _____ ist ein Teil im Auto, das für den Start des Motors nötig ist.
4. Ein _____ ist ein Gerät, das man für die Wäschepflege benutzt.
5. Ein _____ ist ein Computer, den man z. B. in Autos findet; er zeigt dem Fahrer den richtigen Weg.
6. _____ sind künstliche Arbeiter, denen man für Menschen unangenehme Aufgaben übergeben kann.

b) Welche Erfindungen fallen Ihnen ein? Welche Erfindungen sind für uns besonders wichtig? Sprechen Sie im Kurs.

2 Von der Werkstatt zum Weltunternehmen

| Hören | Sprechen | **Lesen** | Schreiben |

a) In welchem Jahr? Suchen Sie bitte die Jahreszahlen im Text.

1. Geburtsjahr von Robert Bosch: _____
2. Abschluss seiner Ausbildung: _____
3. Eröffnung der Firma: _____
4. Entwicklung der Zündkerze: _____

Robert Bosch, geboren am 23. September 1861 in Albeck bei Ulm, beginnt seine unglaubliche Karriere mit einer Lehre als Mechaniker (bis 1879). Nach einigen Wanderjahren eröffnet er im Jahre 1886 in Stuttgart eine „Werkstatt für Feinmechanik und Elektrotechnik". Die Firma besteht zunächst aus Robert Bosch selbst, einem Handwerker und einem Lehrling und beschäftigt sich mit der Installation und Reparatur von Telefonen und anderen elektrischen Geräten. Daneben arbeitet das kleine Unternehmen, das anfangs noch nicht so gut läuft, auch an der Entwicklung einer Zündung für Gas- und Benzinmotoren. Die braucht man ganz dringend in der noch jungen Automobilindustrie.

1901 erfindet Boschs Entwicklungschef Gottlob Honold, den er als Lehrling in seine Firma geholt hat, die „Zündkerze für Automobilmotoren". Diese Zündkerze, die problemlos für jeden Fahrzeugtyp verwendbar ist, begründet den weltweiten Erfolg der Firma.

Heute beschäftigen die Robert Bosch GmbH und ihre 250 Tochterunternehmen in 50 Ländern rund 200 000 Mitarbeiter. Die Firma bietet die verschiedensten Produkte an: von der Waschmaschine bis zum Roboter, vom Bügeleisen über Navigationssysteme bis zu Klimaanlagen. Allerdings spielt die Autoelektronik immer noch eine zentrale Rolle. Die Firma von Robert Bosch, dem das Unternehmen persönlich gehört hat, ist seit 1964 im Besitz einer Stiftung. Es gibt viele soziale, kulturelle und wissenschaftliche Projekte, denen die Robert Bosch Stiftung finanziell hilft.

b) Richtig r oder falsch f ?

1. Robert Bosch hat eine Ausbildung als Mechaniker gemacht. _____ r f
2. Bosch war zuerst Handwerker, dann ist er Unternehmer geworden. _____ r f
3. Seine Firma hatte von Anfang an großen Erfolg. _____ r f
4. Die wichtigsten Produkte von Bosch sind Haushaltsgeräte. _____ r f
5. Die Firma gehört heute einer Stiftung. _____ r f

3

Hören	Sprechen	Lesen	**Schreiben**

Schreiben und verstehen: Nebensätze: Relativsätze; das Relativpronomen

Nebensatz: Relativsatz				
Das ist ein Gerät,	*das*	für die richtige Temperatur	*sorgt*	.
Das ist ein Computer,		man z. B. in Autos		.
Die Zündkerze,		problemlos verwendbar		, begründet ...
Es gibt viele Projekte,		die Bosch Stiftung finanziell		.

Relativ-pronomen	m ▽	f ▽	n ▽	Pl ▽
Nominativ	*der*			*die*
Akkusativ			*das*	*die*
Dativ		*der*	*dem*	

4

Hören	**Sprechen**	Lesen	Schreiben

Beschreiben Sie Erfindungen!

1. die Glühbirne
2. die Spülmaschine
3. der Ofen
4. der Lautsprecher
5. der Kühlschrank
6. ...

> Eine Glühbirne ist ein Ding, das Licht macht und in einer Lampe steckt.

> Ein Ofen ist ein Apparat, ...

5

Hören	**Sprechen**	Lesen	Schreiben

Wie hätten Sie es gern?

Arbeit	Auto	Lehrer / Lehrerin
Chef / Chefin	Mann	Frau	Haus
~~Freunde~~	Kollegen	Nachbarn	...

> Ich wünsche mir Freunde, die man immer besuchen kann.

„Lehrjahre sind keine Herrenjahre"

1 Schule und Ausbildung in Deutschland

Hören | Sprechen | Lesen | Schreiben

Sprechen Sie im Kurs über die Grafik. Was ist für Sie neu oder ungewöhnlich?

Kindergarten (3 Jahre lang)		
Grundschule (4 Jahre lang)		
Hauptschule (5 Jahre lang) Hauptschulabschluss	Realschule (6 Jahre lang) Realschulabschluss	Gymnasium (9 Jahre lang) Abitur / Matura
Berufsausbildung im Betrieb und an der Berufsschule (duales System)		Studium an der Universität oder an einer Hochschule

2 Der Weg zum Beruf

Hören | Sprechen | Lesen | Schreiben

a) Überlegen Sie bitte: Was bedeuten diese Begriffe?
Können Sie eine zeitliche Reihenfolge finden?

der Ausbildungsvertrag   **der Ausbildungsplatz**   **die Berufsausbildung**
die Berufsberatung   **die Abschlussprüfung**

b) Lesen Sie die Texte. Markieren Sie die Begriffe aus Aufgabenteil a.
Vergleichen Sie Ihre zeitliche Reihenfolge mit dem Text.

Wenn sie nicht an einer Hochschule studieren, machen junge Leute in Deutschland meistens eine
Berufsausbildung, auch Lehre genannt. Ungefähr 380 anerkannte Ausbildungsberufe für mehr als
20 000 verschiedene Tätigkeiten gibt es in Deutschland. Arbeitsfelder, zu denen die 380 Berufe gehören,
sind z. B. Elektrotechnik, Textil und Bekleidung, Wirtschaft und Verwaltung.
5 Die meisten Auszubildenden haben einen Haupt- oder Realschulabschluss, manchmal aber auch das
Abitur. Am Ende der Schulzeit können sich die Schüler selbst eine Lehrstelle suchen. Oder sie gehen zum
Arbeitsamt und erhalten dort eine gründliche Berufsberatung. Viele Jugendliche suchen aber sehr lange
nach einem Ausbildungsplatz oder finden gar keinen.
Der Azubi unterschreibt einen Ausbildungsvertrag mit dem Arbeitgeber, bei dem er die Ausbildung
10 macht. Der Ausbildungsvertrag, in dem die Rechte und Pflichten der Azubis stehen, regelt auch die Dauer
der Ausbildung und die Bezahlung der Lehrlinge. Eine Berufsausbildung dauert normalerweise drei oder
dreieinhalb Jahre.
Während der gesamten Ausbildungszeit müssen Azubis an ein oder zwei Tagen in der Woche eine
Berufsschule besuchen, in der es neben Fachunterricht auch Unterricht in Deutsch, Religion oder
15 Wirtschaftskunde gibt. Den praktischen Teil der Ausbildung, für den der Betrieb verantwortlich ist,
verbringen die Azubis z. B. in einer Lehrwerkstatt. Am Ende der Ausbildung macht man eine
Abschlussprüfung.
Dieses Berufsausbildungssystem, das so ähnlich auch in Österreich und in der Schweiz existiert, heißt
duales System. Es hat zwei Grundlagen, ohne die es nicht funktioniert: eine praktische Ausbildung im
20 Betrieb und die theoretische Ausbildung in der Berufsschule.

3
Schreiben und verstehen: Nebensätze: Relativsätze mit Präpositionen

Arbeitsfelder,	*zu denen*	die 380 Berufe	*gehören* ,	sind z. B. …
Der Ausbildungsvertrag,		Rechte und Pflichten	,	regelt auch …
Den Teil der Ausbildung,		der Betrieb verantwortlich	,	verbringen …

4 | Hören | Sprechen | Lesen | **Schreiben** |
Was fehlt hier?

1. Die Berufsschulen, _auf die_ die Azubis gehen, sind staatliche Schulen.
2. Die Azubis besuchen verschiedene Berufsschulen, _in_ es nicht
   nur Fachunterricht gibt.
3. Die Lehrstellensuche, _bei_ das Arbeitsamt hilft, dauert manchmal
   sehr lang.
4. Die Lehrlinge unterschreiben einen Vertrag, _in_ ihre Rechte und Pflichten stehen.
5. Das duale System, _ohne_ es in Deutschland keine Ausbildung gibt, funktioniert recht gut.
6. Das duale System, _mit_ die meisten Auszubildenden zufrieden sind, gibt es auch in Österreich
   und der Schweiz.

5 | Hören | Sprechen | Lesen | **Schreiben** |
Definitionen

Erklären Sie die Begriffe, die Sie in Aufgabe 1 und 2 finden.

der Kindergarten: _eine Einrichtung, in die nur ganz kleine Kinder gehen_
die Grundschule: _eine Schule, die alle Kinder …_

6 | Hören | **Sprechen** | Lesen | Schreiben |
Und Ihre Ausbildung?

Erzählen Sie von Ihrem Ausbildungsweg oder Ihren Berufsplänen.

> Ich möchte Busfahrer werden.

7 | Hören | **Sprechen** | Lesen | Schreiben |
Raten Sie mal: Wer ist das?

verheiratet sein mit   sich unterhalten über
sich ärgern über   Angst haben vor   sich freuen auf
sich aufregen über   warten auf   sich treffen mit   …

Freunde   Lehrerin
Chef   Kind   Ehemann
Kollegen   …

> Ein Mann, auf den ich immer warten muss.

> Dein Ehemann!

> Eine Frau, mit der man sich über Grammatik unterhalten kann.

> …

Der Familienrat tagt

1 Morgendliche „Harmonie"

Hören | Sprechen | Lesen | **Schreiben** ▶▶ 52

a) Hören Sie bitte. Was ist los bei Streckers? Markieren Sie bitte.

☐ Melanie und Matthias streiten sich.

☐ Melanie beschwert sich bei ihrer Mutter über ihren Bruder.

☐ Frau Strecker diskutiert mit Matthias.

b) Was soll und was muss Matthias?

1. Matthias _soll_ zum Frühstück kommen. Seine Mutter will das.

2. Er _____ danach das Altpapier zum Container bringen. Auch das will seine Mutter.

3. Er _____ aber noch Hausaufgaben machen. Das ist seine Pflicht als Berufsschüler.

4. Azubis _____ die Berufsschule besuchen. Das steht im Ausbildungsvertrag.

5. Er _____ heute noch ein paar Dinge erledigen. Das ist sein eigener Plan.

6. Seine Mutter _____ ihm eine Entschuldigung schreiben. Melanie teilt ihrer Mutter die Bitte ihres Bruders mit.

2 Matthias will die Ausbildung abbrechen

Hören | **Sprechen** | Lesen | Schreiben ▶▶ 53

a) Wer spricht? Hören Sie und ergänzen Sie bitte die Namen der Familienmitglieder.

☐	Nein, ich hab die Nase voll. Ich mag diese Ausbilder nicht, die immer alles besser wissen. Ich mag diese langweilige Berufsschule nicht und am allerwenigsten mag ich diesen Blockunterricht. Furchtbar, wochenlang Deutsch, Wirtschaft, Religion. Reine Zeitverschwendung.
☐	Du magst nicht, du magst nicht. Darauf kommt es doch überhaupt nicht an. Hast du dir denn die Konsequenzen überlegt? Bei deinem mittelmäßigen Realschulabschluss hast du nicht viele Möglichkeiten. Sei froh, dass dir der Papa geholfen hat, so eine Lehrstelle zu kriegen.
☐	Die Mama hat Recht. Ob man einen Job mag oder nicht, das ist hier nicht die Hauptfrage. Die Frage ist, ob du eine realistische Alternative hast. Dann können wir weiterreden.
☐	Viele junge Leute in deinem Alter mögen ihre Ausbildung am Anfang nicht, und später sind sie froh, dass sie dabei geblieben sind.
☐	…

b) Übernehmen Sie eine Rolle und spielen Sie Familienrat: Was soll Matthias machen?

3

Schreiben und verstehen: *mögen + Akkusativ*

ich		meinen Job	**wir**	*mögen*	unsere Arbeit
du		den Job nicht	**ihr**	*mögt*	keine Hausaufgaben
er • sie • es		die Schule nicht	**sie • Sie**		ihre Ausbildung

4

Hören · **Sprechen** · Lesen · Schreiben

Wer mag was?

a) Suchen Sie im Kurs drei Personen, die das Gleiche (nicht) mögen wie Sie.

b) Wer ist das? Machen Sie Rätsel im Kurs.

Mögen Sie Haustiere?

Welche Musik magst du?

Sie mag keine Katzen und keine Zimmerpflanzen, aber sie mag asiatisches Essen.

Er mag schnelle Autos, Rockmusik und …

5

Hören · **Sprechen** · Lesen · Schreiben

Konflikte

Wählen Sie eine Situation und machen Sie Rollenspiele.

1. Die Lehrerin ärgert sich, weil einige Kursteilnehmer unaufmerksam sind. Das ist unvernünftig.
2. Ihr Kollege bringt seinen Hund an den Arbeitsplatz mit. Das finden Sie unmöglich.
3. Sie streiten sich mit Ihrem Mann oder Ihrer Frau über seine / ihre Faulheit, weil er / sie sich zu wenig an der Hausarbeit beteiligt.
4. Ihr Sohn / Ihre Tochter kommt abends immer zu spät nach Hause. Sie regen sich darüber auf.

Ich muss dringend mit Ihnen über Ihren Hund sprechen.

Ich hab echt die Nase voll! Du musst wirklich mehr im Haushalt mitarbeiten.

Ja? Fifi, sei ruhig, mach Platz …

6

Hören · Sprechen · Lesen · **Schreiben** ▶▶ 54

Ein Lied von der Band „Die Faultiere"

Was können Sie verstehen? Sammeln Sie im Kurs.

Matthias und seine Freunde finden das Azubi-Leben nervig. Lieber spielen sie zusammen in ihrer Band „Die Faultiere". Matthias hat ein Lied für Jule, die Sängerin, geschrieben.

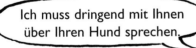

Schwäbische Landeskunde

1 Herbstzeit – Erntezeit

Hören | **Sprechen** | **Lesen** | Schreiben

a) Wie viele Personen machen mit?

Es ist Herbst, die Zeit der Weinlese. Klaus Strecker hat zusammen mit seinen Geschwistern einen kleinen Weinberg in Stuttgart-Uhlbach. Der Großvater von Klaus war nämlich noch Weinbauer, aber heute ist der Weinberg von Familie Strecker so klein, dass man für die Lese nur ungefähr einen halben Tag braucht. Dieses Wochenende bekommen Klaus und seine Kinder Hilfe: Rainer, der Neffe von Klaus, kommt mit Patrick, einem Kollegen aus Irland. Rainer macht gerade seinen Zivildienst im Krankenhaus und hat den Biologiestudenten Patrick dort kennen gelernt. Melanie freut sich, dass sie sich mit einem Biologen über Tiere unterhalten kann und fragt Patrick Löcher in den Bauch. Matthias ist deshalb schon ganz sauer, weil er endlich einen echten Iren nach echter irischer Folkmusik fragen will …

Schließlich sind alle Trauben zur Winzergenossenschaft gebracht! Jetzt gehen alle zusammen in eine Besenwirtschaft, wo sie etwas essen und trinken und sich ein bisschen erholen können.

b) Markieren Sie bitte: Welche Wörter haben etwas mit Wein zu tun?

c) Haben Sie einen Garten? Mögen Sie Pflanzen? Sprechen Sie im Kurs.

2 Schreiben und verstehen: die n-Deklination (nur maskuline Nomen)

Hören | Sprechen | Lesen | **Schreiben**

Nominativ		die Bauern		
Akkusativ	den Bauern	die Bauern		die Studenten
Dativ	dem Bauern	den Bauern	dem Studenten	
Genitiv	des Bauern	der Bauern	des Studenten	

3 Student – Experte – Bauer – Biologe – Neffe – Kollege

Hören | Sprechen | Lesen | **Schreiben**

Welches Wort passt? Ergänzen Sie in der richtigen Form.

1. Sie haben noch nie etwas von irischer Folkmusik gehört? Unterhalten Sie sich doch mal mit einem
_Experten_____.
2. Sie haben vergessen, wer Rainer ist? Er ist der _____ von Klaus Strecker.
3. Sie wollen etwas über Biologie wissen? Fragen Sie einen _____.
4. Sie möchten etwas über deutschsprachige Unis erfahren? Sprechen Sie mit den _____.
5. Sie wissen nicht mehr, was _____ bedeutet? Stellen Sie diese Frage doch Ihrem _____ im Sprachkurs.

4   In der Besenwirtschaft.

| Hören | Sprechen | Lesen | Schreiben | ▶▶ 55 |

a) *Über welche Themen sprechen die Streckers mit Patrick?*

b) *Hören Sie bitte und ordnen Sie dann die Begriffe der richtigen Erklärung zu.*

Maultaschen	Kehrwoche	Sauerkraut	Besenwirtschaft
Brezel	Trollinger	Fastfood	Traube	Treppen	Obstgärten
Stadtordnung	~~Brot~~	Stäffele	Apfelsaft	Treppenhaus

1. Vor langer Zeit sollte ein Bäcker in Urach für seine Untaten sterben. Aber dann entschied der Graf: „Back mir ein _Brot_, durch das drei Mal die Sonne scheint und ich schenke dir dein Leben." Und so erfand der Bäcker die erste _____ der Welt.

2. Den roten _____ baut man nur in Schwaben an, und hier ist er auch die beliebteste Sorte. Übrigens: Der Name der _____ kommt von der Region Tirol.

3. Vier Monate im Jahr darf ein Weinbauer auf seinem Hof Tische und Stühle aufstellen und seinen eigenen Wein ausschenken. Ein solches Lokal heißt in Schwaben _____. Natürlich kann man dort auch _____ und andere Getränke trinken. Zu essen gibt es aber nur ganz einfache Gerichte wie _____, Kartoffelsalat und Bratwürste.

4. Lauch, Petersilie, Spinat und eine besondere Art Hackfleisch – das sind die wichtigsten Zutaten für _____. Früher waren sie eine typische Karfreitagsspeise; heute gelten sie als schwäbisches _____ und angeblich kann man sie inzwischen in Berlin, Wien, New York und sogar Tokio kaufen.

5. Sie gilt als typisch schwäbisch: die _____. In festgelegten Abständen muss jeder Hausbewohner das _____ und die Straße reinigen. Schon Graf Eberhard im Bart verlangte in seiner _____ von 1492, dass jeder einmal in der Woche bei sich sauber machen sollte.

6. Auf den steilen Bergen rund um Stuttgart hat man früher _____ und Weinberge angelegt. Um die Wege vom Tal nach oben abzukürzen, hat man dazwischen steile _____ gebaut, auf Schwäbisch _____ genannt. 450 soll es davon in der Stadt geben.

5   Hören und sprechen: Hart oder weich? Die Auslautverhärtung

| Hören | Sprechen | Lesen | Schreiben | ▶▶ 56 |

Hören Sie die Wörter und schreiben Sie sie in die richtige Tabellenspalte.

1. halb – ein halber Tag
2. Grund – Gründe
3. mögen – er mag
4. Haus – Häuser
5. sie lebt – leben
6. Rad – Räder
7. reisen – gereist
8. Weinberg – Weinberge

hart	weich
halb	_halber_
_____	_____

Traumberuf: Dichter

1

Hören | Sprechen | **Lesen** | Schreiben

Friedrich Schiller erzählt aus seinem Leben

*a) Lesen Sie und markieren Sie die folgenden
5 Stationen von Schillers Biografie im Text.*

> **Beginn des Wanderlebens**
>
> **Tätigkeit als Regimentsarzt**
>
> **Geschichtsprofessor in Jena**
>
> **Wechsel zum Medizinstudium**
>
> **Flucht aus Stuttgart**

Wissen Sie, einen Buben wie den Matthias Strecker kann ich schon verstehen. Auch ich habe damals meine Ausbildung zum Juristen abgebrochen und habe zur Medizin gewechselt. Nach dem Studium hatte ich in Stuttgart eine Stelle als Regimentsmedikus beim Militär, aber in Wirklichkeit hat mich immer nur eins interessiert: die Literatur! Dichter sein oder nicht sein – das war die Frage, die ich mir in jenen Tagen wieder und wieder gestellt habe, denn Sie müssen sich meine unglückliche Lage vorstellen: In Stuttgart hatte ich Schreibverbot! Sollte ich also in der Stadt bleiben oder sollte ich fliehen und im Ausland mein Glück versuchen?

Ich hoffe sehr, dass Matthias sich richtig entscheidet. Soll er seine Ausbildung beenden oder lieber etwas Neues versuchen? Eine schwierige Frage. Was meinen denn Sie dazu? Wissen Sie, ich bin damals bei Nacht und Nebel aus Stuttgart geflohen, zuerst nach Mannheim, aber auch in Leipzig, Dresden und Weimar habe ich mich später aufgehalten. Schließlich bin ich dann in Jena gelandet und bin dort Professor für Geschichte geworden. In all den Wanderjahren konnte ich zwar endlich frei und ungehindert schreiben, aber leider war mein Traumberuf Dichter für mich auch immer mit Geldsorgen verbunden.

Matthias' absolute Begeisterung für Musik – das ist wie bei mir die Bücher. Unzählige Gedichte, Balladen und Dramen habe ich geschrieben. Mein berühmtestes Gedicht „An die Freude" kennen Sie vielleicht. Ludwig van Beethoven hat in seiner 9. Sinfonie eine schöne Musik dazu komponiert. Für den Fall, dass Sie mal was von mir im Theater anschauen möchten: „Die Räuber", „Maria Stuart" und mein letztes Drama „Wilhelm Tell" sind berühmte Theaterstücke von mir.

*b) Schreiben Sie die Stationen von Schillers Biografie aus Aufgabe 1a in der Reihenfolge
des Textes neben die Jahreszahlen.*

1759: *geboren in Marbach (bei Stuttgart)* _____

1776: _____

1780: _____

1782: _____

1784: _____

Seit 1788: _____

1805: *Tod* _____

Grammatik

1 Nebensätze: Relativsätze → S. 195, 208

	Relativ-pronomen		Satzende (Verb)	
Das ist ein Gerät,	das	für die richtige Temperatur	sorgt.	
Wie heißt die Maschine,	die	Wäsche	wäscht?	
Das ist ein Computer,	den	man z. B. in Autos	findet.	
Es gibt viele Projekte,	denen	die Bosch Stiftung finanziell	hilft.	
Arbeitsfelder,	zu denen	die 380 Ausbildungsberufe	gehören,	sind z. B. …

└─────────────── **Nebensatz** ───────────────┘

Regel: Das Relativpronomen hat das gleiche Genus (m , f , n , Pl) wie das Nomen im *Hauptsatz*. Ob es Nominativ, Akkusativ oder Dativ ist, bestimmt das Verb (+ Präposition) im *Relativsatz*.

Die Deklination des Relativpronomens

	m	f	n	Pl
Nominativ	der	die	das	die
Akkusativ	den	die	das	die
Dativ	dem	der	dem	denen

Regel: Relativsätze stehen normalerweise direkt hinter dem Nomen, zu dem sie gehören.

2 *mögen* + Akkusativ → S. 203

	Präsens	Präteritum	
ich	mag	mochte	Sie mag ihren Lehrer nicht.
du	magst	mochtest	Magst du Rockmusik?
er • sie • es	mag	mochte	Früher mochte ich nur Milchkaffee.
wir	mögen	mochten	Haustiere mögen wir nicht.
ihr	mögt	mochtet	
sie • Sie	mögen	mochten	

Regel: *mögen* + Akkusativ = (nicht) gern haben.

3 Die n-Deklination → S. 204

	Singular	Plural		Singular	Plural
Nominativ	der Biologe	die Biologen		der Student	die Studenten
Akkusativ	den Biologen	die Biologen		den Studenten	die Studenten
Dativ	dem Biologen	den Biologen		dem Studenten	den Studenten
Genitiv	des Biologen	der Biologen		des Studenten	der Studenten

Regel: Nur m -Nomen gehören zur n-Deklination. Ausnahme: das Herz.
Achtung: des Namens, des Buchstabens, des Friedens, des Herzens

Lektion 18 — Eine Firma in Hannover

1

Hören	Sprechen	Lesen	Schreiben

▶▶ 57–62

Einige Mitarbeiter der Minolta Europe GmbH, Hannover

a) Bitte hören Sie und ergänzen Sie die Informationen zu den Personen auf den Fotos.

IT-Spezialist	**zuständig für Personalfragen**	**Kundenservice**	**Datenbanken**
Poststelle	**Systembetreuung**	**Personalreferentin**	**Postverteilung**

b) Stellen Sie nun die Mitarbeiter vor.

ist zuständig für   ist seit ... bei Minolta tätig
arbeitet als ... in der ...abteilung
leitet die Abteilung ...
                    ist verantwortlich für ...

> Mark Oldfield ist seit 1997 bei Minolta tätig. Er arbeitet als Vertriebsleiter in der Abteilung ...

c) Arbeiten Sie in einer Firma? Machen Sie Ihren Steckbrief und stellen Sie sich vor.

Mark Oldfield, 37

Betriebszugehörigkeit: *seit 1997*
Abteilung: *Internationales Marketing*
Funktion: *Vertriebsleiter*
Aufgaben: *Beratung Vertriebspartner im Ausland*

Das Unternehmen

Sprechen Sie über die Firma Minolta.

Name:	Minolta Europe GmbH
Gründung:	1965
Europäische Zentrale:	Minoltaring 11, D-30855 Langenhagen (bei Hannover)
Geschäftsführer:	Akio Kitani
Mitarbeiter:	4552
Muttergesellschaft:	Minolta Co. Ltd., Osaka, Japan
Niederlassungen:	Europa: 25; weltweit: 80
Umsatz:	1166 Mio. Euro
Produkte:	Bürokommunikation (Kopierer, Drucker, Faxgeräte, Scanner), Kameras, Industrie-Messgeräte
Abteilungen:	Vertrieb, Einkauf, Personal, Buchhaltung/Finanzen, IT, Training, Management, Empfang, Haustechnik, Service, Umwelt

Die Firma Minolta gibt es seit ...

Sie hat ... Niederlassungen.

Sie produziert ...

Zoran Bunoza, 31

Betriebszugehörigkeit: _____
Abteilung: _____
Funktion: *Chef der Abteilung*
Aufgaben: _____

Berniece Bruckner, 21

Betriebszugehörigkeit: _____
Abteilung: _____
Funktion: _____
Aufgaben: _____

Katrin Oppermann, 33

Betriebszugehörigkeit: _____
Abteilung: _____
Funktion: _____
Aufgaben: _____

Thomas Schmolling, 40

Betriebszugehörigkeit: _____
Abteilung: _____
Funktion: _____
Aufgaben: _____

Die Geschichte der Firma Minolta

1 Eine Firma mit langer Tradition

| Hören | Sprechen | Lesen | Schreiben |

a) Zu welchem Textabschnitt passt welches Foto? Notieren Sie den passenden Buchstaben.

A

B

C

D

E

F

Der Japaner Kazuo Tashima gründete 1928 in Zusammenarbeit mit deutschen Ingenieuren in Osaka die Firma „Shashinki Shoten", die „Deutsch-Japanische Fotofirma". Anfangs hatte die Firma nur 20 Mitarbeiter.   Bild _____

5 Die erste Kamera, die „Nifcalette" hieß, kam 1929 auf den Markt.   Bild _____
Es blieb jedoch nicht nur bei Kameras: 1958 produzierte die Firma ihr erstes Planetarium und zwei Jahre später dann ihren ersten Kopierer, den „Minolta Copymaster".   Bild _____
1962 reiste Minolta das erste Mal ins Weltall. US-Astronauten
10 machten beim ersten bemannten Raumflug mit der HI-Matic-Kamera sensationelle Bilder von der Erde. Sechs Jahre später flog Minolta zum zweiten Mal ins All: Astronauten benutzten an Bord der Apollo 8 einen Minolta-Belichtungsmesser.   Bild _____
1965 kamen die Japaner mit Minolta nach Deutschland. Sie
15 gründeten in Hamburg die erste Niederlassung und in den nächsten Jahren noch viele andere in fast allen europäischen Ländern. Nach 30 Jahren gab es europaweit bereits 20 Niederlassungen.   Bild _____
1985 starb der Firmengründer Tashima, doch mit der Firma ging
20 es weiterhin bergauf. In den 80er Jahren begannen die Minolta-Techniker mit der Videoproduktion, entwickelten den weltweit ersten Zoom-Kopierer und 1986 das erste Minolta-Faxgerät.
1993 eröffnete Minolta seine neue europäische Zentrale in Hannover mit zwei Verwaltungs- und einem Lagergebäude.
25 1994 begann für die Firma die digitale Zukunft: zuerst mit digitalen Druckern und ein Jahr später mit der ersten digitalen Kamera.
1997 präsentierte Minolta auf der CeBIT-Computermesse die ersten Laserdrucker. Ein Jahr später feierte die Firma ihr 70-jähriges Jubiläum, zu dem sie ein spezielles Logo bekam.   Bild _____

b) Was war wann? Bitte ergänzen Sie die Jahreszahlen.

1. Start in die digitale Zukunft: _1994_
2. Erster Kopierer: _____
3. Tod des Gründers: _____
4. Eröffnung der Europazentrale: _____

5. Zweiter Flug ins Weltall: _____
6. Beginn der Faxproduktion: _____
7. 70-jähriges Bestehen der Firma: _____
8. Erste deutsche Niederlassung: _____

c) Welche technischen Geräte benutzen Sie? Können Sie sich ein Leben ohne Technik vorstellen? Sprechen Sie im Kurs.

2 Wie heißen die passenden Infinitive?

Hören | Sprechen | Lesen | **Schreiben**

1. reiste: *reisen*
2. gründete: _____
3. produzierte: _____
4. feierte: _____

5. kam: *kommen*
6. blieb: _____
7. begann: _____
8. ging: _____

3 Schreiben und verstehen: das Präteritum

Hören | Sprechen | Lesen | **Schreiben**

	regelmäßige Verben		unregelmäßige Verben
ich	reiste	gründete	kam
du	reistest	gründetest	kamst
er • sie • es			
wir	reisten	gründeten	kamen
ihr	reistet	gründetet	kamt
sie • Sie	reisten		

4 Eine deutsch-japanische Firmengeschichte

Hören | Sprechen | **Lesen** | Schreiben

Lesen Sie noch einmal Aufgabe 1 und ergänzen Sie die Verben im Präteritum.

1. Die erste Kamera, die „Nifcalette" *hieß* _____, kam 1929 auf den Markt.
2. US-Astronauten _____ 1962 sensationelle Bilder von der Erde.
3. 1968 _____ Minolta zum zweiten Mal ins All.
4. 1985 _____ der Firmengründer Tashima.
5. Die Firmentechniker _____ 1986 das erste Minolta-Faxgerät.
6. 1993 _____ die Firma Minolta ihre neue europäische Zentrale.
7. Die Firma _____ 1997 auf der CeBIT-Messe ihre ersten Laserdrucker.
8. 1998 _____ Minolta ein spezielles Logo.

5 Schreiben Sie eine Firmengeschichte!

Hören | Sprechen | Lesen | **Schreiben**

Erfinden Sie eine Firma oder informieren Sie sich über ein Unternehmen und schreiben Sie die Firmengeschichte auf. Benutzen Sie die Verben aus Aufgabe 1.

Der Schweizer Silvio Dietschi gründete sein Unternehmen 1947. Er ...

_____

Aus der Mitarbeiterzeitschrift

1

| Hören | Sprechen | **Lesen** | Schreiben |

Welches Ereignis passt zu welcher Person?

1. der Ausbildungsabschluss: *Jochen Wössner*
2. das Dienstjubiläum: _____
3. die Kündigung: _____
4. die Präsidentenwahl: _____
5. die Neueinstellung: _____

Was gibt's Neues?

Wechsel im Management
Der Vorstand wählte bei seiner letzten Sitzung Yoshikatsu Ota zum neuen Präsidenten. Damit wird er Nachfolger von Osamu Kanaya.
Otas Karriere begann im April 1964 in der Minolta Camera Co. in Japan. Im Februar 1968 kam er nach Hamburg als Leiter der Kamera-Abteilung. Seit 1975 leitete er den Kopierervertrieb und seit 1995 war er als geschäftsführender Direktor tätig.

Personalwechsel in der Abteilung Vertrieb
Die langjährige Leiterin des Bereichs Großkunden Europa, Dr. Susanne Zielicke, verlässt aus privaten Gründen die Minolta Europe GmbH. Sie kündigte fristgerecht zum Ende des Monats.
Ihre Nachfolgerin ist Julia Geier, die bisher bei Troll & Söhne in Hannover tätig war und zum Monatsanfang bei Minolta beginnt.

Start in die Karriere
Jochen Wössner bestand mit großem Erfolg seine Abschlussprüfung als Industriekaufmann.
Der Azubi kam 1978 auf die Welt und beendete 1994 die Realschule. Von 1994 bis 1996 besuchte er eine kaufmännische Berufsfachschule und leistete anschließend seinen Wehrdienst. 1998 ging er zum Praktikum in die USA. Minolta stellte ihn im Jahr 2000 als Auszubildenden ein. Nach dreijähriger Lehre erhielt er gestern sein Prüfungszeugnis.

Fest in der Buchhaltung
Elvira Obermann ist stolz auf 25 Jahre Betriebszugehörigkeit bei Minolta. Die Buchhalterin gehörte seit 1978 zu Minolta Hamburg und wechselte 1993 nach Hannover. Alle Mitarbeiter der Abteilung Buchhaltung sind sehr herzlich zu ihrer Jubiläumsfeier eingeladen.

2

| **Hören** | Sprechen | Lesen | Schreiben | ▶▶ 63 |

Elvira Obermann erzählt von ihrer beruflichen Vergangenheit

a) Worüber spricht Frau Obermann?

☐ über ihre Lehrzeit
☐ über ihre Anfangsjahre bei Minolta
☐ über ihren Aufenthalt in Japan

b) Hören Sie noch einmal: Was passt zusammen?

1. Als ich meine Lehre beendete,
2. Wenn wir unsere wöchentlichen Besprechungen hatten,
3. Als Minolta 1976 umzog,
4. Immer wenn eine Delegation aus der Zentrale in Japan kam,
5. Als ich 1978 bei Minolta in Hamburg begann,

A hatte ich schon zwei Kinder.
B hatte die Firma schon 165 Mitarbeiter.
C war ich erst 18 Jahre alt.
D versuchten wir, einen besonders guten Eindruck zu machen.
E sprachen hauptsächlich die Männer und die Frauen kochten Kaffee.

1	C
2	
3	
4	
5	

3

| Hören | Sprechen | Lesen | **Schreiben** |

Schreiben und verstehen: Nebensätze mit *als* und *wenn* im Präteritum

einmal	*Als*	ich meine Lehre		, war ich erst 18 Jahre alt.
mehrmals		wir Besprechungen	*hatten* ,	sprachen die Frauen nur wenig.

4

| Hören | Sprechen | Lesen | **Schreiben** |

Vergleichen Sie die Lebensläufe von Frau Obermann und von Jochen Wössner!

~~beginnen~~   feiern   machen   übernehmen   wechseln   werden

Lebenslauf Elvira Obermann

1978	Beginn bei Minolta Hamburg als Buchhalterin
1994	Wechsel nach Hannover in die neue europäische Zentrale
1998	Controlling-Fortbildung
1999	Übernahme neuer Aufgaben
2000	Leiterin Team Buchhaltung IV
2003	Feier 25-jähriges Jubiläum

1. Als Jochen Wössner 1978 auf die Welt kam, begann Elvira Obermann bei Minolta Hamburg als Buchhalterin.

2. Als Elvira Obermann

5

| Hören | **Sprechen** | Lesen | Schreiben |

Wenn oder als? Sprechen Sie über Ihre Vergangenheit!

a) Beim Sprechen benutzen Sie vor allem das Perfekt.

1. Ausbildung
2. erste Arbeitsstelle
3. Auswanderung
4. Familie
5. Hochzeit
6. Kinder
7. Unfall
8. Tod
9. …

> Als ich in die erste Schulklasse kam, habe ich den ganzen Tag geweint.

b) Schreiben Sie einen Text über Ihre Vergangenheit im Präteritum.

Ein Vorstellungsgespräch

1 Die Stellenanzeige

| Hören | **Sprechen** | **Lesen** | Schreiben |

Bitte sprechen Sie über die Anzeige.

1. Was für eine Stelle wird frei?
   In welcher Abteilung?
2. Sucht die Firma eine Frau oder
   einen Mann?

3. Welche beruflichen Voraussetzungen sind
   notwendig?
4. Wie sind die Aufgaben?
5. Was erfährt man über das Gehalt?

Für unsere internationale Marketingabteilung suchen wir schnellstmöglich eine(n)

Projekt-Assistent(in)

Professionelles Marketing für unsere innovativen Bürokommunikationsprodukte und die Partnerschaft mit qualifizierten Fachhändlern sind die Garanten für den weiteren Ausbau unserer bedeutenden Marktposition. Dafür sorgen weltweit unsere motivierten und engagierten Mitarbeiter.

Ihre Aufgaben: Büroorganisation, Projektbetreuung, Messevorbereitung, Mailing-Aktionen
Unsere Erwartungen: kaufmännische Ausbildung und/oder Erfahrung in einer vergleichbaren Position, Marketing-Kenntnisse, umfassende EDV-Kenntnisse, selbstständige Arbeitsweise, Teamfähigkeit

Wir bieten einen abwechslungsreichen Arbeitsplatz in einem engagierten Team mit angemessenem Verdienst und zusätzlichen Sozialleistungen.

Senden Sie uns bitte Ihre aussagefähigen Bewerbungsunterlagen mit Angabe des möglichen Eintrittstermins und Ihrer Gehaltsvorstellung. Wir freuen uns auf ein erstes Gespräch mit Ihnen.

Minolta Europe GmbH – Human Resources, Frau Katrin Oppermann
Minoltaring 11, D-30855 Langenhagen
Telefon 05 11/74 04-2 56 oder Katrin_Oppermann@minoltaeurope.com

---

2 Ein Vorstellungsgespräch

| Hören | Sprechen | Lesen | **Schreiben** |

Sammeln Sie Fragen für Bewerber(in) und Firma. Welche Fragen stellt man am Anfang, welche am Schluss?

das Gehalt	~~die Ausbildung~~	Arbeitszeiten	Aufgaben
die Berufserfahrung	die bisherige Tätigkeit	Voraussetzungen	Kenntnisse ...

Firma

Wo haben Sie denn Ihre
Ausbildung gemacht?

Bewerber(in)

3

| Hören | Sprechen | Lesen | **Schreiben** | ▶▶ 64 |

Ilona Kern stellt sich beim Abteilungsleiter Herrn Oldfield vor

a) Welche Ihrer Fragen aus Aufgabe 2 hören Sie?
Achten Sie auch auf die Reihenfolge!

b) Was meinen Sie: Wie lauten die vollständigen Fragen von Herrn Oldfield
und von Frau Kern?

Herr Oldfield fragt:

1. _____ beruflich gemacht?
2. Warum _____ beworben?
3. _____ weitergebildet?
4. _____ Kenntnisse?
5. Wie sind denn Ihre _____?

Frau Kern fragt:

1. _____ Voraussetzungen _____ erfüllen?
2. _____ Aufgaben _____?
3. _____ bei Ihnen geregelt?
4. Mich würde natürlich noch interessieren, wie _____?

c) Hören Sie noch einmal. Ergänzen oder korrigieren Sie Ihre Fragen.

4

| Hören | **Sprechen** | Lesen | Schreiben |

„Warum haben Sie sich denn gerade bei uns beworben?"

Arbeiten Sie zu zweit. Wählen Sie eine Situation oder bestimmen Sie selbst eine.
Bereiten Sie einen Dialog vor und spielen Sie ihn dann im Kurs.

1. Sie bewerben sich als Krankenschwester in einem großen städtischen Krankenhaus und sprechen
   mit dem / der Pflegeleiter(in) der Station.
2. Koch / Köchin – Restaurant – Restaurantbesitzer(in)
3. Programmierer(in) – große Computerfirma – Abteilungsleiter(in)
4. Au-pair-Mädchen – Familie mit drei Kindern – Mutter / Vater
5. Kfz-Mechaniker(in) – Autowerkstatt – Chef(in)

Firma:

> Was waren denn Ihre bisherigen Tätigkeiten?
> Haben Sie denn schon Erfahrung mit ...?
> Was haben Sie denn bisher verdient?
> Warum interessiert Sie eine Tätigkeit bei ...?
> Wir können Ihnen ... € brutto anbieten.
> Wir suchen jemanden, der / die ...
> Welche Weiterbildungen haben Sie besucht?

Bewerber(in):

> Meine bisherigen Aufgaben waren ...
> Wie sind denn die Arbeitszeiten?
> Wann soll ich anfangen?
> Arbeite ich im Team oder selbstständig?
> Ich habe ... Jahre Berufserfahrung.
> Wie sehen Ihre sozialen Leistungen aus?

Ein Betriebsausflug

1 Die Einladung

Hören	**Sprechen**	**Lesen**	Schreiben

Was meinen Sie: Warum organisieren Firmen Betriebsausflüge? Gibt es in Ihrer Firma oder in Ihrem Land Betriebsausflüge? Lesen Sie dann die E-Mail.

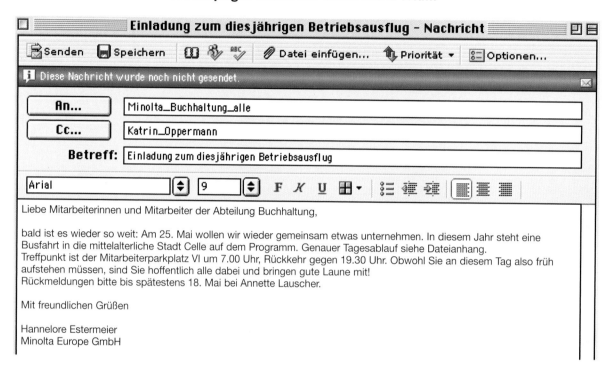

```
□  ══════ Einladung zum diesjährigen Betriebsausflug – Nachricht ═══════  回目

✉ Senden   💾 Speichern   ▣ ✎ ᴬᴮᶜ   📎 Datei einfügen...   ⬆ Priorität ▾   ▤ Optionen...

ℹ Diese Nachricht wurde noch nicht gesendet.                                    ⊠

┌─ An... ─┐   Minolta_Buchhaltung_alle
┌─ Cc... ─┐   Katrin_Oppermann
  Betreff:   Einladung zum diesjährigen Betriebsausflug

Arial          ⬍  9  ⬍   F  K  U  ⊞ ▾  ▤ ▤ ▤   ▤ ▤ ▤
```

Liebe Mitarbeiterinnen und Mitarbeiter der Abteilung Buchhaltung,

bald ist es wieder so weit: Am 25. Mai wollen wir wieder gemeinsam etwas unternehmen. In diesem Jahr steht eine Busfahrt in die mittelalterliche Stadt Celle auf dem Programm. Genauer Tagesablauf siehe Dateianhang.
Treffpunkt ist der Mitarbeiterparkplatz VI um 7.00 Uhr, Rückkehr gegen 19.30 Uhr. Obwohl Sie an diesem Tag also früh aufstehen müssen, sind Sie hoffentlich alle dabei und bringen gute Laune mit!
Rückmeldungen bitte bis spätestens 18. Mai bei Annette Lauscher.

Mit freundlichen Grüßen

Hannelore Estermeier
Minolta Europe GmbH

2 Frau Estermeier hält eine Rede

Hören	Sprechen	Lesen	Schreiben	⏩ 65

1. Frau Estermeier hält eine Rede in der Firma. _____ r f
2. Alle Mitarbeiter der Abteilung Buchhaltung sind da. _____ r f
3. Frau Obermann feiert ihr 25-jähriges Betriebsjubiläum. _____ r f
4. Frau Estermeier gratuliert Frau Obermann zu diesem Ereignis. _____ r f

3 Klatsch und Tratsch im Bus

Hören	Sprechen	Lesen	**Schreiben**	⏩ 66–69

a) Was glauben Sie: Welches Gefühl passt zu welcher Zeichnung?

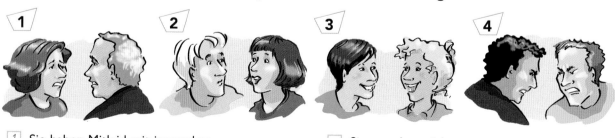

[1] Sie haben Mitleid mit jemandem.
☐ Sie sind wütend auf jemanden.

☐ Sie wundern sich.
☐ Sie freuen sich über etwas.

b) Bitte hören Sie und ordnen Sie die Dialoge den Paaren und Gefühlen zu.

1. Mitleid: Dialog _2_   2. Verwunderung: Dialog _____   3. Freude: Dialog _____   4. Wut: Dialog _____

c) Hören Sie noch einmal und sammeln Sie möglichst viele Ausdrücke zu diesen Gefühlen.

Freude	Wut, Ärger
Das ist ja schön!	

Mitleid	Verwunderung

4

Hören	Sprechen	Lesen	Schreiben	▶▶ 70

Hören und sprechen: Gefühle ausdrücken

a) Bitte hören Sie: Wie sprechen die Leute?

	froh	mitleidig	wütend	verwundert
1. Es war einfach wunderschön!	X	☐	☐	☐
2. Muss das wirklich sein?	☐	☐	☐	☐
3. Ich verstehe immer nur Bahnhof.	☐	☐	☐	☐
4. Oh nein, das ist ja schrecklich!	☐	☐	☐	☐
5. Mensch, gut dass du kommst.	☐	☐	☐	☐
6. Ach Gott, was hast du denn gemacht?	☐	☐	☐	☐
7. Das ist ja seltsam.	☐	☐	☐	☐
8. Da bist du ja endlich!	☐	☐	☐	☐

b) Lesen Sie die Sätze mit viel Gefühl.

5

Hören	Sprechen	Lesen	Schreiben

Gefühle und Stimmungen

a) Erzählen Sie im Kurs.

> Ich hatte großes Mitleid mit ..., weil ...

> Ich habe mich wahnsinnig gefreut, als ...

> Vor 2 Jahren habe ich eine große Überraschung erlebt ...

> So richtig geärgert habe ich mich, als ...

b) Wenn Sie Lust haben, bereiten Sie mit Ihren Kurspartnern Dialoge zu erlebten Situationen vor und spielen Sie sie im Kurs.

Arbeit am Computer

▶▶ 71

1 | Hören | Sprechen | Lesen | Schreiben |

Ilona Kerns erster Arbeitstag

a) Welcher Satz passt zu dem Dialog?

☐ IT-Spezialist Thomas Schmolling prüft Ilona Kerns PC-Kenntnisse.

☐ IT-Spezialist Thomas Schmolling zeigt Ilona Kern die Benutzung ihres PCs.

b) Kreuzen Sie an, worüber Thomas Schmolling mit Ilona spricht.

1. ☐ den Rechner anschalten
2. ☐ das Passwort ändern
3. ☐ ein neues Passwort eingeben
4. ☐ das Passwort speichern
5. ☐ die CD-ROM einlegen
6. ☐ das Programm kopieren

7. ☐ Disketten einlegen
8. ☐ das Laufwerk C benutzen
9. ☐ eine Datei öffnen
10. ☐ die Datei schließen
11. ☐ eine E-Mail-Adresse einrichten
12. ☐ Datenbanken nutzen

2 | Hören | Sprechen | Lesen | Schreiben |

Der Computer

a) Wie heißen die Teile eines Computers?

die Festplatte	~~das Laufwerk~~
der Monitor	das Modem
die Maus	die Tastatur
der Drucker	der Scanner

1. _das Laufwerk_   3. _____   5. _____   7. _____
2. _____   4. _____   6. _____   8. _____

b) Was kann man mit den einzelnen Teilen machen?

Daten in den Computer eingeben   Seiten ausdrucken

Dateien und Befehle sehen   Befehle auf dem Bildschirm anklicken

Textteile markieren   ~~Bilder und Texte einscannen~~   E-Mails schicken

ins Internet gehen   Programme schreiben   Computerspiele machen

im Internet surfen   Texte und Tabellen tippen

> Mit dem Scanner kann man Bilder und Texte einscannen.

> Mit dem Modem …

c) Arbeiten Sie auch mit dem Computer? Erzählen Sie.

> Ich bestelle meine Bücher im Internet.

> Ich mache gern Computerspiele.

Grammatik

1 Das Präteritum

→ S. 197

Regelmäßige Verben

	reis-en	produzier-en	gründ-en
ich	reiste	produzierte	gründete
du	reiste-st	produziertest	gründetest
er • sie • es	reiste	produzierte	gründete
wir	reiste-n	produzierten	gründeten
ihr	reiste-t	produziertet	gründetet
sie • Sie	reiste-n	produzierten	gründeten

Regel: Regelmäßige Verben →
Stamm + *-te* + Endung;
nach *-d, -t, -tm, -chn*: Stamm + *-e* + *-te* + Endung

Unregelmäßige Verben

	komm-en	bleib-en
	kam	blieb
	kamst	bliebst
	kam	blieb
	kamen	blieben
	kamt	bliebt
	kamen	blieben

Regel: Unregelmäßige Verben →
Stamm + Endung.
Achtung: Der Stamm ändert sich!

Regel: Ereignisse und Zustände in der Vergangenheit → in schriftlichen Texten: Präteritum.
In gesprochener Sprache: meistens Perfekt. *Achtung:* *sein, haben,* Modalverben auch in gesprochener
Sprache fast immer im Präteritum.

2 Nebensätze

→ S. 194

Nebensätze *mit* als *und* wenn *im Präteritum*

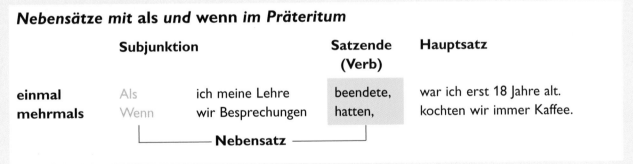

	Subjunktion		Satzende (Verb)	Hauptsatz
einmal	Als	ich meine Lehre	beendete,	war ich erst 18 Jahre alt.
mehrmals	Wenn	wir Besprechungen	hatten,	kochten wir immer Kaffee.

└─────── Nebensatz ───────┘

Nebensätze *mit* obwohl

Subjunktion		Satzende (Verb)	Hauptsatz
Obwohl	Sie an diesem Tag früh	aufstehen müssen,	sind Sie hoffentlich alle dabei.
Obwohl	die Reise lang	ist,	haben alle gute Laune.

└─────── Nebensatz ───────┘

Übungsbuch

Zu jeder Kursbuchlektion finden Sie hier im Übungsbuch eine Lektion mit passenden Übungen.
Am besten benutzen Sie Kurs- und Übungsbuch parallel:
Nach jedem Abschnitt im Kursbuch können Sie den neuen Stoff im Übungsbuch üben.

Ein Verweis zeigt Ihnen, zu welchem Abschnitt im Kursbuch die Übungen gehören:

Seite 16/17	Aufgabe 1–5

Das bedeutet: Wenn Sie im Kursbuch auf Seite 16 und 17 die Aufgaben 1 bis 5 gelöst haben,
können Sie alle Übungen im Übungsbuch bis zum nächsten Verweis machen.

Übrigens können alle Übungen allein, z. B. zu Hause, gemacht werden:
Ein Beispiel zeigt, wie jede Übung funktioniert.
Und mit dem Lösungsschlüssel im Anhang kann man seine Antworten auch selbst kontrollieren.

Lektion 13

Europastadt Aachen

Seite 8/9 | Aufgabe 1–2

1 Kombinieren Sie bitte und ergänzen Sie den Artikel.

Reit- // -fahrt   Sport- // -stadt   Ballon- // -sport   Bundes- // -platz

Pferde- // -gebiet   Gewerbe- // -land   Europa- // -präsident   Rhein- // -turnier

1. _das Reitturnier_   5. _____
2. _____   6. _____
3. _____   7. _____
4. _____   8. _____

2 Kreuzworträtsel

1. Er war zuerst König, später auch Kaiser.
2. Deutschland liegt mitten drin.
3. Die Abkürzung steht für *Concours Hippique International Officiel* (das ist französisch).
4. Diese Region ist berühmt für ihren Karneval.
5. Richard von Weizsäcker war es von 1984 bis 1994.
6. Dieses besondere Gewerbegebiet gehört zu Deutschland und den Niederlanden.

1	K	A	R	L
2				
3			
4				
5			
6			

Lösungswort: _____

Im Ballon über Aachen und Umgebung

Seite 10	Aufgabe 1

1 **Wie sagt oder schreibt man richtig? Bitte ordnen Sie zu.**

A

† **Aufrichtiges Beileid**

B

Herzlichen Glückwunsch zu
deinem 55. Geburtstag,
liebe Annika,
von deinem Wolfgang

C

Herzlichen Glückwunsch
zum Abitur,
deine Freundin Elena

D

Herzlich
willkommen,
kleiner Milan!

E

Alles Gute zum neuen Jahr!

F

**Frohe Weihnachten
und ein glückliches
neues Jahr.**

1. **B** Frau Arnold hat Geburtstag.
2. ☐ Eine Freundin hat ein Kind bekommen.
3. ☐ Charlotte hat das Abitur bestanden.

4. ☐ Die Mutter von Egon Schmidt ist gestorben.
5. ☐ Morgen ist Heiligabend.
6. ☐ Es ist gerade Silvester um Mitternacht.

2 **Wolfgang wird 60. Eine Geburtstagskarte.**

~~gratulieren~~	Gute	Fest	Gäste	Geburtstagsfeier
wünschen		Freude	Familie	

Lieber Wolfgang,

zu deinem Geburtstag _gratulieren_ wir dir ganz herzlich! Letztes Jahr hat an deinem Geburtstag
die Sonne gelacht und wir haben gesagt: „So soll es immer sein." Das _____ wir dir und
deiner _____ von Herzen: Gesundheit, _____ und viel Sonnenschein.
Natürlich auch viel Zeit für dein Hobby, das Wandern. Leider können wir nicht zu deiner
_____ kommen. Wir hoffen aber, dass viele _____ kommen und dass
das _____ ein Erfolg wird.

Alles _____ und viele Grüße von Eva und Egon

3 **Geburtstag. Bitte kombinieren Sie.**

① ein Geschenk
② alles Gute
③ zum Geburtstag
④ eine Party
⑤ einen Gutschein
⑥ zur Geburtstagsfeier

A wünschen
B gratulieren
C einladen
D feiern
E bekommen
F schenken

1 E
2 ☐
3 ☐
4 ☐
5 ☐
6 ☐

4 **Katharina hat Geburtstag. Ihre Freundin Birgit schreibt aus Berlin.**

a) **Ordnen Sie zuerst die folgenden Aspekte.**

☐ Birgit möchte Katharina bald wieder sehen.
☐ Sie wünscht Katharina viel Spaß bei der Geburtsparty.
☐ Sie kann nicht zur Geburtstagsparty kommen.
☐ Sie hofft, dass ihr das Buch gefällt.
☐ Sie gratuliert Katharina zum 21. Geburtstag.
1 Sie dankt Katharina für die Einladung.
☐ Sie schickt Katharina ein Buch.

b) **Schreiben Sie Birgits Geburtstagskarte an Katharina.**

Liebe Katharina,
vielen Dank
_____

_____
_____
_____
_____
_____
_____

deine Birgit

| Seite 10/11 | Aufgabe 2–6 |

1 **Landschaft und Natur. Ein Adjektiv passt nicht.**
   Bitte streichen Sie durch.

1. Wald: ~~lustig~~ – dunkel – grün – klein
2. Berg: hoch – hell – gefährlich – schön
3. Fluss: ruhig – klar – sonnig – nass
4. Wetter: rot – regnerisch – windig – feucht
5. Landschaft: einsam – weit – glücklich – flach
6. Meer: kristallklar – tief – blau – trocken

13

2 Ballonfahrt

a) Wie heißen die Wörter? Bitte schreiben Sie.

1. etiebGebewrge *Gewerbegebiet*
2. zgpSleuie _____
3. tlPoi _____

4. llßielHtfubona _____
5. tdfschLnaa _____
6. ucehsGtni _____

b) Raten Sie bitte und ordnen Sie die Wörter aus a) zu.

1. Es gibt Büros und Fabriken. Menschen arbeiten hier, wohnen aber an anderen Orten:
   Gewerbegebiet
2. Sie besteht aus Bergen, Flüssen, Wäldern und Seen: _____
3. Mit diesem Papier kann man etwas kaufen. Es ist aber kein Geld: _____
4. Besonders Kinder brauchen und lieben es: _____
5. Er fährt ohne Motor, die Passagiere müssen stehen: _____
6. Er fliegt ein Flugzeug: _____

3 Wie heißen die Adjektive?

a) Nomen auf -heit oder -keit

1. die Schönheit *schön*
2. die Einsamkeit _____
3. die Trockenheit _____
4. die Feuchtigkeit _____

5. die Heiterkeit _____
6. die Möglichkeit _____
7. die Mehrsprachigkeit _____
8. die Offenheit _____

b) Nomen auf -e

1. die Weite *weit*
2. die Nähe _____
3. die Wärme _____
4. die Kälte _____

5. die Größe _____
6. die Leere _____
7. die Ruhe _____
8. die Höhe _____

4 Schreiben Sie Sätze mit dem bestimmten Artikel und dem Nominativ.

1. Karlskirche – berühmt
   Das ist die Karlskirche. Sie ist berühmt. Das ist die berühmte Karlskirche.
2. Politiker Karl Müller – bekannt
   _____
3. Industriegebiet – groß
   _____
4. Aachener Printen – beliebt
   _____

5 Vorbereitungen für das Geburtstagsfest. Ergänzen Sie das Adjektiv im Akkusativ.

Barbara (gut) Ich gehe zum Bäcker Alois. Dort gibt es doch den _guten_ Kaffee.

Katharina (französisch) Und die _____ Torte bestellst du am besten auch gleich, das ist doch Papas Lieblingstorte.

Charlotte (viel) Ach Gott, und wer verschickt denn die _____ Einladungen?

Katharina (italienisch) Das mache ich. Ich bringe sie zur Post und gehe dann gleich nebenan in den _____ Laden.

Barbara (toll) Und dann brauchen wir unbedingt die _____ Kassette mit dem Geburtstagslied für Papa.

Charlotte (neu) Die habe ich. Ich bringe auch meinen _____ Kassettenrekorder zur Party mit.

6 Charlotte vor dem Kleiderschrank

a) Ergänzen Sie im Akkusativ.

~~Hose weiß~~, Bluse blau | Bluse grün | Kleid rot, Jacke grau | Jacke grau, Jacke schwarz

1. Charlotte zieht zuerst die _weiße Hose_ und die _____ an. Sie ist nicht zufrieden.
2. Dann probiert sie die _____ an. Die gefällt ihr auch nicht.
3. Also kombiniert sie das _____ und die _____. Nicht schlecht, aber noch nicht perfekt.
4. Sie zieht die _____ aus und die _____ an. So, jetzt kann das Fest losgehen.

b) Herr Arnold findet seine Töchter sehr hübsch. Nominativ oder Akkusativ?

1. (rot, schwarz) Charlotte, das _rote_ Kleid und die _____ Jacke sehen zusammen richtig gut aus.
2. (toll) Du hast dir aber einen _____ Hut gekauft, Barbara. Trägst du den auch beim Tanzen heute Abend?
3. (lang) Der _____ Rock steht dir übrigens auch gut.
4. (grüne, weiß) Katharina, du siehst aber schick aus! Die _____ Hose und der _____ Pullover stehen dir wirklich gut.
5. (neu) Und die _____ Schuhe sehen auch schön dazu aus.

7 Was sagen die Gäste? Ergänzen Sie im Nominativ oder Akkusativ.

| ~~schön~~ | italienisch | schrecklich | jung | hübsch | grün | bunt | stark |

Schau mal, die _schönen_ Torten!

Gib mir doch bitte mal den _____ Wein.

Die _____ Kugeln da, kann man die wirklich essen?

Da drüben, die drei _____ Mädchen, das sind Arnolds Töchter.

Ich trinke lieber _____ Tee, der _____ Kaffee ist nichts für mich.

Was die _____ Leute heute für _____ Musik hören …

8 Besondere Formen

a) Wie heißt das Adjektiv ohne Endung?

1. Siehst du die weißen Häuser da drüben? In dem hohen Haus in der Mitte da wohnen wir.
   → *hoch*

2. Was, du willst lieber die sauren Äpfel hier essen als Schokoladeneis? Du hast doch nur Angst vor dem Zahnarzt. → _____

3. Ich finde, die dunkle Jacke passt sehr gut zu der Hose, probieren Sie sie doch mal an.
   → _____

4. Ja, ich weiß, du brauchst ein Fahrrad. Aber muss es denn wirklich das teure Rad hier sein?
   → _____

b) Ergänzen Sie die passenden Adjektive aus a) in der richtigen Form.

1. Ich liebe die Alpen! Schau nur, wie schön die *hohen* Berge im Sonnenschein aussehen.
2. Du hast ja schon wieder den _____ Kaffee gekauft, wie ärgerlich.
3. Du magst keinen _____ Saft? Mein Kind, mach kein Theater, der Apfelsaft schmeckt süß, ich habe ihn probiert.
4. Wenn die langen, _____ Winternächte beginnen, warten die Menschen voll Freude auf Weihnachten.

9 Aachen. Ergänzen Sie, wenn nötig, die richtige Adjektivendung.

1. Die alte Kaiserstadt Aachen ist sehr europäisch_/_.
2. Nicht nur die Bewohner in der Region Aachen genießen die offen____ Grenzen zum Einkaufen und Reisen.
3. Auch für die modern____ Wirtschaft gibt es die national____ Grenzen fast nicht mehr.
4. Das deutsch-niederländisch____ Gewerbegebiet „Avantis" ist nur ein Beispiel.
5. Auch die technisch__ Hochschule von Aachen ist berühmt____ für die international____ Kontakte in der Wissenschaft.

Es geht los – „Avantis"

Seite 12	Aufgabe 1

1 In der Stadt. Was macht man wo? Bitte wählen Sie aus.

~~das Wohnhaus~~	die Kneipe	das Unternehmen	die Firma	der Wald
der Biergarten	das Zelt	die Universität		die Volkshochschule
der Park	der Betrieb	der Zoo	das Zimmer	das Café	die Schule

1. wohnen: *das Wohnhaus,* _____
2. arbeiten: _____
3. lernen: _____
4. spazieren gehen: _____
5. essen und trinken: _____

2 Lesen Sie im Kursbuch Seite 12, Aufgabe 1 b. Steht das im Zeitungstext?

1. Die Naturschützer protestieren noch. _____ r f
2. Man baut gerade Autobahnen zum Gewerbegebiet. _____ r f
3. Die Firma „Centipedes" arbeitet schon in den neuen Räumen. _____ r f
4. Das Gewerbegebiet „Avantis" liegt auf der Grenze zwischen
   Deutschland und den Niederlanden. _____ r f
5. In circa 15 Jahren soll das Gewerbegebiet fertig sein. _____ r f
6. Nur Firmen der Informations- und Biotechnologie dürfen
   in das neue Gewerbegebiet. _____ r f

3 Wie heißen die Wörter im Wort? Bitte notieren Sie die zwei Nomen.

1. der Arbeitsplatz   *die Arbeit, der Platz* _____
2. der Kunststoff   _____
3. der Zeitungsartikel   _____
4. die Automobilentwicklung _____
5. die Luftfahrt   _____
6. die Raumfahrt   _____

Seite 13	Aufgabe 2–5

1 Bei der Firma „Sitavan". Ergänzen Sie die Genitivendung nach dem bestimmten Artikel und – wenn nötig – das *-s* am Substantiv.

1. Frau Damra ist Assistentin bei „Sitavan". Sie arbeitet die ersten Stunden d*es* Tag*es* fast allein im Büro. Herr Mager, auch Angestellter d____ Unternehmen____, kommt etwas später. Beide fahren morgens einen Teil d____ Strecke____ zur Firma mit dem Bus.
2. Viele Arbeiter und Angestellte d____ Betrieb____ pendeln.
3. Heute muss Frau Damra die Reise d____ Chef____ nach Wien organisieren.
4. Am Montag fährt der Chauffeur Herrn Schneider zum Flughafen nach Köln. Dort nimmt Herr Schneider erst einmal auf einem d____ Stühle____ Platz. Er hat noch zwei Stunden Zeit.
5. Übrigens: Der Name d____ Chauffeur____ ist Frieder Malinke. Herr Malinke kommt aus dem Norden Deutschland____. Frieder____ Malinke____ Eltern wohnen in Hamburg.

2 Bei „Avantis". Schreiben Sie bitte den Genitiv.

1. (das Gewerbegebiet „Avantis") Man plant schon lange den Bau *des Gewerbegebiets „Avantis"*.
2. (der Geschäftsführer Han Hardy) Allerdings waren die Probleme _____ _____ zuerst sehr groß.
3. (die 2 Länder) Viele Gruppen waren gegen das Projekt _____ _____.
4. (die Tiere) Die Naturschützer haben zum Beispiel gesagt, dass das Leben _____ _____ in Gefahr ist.
5. (die Autobahnen, die Firma „Centipedes") Inzwischen aber laufen der Bau _____ und der Umzug _____ ohne Probleme.

13

achtundachtzig
88

3 Der Genitiv bei Personen.

a) Schreiben Sie die folgenden Sätze mit dem Genitiv.

1. Frieder Malinke fährt das Auto von Peter Schneider in die Garage und geht nach Hause.
   Frieder Malinke fährt Peter Schneiders Auto in die Garage und geht nach Hause.

2. Er wohnt mit seiner Familie im Haus von den Schwiegereltern.
   _____

3. Die Kinder von Frieder Malinke sind noch klein. Sie heißen Petra und Sebastian.
   _____

4. Sie spielen nachmittags oft mit den Kindern von den Nachbarn.
   _____

5. Die Mutter von Petra und Sebastian arbeitet bei der Firma Lambertz.
   _____

b) Der Genitiv bei Namen auf -s, -z oder -x. Bitte schreiben Sie.

1. (Thomas, Sohn) *Das ist Thomas' Sohn.* _____
2. (Iris, Computer) _____
3. (Max, Tochter) _____
4. (Franz, Problem) _____

4 Zeitungsüberschriften. Der Genitiv bei Orts- und Ländernamen.

1. Die Strände von Spanien sind bei deutschen Touristen sehr beliebt.
   Spaniens Strände sind bei deutschen Touristen sehr beliebt.
2. Gutschein für eine Ballonfahrt über die Umgebung von Aachen zu gewinnen.
   _____
3. Königin von England zu Besuch beim CHIO.
   _____
4. Die Einwohner von Eupen sprechen genauso gut Flämisch wie Deutsch.
   _____

5 Was ist das? Ergänzen Sie bitte den Genitiv mit dem unbestimmten Artikel.

| ~~der Schriftsteller~~ | die Universität | der Film | das Lied |
| die Sängerin | der Kaiser | das Buch | die Mozart-Oper |

1. Goethe ist der Name *eines Schriftstellers.*
2. „Bona Nox" ist der Anfang _____
3. Viadrina ist der Name _____
4. „Passwort Deutsch" ist der Titel _____
5. Karl der Große ist der Name _____
6. Marlene Dietrich ist der Name _____
7. „Der blaue Engel" ist der Titel _____
8. „Die Zauberflöte" ist der Titel _____

6 **Familie. Wer ist das? Ergänzen Sie bitte mit dem Possessivartikel.**

1. (Mutter) Der Bruder *meiner Mutter* ist mein Onkel.
2. (Vater) Der Vater _____ ist sein Großvater.
3. (Mutter) Die Mutter _____ ist unsere Großmutter.
4. (Eltern) Die Tochter _____ ist ihre Schwester.
5. (Großvater) Der Sohn _____ ist dein Vater.
6. (Großmutter) Der Mann _____ ist euer Großvater.

7 **Besitzerinnen und Besitzer**

a) Wem gehört das? Fragen und antworten Sie.

1. (die Bücher, die Lehrerin)
   Wem gehören die Bücher? Sie gehören der Lehrerin. Sie gehören ihr.
2. (das Handy, die Assistentin)
   _____
3. (die Wohnung, Familie Arnold)
   _____
4. (die Autos, das Taxiunternehmen)
   _____
5. (der Kalender, der Chef)
   _____
6. (das Geld, Jonas)
   _____

b) Wessen? Fragen und antworten Sie.

1. (die Bücher, die Lehrerin)
   Wessen Bücher sind das? Das sind die Bücher der Lehrerin. Das sind ihre Bücher.
2. (das Handy, die Assistentin)
   _____
3. (die Wohnung, Familie Arnold)
   _____
4. (die Autos, das Taxiunternehmen)
   _____
5. (der Kalender, der Chef)
   _____
6. (das Geld, Jonas)
   _____

c) Wem oder wessen? Wie heißt das passende Wort?

1. *Wem* _____ gehört der hellblaue Rock?
2. _____ Auto steht vor meiner Garage?
3. _____ Hose hängt dort über dem Stuhl?
4. _____ hat Egon eine Geburtstagskarte geschrieben?
5. _____ Eltern wohnen in Aachen?
6. _____ hat Herr Arnold Rosen geschenkt?

8 gehören oder gehören zu? Bitte markieren Sie.

1. Das Kleid ☒ gehört ☐ gehört zu mir.
2. Wem gehört das Buch dort? Es ☐ gehört ☐ gehört zu den Eltern.
3. Das Ruhrgebiet ☐ gehört ☐ gehört zu Deutschland.
4. Wessen Geld ist das? ☐ Gehört es ☐ Gehört es zu dir?
5. Der Junge dort? Er ☐ gehört ☐ gehört zu mir, er ist mein Sohn.
6. Das Handy ☐ gehört ☐ gehört zu mir.

Aachener Printen

Seite 14	Aufgabe 1

1 Aachener Printen früher und heute. Sortieren Sie bitte.

einfache, flache Printe	~~Gebäck in Form von kunstvollen Figuren~~
Teig in Formen drücken	industrielle Herstellung
Probleme mit dem Import von Zucker und Honig	gut versenden

früher: _Gebäck in Form von kunstvollen Figuren_ _____

_____

heute: _____

_____

Seite 14/15	Aufgabe 2–5

1 Wie heißt der Nebensatz mit W-Wort oder ob?

1. Wie haben Printen früher ausgesehen?
   Können Sie mir beschreiben, _wie Printen früher ausgesehen haben?_
2. Schmecken Printen süß oder bitter?
   Wissen Sie, _____
3. Wie hat man Printen früher hergestellt?
   Haben Sie verstanden, _____
4. Wie sieht eine Schnittprinte aus?
   Können Sie mir erklären, _____
5. Ist die moderne Printe flach?
   Weißt du, _____

2 Wissen Sie das noch? Stellen Sie zu den Antworten die passenden Fragen.

1. _Wissen Sie noch, wie der Altbundespräsident heißt?_
   Der Altbundespräsident heißt <u>Richard von Weizsäcker</u>.
2. Wissen Sie noch, _____
   <u>Henry Lambertz</u> hat die heutigen Printen erfunden.
3. Wissen Sie noch, _____
   Im Gewerbegebiet „Avantis" soll es <u>7000 bis 12 000</u> Arbeitsplätze geben.
4. Wissen Sie noch, _____
   <u>In Aachen</u> gab es die erste freie Zeitung Deutschlands nach dem Zweiten Weltkrieg.
5. Wissen Sie noch, _____
   Man hat <u>den Europa-Vertrag</u> in Maastricht beschlossen.
6. Wissen Sie noch, _____
   Man hat Sirup verwendet, <u>weil</u> es keinen Zucker und Honig gab.

3 Ein Morgen mit Familie Marinelli. Ergänzen Sie Nebensätze mit W-Wort oder *ob*.

1. | Veronika | Mama, hast du meinen Lehrer angerufen?
   | Frau Marinelli | Wie bitte?
   | Veronika | Ich will wissen, _ob du meinen Lehrer angerufen hast._
   | Frau Marinelli | Das mache ich gleich. Oh, Manuel, willst du wirklich mit dieser Hose aus dem Haus gehen?
   | Manuel | Du willst wissen, _____?
   | Frau Marinelli | Na ja, jetzt ist mir das egal. Es ist schon spät.

2. | Herr Marinelli | Schatz, hast du Veronika schon geweckt?
   (Frau Marinelli hört nichts.)
   | Herr Marinelli | Schatz, ich habe dich gefragt, _____.
   | Manuel | Aber Papa, Veronika ist doch schon lange aufgestanden.

3. | Frau Marinelli | Wann kommst du heute Abend aus dem Büro?
   | Herr Marinelli | Ach, du fragst mich jeden Tag, _____,
   und dabei verlasse ich das Büro immer genau um 17.00 Uhr.

4. | Manuel | Es gibt kein Brot. Wer wollte denn gestern Brot kaufen?
   | Veronika | Das weiß ich doch nicht, _____.
   | Manuel | Na, dann frühstücke ich heute nicht. Tschüs, bis später.
   | Frau Marinelli | Tschüs, meine Lieben.

4 **Nebensatz mit W-Wort oder *ob*. Schreiben Sie Sätze.**

| Ich möchte wissen, … | Hast du verstanden, … | Ich weiß nicht, … |
| Können Sie mir sagen, … | Weißt du, … | |

1. Karl der Große – leben – wann
   Weißt du, wann Karl der Große gelebt hat?

2. sein – was – der CHIO
   _____

3. gehören – das Gewerbegebiet „Avantis" – ob – zu – Belgien
   _____

4. man – feiert – Karneval – wann
   _____

5. in Aachen – die Karlskirche – ob – stehen
   _____

6. wie – in Belgien – heißen – die Moorlandschaft
   _____

5 **Nebensatz mit W-Wort oder *ob*. Schreiben Sie bitte.**

1. Wird das Wetter morgen gut?
   Ich weiß nicht, ob das Wetter morgen gut wird.
   Ob das Wetter morgen gut wird, weiß ich nicht.

2. Wer wird der nächste Präsident?
   Wir können noch nicht sagen, _____

3. Wann kommt Frau Marinellis Mann nach Hause?
   Frau Marinelli weiß nicht, _____

4. Geht Barbara heute Abend mit uns ins Kino?
   Wir können noch nicht sagen, _____

5. Sieht Manuel viel fern?
   Veronika will gar nicht wissen, _____

6 **Ein Telefongespräch. Ergänzen Sie *ob, wenn* oder *dass*.**

Ina | Hallo Margit, ich bin's. Ich wollte fragen, *ob* du am Sonntag mit mir wandern gehen willst.

Margit | Ja, gern. Weißt du denn, _____ das Wetter gut wird?

Ina | Nein, aber _____ wir am Freitag die Nachrichten sehen, dann wissen wir ja, _____ am Wochenende die Sonne scheint.

Margit | Na ja, und _____ wir dann hören, _____ es regnet?

Ina | Dann machen wir es wie in diesem berühmten amerikanischen Film und singen und tanzen im Regen. Ich glaube aber, _____ wir am Sonntag eine Superwanderung machen können!

Der CHIO – Pferdesport in Aachen

1 Was hört man auf dem CHIO? Bitte ordnen Sie zu.

A Bitte alle Pferde an den Start. Bitte Ruhe … Das Turnier kann beginnen.

B Die dreijährige Verena sucht ihre Eltern. Bitte kommen Sie zu Eingang B.

D Sehr verehrte Damen und Herren, das Pferdefest CHIO ist eröffnet.

C Der Fahrer des Autos mit dem Kölner Kennzeichen K–EM 718 bitte zum Ausgang C kommen. Das Auto steht direkt vor dem Stadioneingang für die Turnierpferde.

F Ab 10.30 Uhr ist unser Gourmet-Stand geöffnet. Erfrischen Sie sich mit einem kühlen Getränk.

E Achtung, eine Durchsage. Ein schwarzer Hund, sucht sein Frauchen oder Herrchen. Bitte holen Sie ihn am Ausgang B ab.

1. Auch auf dem CHIO kann man etwas essen.   ☐ *F*
2. Endlich ist es so weit. Das Fest kann beginnen.   ☐
3. Auch Familie Hauser besucht den CHIO. Viele Menschen sind dort, und auf einmal sehen die Eltern ihre Tochter nicht mehr.   ☐
4. Auf dem Parkplatz vor dem Stadion parkt ein Auto falsch.   ☐
5. Die Vorbereitungen für das Pferdespringen beginnen.   ☐
6. Frau Müller hat ihren Hund verloren. Wo kann er nur sein?   ☐

2 Das Publikum beim CHIO Aachen

a) Was passt zusammen? Verbinden Sie Nomen und Adjektiv.

① Publikum	Ⓐ wunderschön	1	D
② Pferde	Ⓑ lecker	2	
③ Atmosphäre	Ⓒ toll	3	
④ Leute	Ⓓ international	4	
⑤ Essen	Ⓔ lebendig	5	
⑥ Reiter	Ⓕ schick	6	

b) Was ist der CHIO? Ergänzen Sie die Sätze.

1. Das Turnier mit dem _internationalen_ Publikum.
2. Das Turnier mit den _____ Pferden.
3. Das Turnier mit der _____ Atmosphäre.
4. Das Turnier mit den _____ Leuten.
5. Das Turnier mit dem _____ Essen.
6. Das Turnier mit den _____ Reitern.

3 Adjektivdeklination mit dem bestimmten Artikel

a) Ergänzen Sie selbst die Adjektivendungen in der Tabelle.

	m	f	n	Pl
Nominativ	der große Mann	die klug__ Frau	das neu__ Auto	die nett__ Kinder
Akkusativ	den groß__ Mann	die klug__ Frau	das neu__ Auto	die nett__ Kinder
Dativ	dem groß__ Mann	der klug__ Frau	dem neu__ Auto	den nett__ Kindern
Genitiv	des groß__ Mannes	der klug__ Frau	des neu__ Autos	der nett__ Kinder

b) Tragen Sie die Endungen ein.

	m	f	n	Pl
Nominativ	-e	____	____	____
Akkusativ	-en	____	____	____
Dativ	-en	____	____	____
Genitiv	-en	____	____	____

4 Eine Umfrage. Wem gefällt was? Bitte schreiben Sie Sätze.

1. die Besucher / jung und alt / gefallen / die Stadt Aachen / schöne
   Den jungen und alten Besuchern gefällt die schöne Stadt Aachen.
2. Julian / 13-jährig / gefallen / die Pferde / schnell

3. die Dame / alt / gefallen / die Atmosphäre / interessant

4. das Mädchen / klein / gefallen / die Leute / schick

5. der Gast / ausländisch / gefallen / das Turnier / spannend

5 Hubert und der CHIO. Ergänzen Sie die passenden Adjektivendungen.

1. Eigentlich wollte Hubert das berühmt_e_ Pferdefest CHIO sehen.
2. Aber er war so begeistert von den viel____ Ständen mit dem lecker____ Essen aus der ganz____ Welt, dass er die schön____ Pferde fast vergessen hat.
3. Schließlich hat er doch noch einen Platz in dem groß____ Stadion gefunden.
4. Er hat die Reiter mit den schick____ Uniformen gesehen und war begeistert vom schön____ Fell der stark____ Tiere.
5. Und doch hat dem fröhlich____ Hubert das Essen am besten gefallen.

6 Die Traumreise. Ergänzen Sie bitte.

1. Kommen Sie nach Traumlandia, dem fantastisch_en_ Land im sonnig_____ Süden mit den weiß_____ Stränden, dem fein_____ Sand und dem kristallklar_____ Wasser!

2. Ihnen ist die ruhig_____ Weite von einsam_____ Gebirgslandschaften lieber? Im Zentrum des wunderbar_____ Landes finden Sie die hoh_____ Berge und dunkl_____ Wälder des groß_____ Illusionsgebirges.

3. Die freundlich_____ Einwohner von Traumlandia begrüßen Sie gerne als ihre lieb_____ Gäste und servieren Ihnen die lecker_____ Gerichte und typisch_____ Spezialitäten der traumländisch_____ Küche.
   Worauf warten Sie noch? Auf ins Reisebüro!

7 Zwei alte Damen im Hotel Amadeus. Welches Wort passt? Markieren Sie bitte.

▶ Hast du die Frau mit (1) _dem blauen_____ Hut schon einmal hier gesehen?

◁ Nein, die sieht ja schrecklich aus. Und der Hund erst. Der passt richtig gut zu ihr.

▶ Wie laut es heute hier ist und (2) _____ Musik dazu.

◁ Jetzt klingelt auch noch das Handy.

▶ Na ja, mit (3) _____ Handy muss man natürlich (4) _____ Tag telefonieren. Wie findest du eigentlich die Bluse (5) _____ Frau da?

◁ Frag nicht! Die Farbe ist ja furchtbar.

▶ Schau, da kommt schon wieder der Kellner. Was der wohl (6) _____ Touristinnen bringt?

◁ Wahrscheinlich Salzburger Nockerln. Und bestimmt machen sie auch gleich ein Foto von ihm und (7) _____ Salzburger Nockerln.

▶ Mit (8) _____ Eltern da drüben möchte ich auch nicht tauschen.
   Zum Glück sind das nicht unsere Kinder.

◁ Komm, das Chaos hier ist schrecklich. Gehen wir in ein anderes Café.

1. a) der blaue   b) (dem blauen)   c) den blauen
2. a) die furchtbare   b) die furchtbaren   c) der furchtbaren
3. a) der neuen   b) dem neuen   c) des neuen
4. a) der ganze   b) die ganzen   c) den ganzen
5. a) die blonde   b) der blonden   c) die blonden
6. a) den japanischen   b) der japanischen   c) der japanische
7. a) die guten   b) der guten   c) den guten
8. a) der arme   b) die arme   c) den armen

Zwei Aachener Preise

Seite 18 | **Aufgabe 1–2**

1 Was gehört zusammen? Schreiben Sie.

| Feier- / -hundert | Vergangen- / -minister | Karls- / -ritter | Bundes- / -heit |

| Ordens- / -verein | Karnevals- / -keit | Jahr- / -preis | Persönlich- / -tag |

1. _Feiertag_
2. _____
3. _____
4. _____

5. _____
6. _____
7. _____
8. _____

2 Aachen – „Bad der Könige"

a) Lesen Sie bitte. Was bedeuten die zwei neuen Wörter *Quelle* und *Kur*?

Aachen ist berühmt für seine heißen Quellen und seine 2000 Jahre alte Badetradition. Schon Karl der Große und viele andere Könige haben hier ihre Kur verbracht. Das Wasser der heißen Quellen ist gesund und macht gesund, wenn man es für Trink- und Badekuren nutzt. Pro Jahr kommen heute rund 8000 Kurgäste nach Aachen.

Die natürlichen Quellen haben der Stadt Aachen ihren Namen gegeben. „Aachen" kommt nämlich von dem alten germanischen Wort für Wasser „ahha".

1. Was ist eine Quelle?
   - [A] Hier beginnt ein Fluss.
   - [B] Ein typisches Getränk aus Aachen.

2. Was ist eine Kur?
   - [A] Ein Kurs für Könige über Getränke und Bäder.
   - [B] Eine bestimmte Zeit an einem besonderen Ort; an diesem Ort ist die Luft oder das Wasser sehr gesund.

b) Richtig (r) oder falsch (f)? Markieren Sie bitte.

1. In Aachen nutzt man die heißen Quellen schon seit 2000 Jahren. _____ r f
2. Karl der Große und viele andere Könige haben hier einen Kurs gemacht. _____ r f
3. Aachen ist Kurstadt, weil die Luft so gesund ist. _____ r f
4. Das Wasser der heißen Quellen nutzt man zum Baden und Trinken. _____ r f
5. Schon vor 2000 Jahren sind 8000 Kurgäste nach Aachen gekommen. _____ r f
6. Der Name „Aachen" bedeutet eigentlich „Wasser". _____ r f

Lektion 14

Zu Besuch in Dresden

Seite 20/21	Aufgabe 1–2

 1 Was kann man in der Freizeit machen? Bitte ordnen Sie.

s̶c̶h̶w̶i̶m̶m̶e̶n̶   Fußball spielen   kochen   im Chor singen   Gedichte schreiben
ein Picknick machen   ins Museum gehen   reiten   Klavier spielen
einen Obstsalat vorbereiten   Tennis spielen   backen

 (Kultur)   schwimmen  (Sport)   (Essen)

2 Ein voller Terminkalender

a) Frau Schröder hat drei Termine falsch aufgeschrieben. Welche? Markieren Sie.

Mittwoch

8.30 Uhr Kinder zur Oma bringen

9.00 Uhr (Friseur)

11.00 Uhr Anita anrufen

13.00 Uhr Mittagessen mit Thomas

15.00 Uhr zum Zahnarzt gehen

20.00 Uhr Oper

Dr. Beißer
Mo, Di, Do, Fr
8.30–16.00 Uhr
Mi 8.30–12.30 Uhr
Mittwoch Nachmittag geschlossen

Haarsalon Schnipp-Schnapp
Tel. 09181/2084,
Di.-Fr. 11.00–20.00 Uhr
Sa. 9.00–13.00
Mo. geschlossen

„Die Zauberflöte"
(Oper von Wolfgang Amadeus Mozart)
20.00–22.30 Uhr

- Mittagessen mit Thomas
- Kinder vor neun zur Oma bringen
- Nicht vergessen! Anita am Nachmittag anrufen

b) Bitte ordnen Sie den Terminplan von Frau Schröder. Schreiben Sie.

1. *Um 8.30 Uhr bringt Frau Schröder die Kinder zur Oma.*
2. _____
3. _____
4. _____
5. _____
6. _____

3 Was hat Fabian Förster diese Woche alles gemacht? Bitte schreiben Sie.

Mo:

Di:

Mi:

Do:

Fr:

Sa:

So:

1. _Am Montag ist Fabian ins Schwimmbad gegangen._
2. _Am Dienstag_ _____
3. _____
4. _____
5. _____
6. _____
7. _____

4 Endlich zu Hause!

a) Was für einen Text lesen Sie hier? Bitte kreuzen Sie an.

☐ einen Zeitungsartikel ☐ ein Rezept ☐ eine Anzeige
☐ einen Spendenaufruf ☐ ein Tagebuch ☐ eine Broschüre

Endlich zu Hause. Der erste Arbeitstag in einem neuen Job ist einfach schwer. Frau Schlesinger, die Chefin, hat mir alles erklärt und mich den anderen Leuten vorgestellt. Natürlich habe ich nicht alles gleich verstanden. Das habe ich auch gesagt, aber da hat Frau Schlesinger nur gelacht. Alle Leute waren sehr freundlich, aber ich war trotzdem furchtbar nervös. Und meine Kunden sind auch in Ordnung. Die meisten Menschen sind nett und warten, wenn sie sehen, dass jemand den ersten Tag in einem Betrieb arbeitet. Bis jetzt hat es noch keine Probleme gegeben. Ich glaube, die lieben Glückwünsche von den alten Kolleginnen haben wirklich geholfen. Abends habe ich noch Marie und Valentin getroffen, wir haben einen Film angeschaut. Puh, war der schlecht! Jetzt bin ich seee…hr müde!

b) Richtig r oder falsch f? Bitte markieren Sie.

1. Die Schreiberin hat eine neue Stelle. _____ r f
2. Sie hatte heute ihren zweiten Arbeitstag. _____ r f
3. Ihre Kunden sind nervös, weil es ihr erster Tag im Betrieb ist. _____ r f
4. Abends ist sie noch mit Freunden ins Kino gegangen. _____ r f
5. Die neue Arbeit ist anstrengend. _____ r f

Verena im Museum

Seite 22 | Aufgabe 1

1 Buchstabenschlange. Welche Körperteile kennen Sie?

a) Bitte suchen Sie acht Körperteile.

AEF AUGE IOFFECHALSNEFOHRLÖRBEINDUMRÜCKENSESCHANDPWUNASEKJARMAS

b) Sortieren Sie die Körperteile von oben nach unten.

1. _Auge_
2. _____
3. _____
4. _____

5. _____
6. _____
7. _____
8. _____

2 Diminutive: *-chen* und *-lein* machen alles klein. Sortieren Sie.

| Köpfchen | Rücken | Fuß | Näslein | Finger | Öhrchen |
| Knie | Äuglein | | Gesicht | Beinchen | |

klein	groß
Köpfchen,	

Seite 23 | Aufgabe 2–3

1 Das Leben ist schön und traurig! Was passt zusammen?

Das Leben ist wie …

1. ein trauriges ——— Krankheit.
2. eine schöne   Film.
3. ein schrecklicher Reise.
4. ein spannender   Fluss.
5. ein hoher   Bilderbuch.
6. ein buntes ——————— Lied.
7. ein ruhiger   Traum.
8. eine schwere   Berg.

2 Wer oder was kann *glücklich* oder *bequem* sein?

a) Bitte sortieren Sie die Wörter.

die Familie   der Platz
Betten   ~~der Zufall~~
das Auto   Tage
Schuhe   die Ehe

der Zufall

glücklich   bequem

b) Bitte schreiben Sie.

1. *Ein glücklicher Zufall.* _____
2. _____
3. _____
4. _____

5. _____
6. _____
7. _____
8. _____

3 Frau Reisinger steht am Fenster. Was beobachtet sie? Kreuzen Sie an.

Sie beobachtet

1. einen ☒ sportlichen ☐ sportlicher Radfahrer.
2. ☐ fröhlichen ☐ fröhliche Kinder.
3. ein ☐ verliebte ☐ verliebtes Paar.
4. eine ☐ neue ☐ neuen Nachbarin.
5. ☐ alten ☐ alte Leute.
6. einen ☐ großen ☐ große Hund.

4 „Die Überfahrt über die Elbe". Beschreiben Sie das Bild im Kursbuch Seite 20.

~~Man~~   In der Mitte

Links   Im Boot

Auf der rechten Seite

sieht   ist

steht   sitzen

~~kann ... sehen~~

ein verliebtes Paar
eine romantische Landschaft
~~ein großes Boot~~
viele Menschen
ein kleines Kind
ein hoher Berg
ein breiter Fluss
ein alter Mann

1. *Man kann ein großes Boot auf dem Bild sehen.* _____
2. _____
3. _____
4. _____
5. _____
6. _____
7. _____
8. _____

5 Verena geht ins Museum. Bitte ergänzen Sie.

1. Sie findet ein _modernes_ Bild (modern) von Pablo Picasso.
2. Sie hört ein _____ Gespräch (fröhlich).
3. Sie trinkt eine _____ Tasse (groß) Kaffee im Museumscafé.
4. Sie beobachtet einen _____ Mann (jung).
5. Sie sucht ein _____ Gemälde (alt) von 1773.
6. Sie kauft _____ Postkarten (viel) von Canaletto.

6 Und wo möchten Sie Urlaub machen?

1. das Hotel / gemütlich   In einem _gemütlichen Hotel._
2. die Insel / einsam   Auf einer _____
3. Freunde / gut   Bei _____
4. das Land / sonnig   In einem _____
5. der Strand / weiß   An einem _____
6. das Haus / einfach   In einem _____

7 Ein Urlaub voller Adjektive. Wie heißen die Endungen?

Mit einem groß_en_ Koffer und zwei klein____ Taschen steigen alle aus einem rot____ Bus. Xenia hilft ihrem müd____ Bruder. Sie gehen zu einem grün____ Haus mit gelb____ Fenstern und schließen die Tür auf. Auf einem altmodisch____ Tisch liegt eine schwarz____ Katze. Im erst____ Stock sind die Schlafzimmer, alle mit einem wunderbar____ Blick auf das Meer. Der Urlaub kann beginnen!

8 Welche Endung ist richtig? *-lich*, *-ig* oder *-isch*? Bitte ergänzen Sie.

| traur- | glück- | romant- | langweil- | wind- | europä- | altmod- |
| pünkt- | bill- | harmon- | fröh- | sympath- | fried- | zufäll- | unheim- |

-lich	-ig	-isch
	traurig	

| **Seite 23** | Aufgabe 4–5 |

1 Wie heißen die Sätze mit Possessivartikel?

1. Das ist ein schwarzer Mantel.   (mein) _Das ist mein schwarzer Mantel._
2. Ist das eine neue Mütze?   (dein) _____
3. Das sind alte Strümpfe.   (ihr) _____
4. Das ist ein buntes Hemd.   (sein) _____
5. Das sind elegante Schuhe.   (ihr) _____

2 Ganz die Mama. Was hat das Baby von wem?

1. Es hat die blauen Augen von der Mama.   *Es hat genau ihre blauen Augen.*
2. Es hat die blonden Haare vom Papa.   _____
3. Es hat die kleinen Ohren von Tante Klara.   _____
4. Es hat den hübschen Mund von der Oma.   _____
5. Es hat das runde Gesicht vom Opa.   _____

3 Verena fährt nach Dresden. Geben Sie allen Teilen die richtige Form.

1. Verena – sagen – ihre kleine Schwester – auf Wiedersehen
   Verena sagt ihrer kleinen Schwester auf Wiedersehen.
2. sie – einsteigen – mit – ihr schwerer Koffer – in – der Zug
   _____
3. die Fahrkarte – sein – in – ihre rote Tasche
   _____
4. sie – lesen – lange – in – ihr spannendes Buch
   _____
5. in Dresden – abholen – ihre Oma – sie – mit – ihr neues Auto – von – der Bahnhof
   _____

4 Verena schreibt eine E-Mail. Die Adjektivendungen sind leider nicht angekommen.

Hallo Anita,

Dresden ist wirklich eine spannend_e_ Stadt. Heute war ich im Albertinum, einem berühmt____
Museum. Dort sind viele alt____ Gemälde von groß____ Künstlern. Vor einem besonders interessant____
Bild war ein alt____ Mann mit ganz lebendig____ Augen. Im nächsten Saal habe ich ihn wieder beobachtet.
Er hat immer ein Bild mit einem dunkl____ Boot angesehen. In der Mitte des Bootes sitzen
verschieden____ Menschen. Es ist ein sehr harmonisch____ Bild. Ich habe den Mann später im
Museumscafé getroffen und mich mit ihm unterhalten. Er weiß alles über Kunstgeschichte und ist ein
sehr sympathisch____ Herr.

Tschüs, bis bald,

Verena

5 Meine lieben Schüler. Bitte ergänzen Sie alle Endungen, wo nötig.

1. Mein_e_ lieb_en_ Schüler möchten viel wissen. Trocken____ Grammatikübungen gefallen ihnen sehr
   gut, aber sie lesen auch gern spannend____ Texte.
2. Manchmal sitzen sie mit ihr____ bunt____ T-Shirts in den harten Bänken und freuen sich, dass der
   Unterricht noch nicht zu Ende ist.
3. Ein____ aufregend____ Diskussion oder ein____ lustig____ Spiel finden mein____ lieb____ Schüler
   natürlich auch toll. Mit ihr____ gut____ Antworten zeigen sie ihr____ freundlich____ Lehrern, dass sie
   viel gelernt haben.
4. In so ein____ harmonisch____ Atmosphäre kann man gut lernen. Mein____ lieb____ Schüler haben viel
   Spaß und ich hoffe, dass es überall so ist.

Adele Zwintscher

1 **Wie heißt das Gegenteil? Bitte verbinden Sie.**

1. sich schmutzig machen   sich freuen
2. sich ärgern   sich schlecht fühlen
3. sich anziehen   sich waschen
4. sich wohl fühlen   warten
5. sich beeilen   sich ausziehen

2 **Bitte kombinieren Sie.**

① Ich ärgere   **A** euch hier wohl?
② Du sollst   **B** uns auf euren Besuch.
③ Er wäscht   **C** sich bei Frau Fischer für ihre Hilfe.
④ Wir freuen   **D** mich über den Lärm auf der Straße.
⑤ Fühlt ihr   **E** sich die Haare.
⑥ Sie bedanken   **F** dich beeilen!

1	D
2	
3	
4	
5	
6	

3 **Wer ist mit dem Pronomen gemeint?**

~~sich selbst~~   der Kundin   seinen Freund   den Lehrer   sich selbst

1. Die französischen Fußballfreunde ärgern (sich) sehr, weil ihre Fußballer das Länderspiel gegen Senegal verloren haben. → *sich selbst*
2. Herr Ungerecht, der Mathelehrer, ist sehr unbeliebt bei den Schülern. Deshalb wollen sie (ihn) ein bisschen ärgern und zeichnen sein Porträt an die Tafel. → _____
3. Eine Kundin kommt in den Friseursalon Schnipp-Schnapp. Die Friseurin wäscht und schneidet (ihr) die Haare. → _____
4. Heiner hat seine Tasche bei seinem Freund vergessen. Heiner fragt (sich,) wie das passieren konnte. → _____

4 **„Jetzt kannst du schon alles selbst machen." Markieren Sie bitte.**

Du bist jetzt schon ein großes Kind und kannst alles selbst machen:
1. Zuerst musst du ☐ dir ☒ dich waschen, ☐ dir ☐ dich kämmen und natürlich musst du ☐ dir ☐ dich anziehen. Allerdings musst du ☐ dir ☐ dich nicht das Frühstück selbst machen.
2. Nach dem Frühstück musst du ☐ dir ☐ dich die Zähne putzen. Danach ziehst du ☐ dir ☐ dich die Schuhe an und wäschst ☐ dir ☐ dich die Hände.
3. Schließlich ziehst du ☐ dir ☐ dich noch die Jacke an und gehst aus dem Haus.
4. Du musst zum Bus laufen und du musst ☐ dir ☐ dich sehr beeilen, sonst fährt er ohne ☐ dir ☐ dich ab. Aber in der Schule kannst du ☐ dir ☐ dich dann von dem Stress erholen.

5 Gegensätze. *mir* oder *mich*?

Was sagt sie:	Was sagt er:
1. Ich wasche _mir_ jeden Morgen die Haare.	1. Ich wasche _____ nie.
2. Dann kämme ich _____.	2. Ich kämme _____ nie die Haare.
3. Außerdem schminke ich _____ die Augen und den Mund.	3. Ich schminke _____ natürlich nicht.
4. Ich ziehe _____ gern schön an.	4. Ich ziehe _____ am liebsten immer das Gleiche an.
5. Ich fühle _____ nur wohl, wenn ich elegante Schuhe trage.	5. Ich fühle _____ in alten Kleidern am wohlsten.

6 Wie heißt das passende Reflexivpronomen?

1. Ich kaufe _mir_ einen Pullover.
2. Sie wäscht _____ die Hände.
3. Zuerst hat er _____ angezogen.
4. Ich beeile _____, weil der Zug gleich abfährt.
5. Bevor ihr ins Bett geht, müsst ihr _____ noch die Zähne putzen.
6. Ich freue _____ sehr, dass du gekommen bist.
7. Gestern Abend haben wir _____ einen spannenden Film im Kino angesehen.
8. Was wünschst du _____ zum Geburtstag?
9. Putzt du _____ die Zähne?

7 Leonora beim Fotografen. Ergänzen Sie das Reflexivpronomen, wo nötig.

Zuerst sitzt sie _____ auf einem Stuhl. Aber Helmut Neuton, der Fotograf, ruft: „Stell _____ neben den Stuhl!" Also stellt sie _____ neben den Stuhl. Da steht sie _____ einige Minuten. Der Fotograf ist natürlich nicht zufrieden. „Steig _____ auf den Stuhl, aber vorsichtig – gut!" Leonora steht _____ jetzt auf dem Stuhl und lächelt. Helmut Neuton macht ein paar Fotos und sagt dann: „Nein, nein, so nicht, setz _____ auf den Tisch!" Leonora setzt _____ auf den Tisch, Helmut fotografiert sie, aber wieder ist er unzufrieden: „Nein, wir müssen etwas anderes machen." Und die arme Leonara muss _____ aufstehen, _____ setzen, _____ wieder aufstehen, _____ bewegen, _____ stehen bleiben ... Aber schließlich hat sie genug vom Fotografieren. Sie legt _____ auf das Sofa im Atelier von Helmut Neuton. Da liegt sie _____ jetzt und will nur noch ihre Ruhe haben.

8 Eine unglückliche Liebesgeschichte

1. Sie lernt _ihn_ kennen, er lernt _sie_ kennen: Jetzt kennen sie _sich_.
2. Sie trifft _____ täglich, er trifft _____ täglich: Sie treffen _____ täglich.
3. Sie liebt _____, er liebt _____: Sie lieben _____.
4. Sie heiratet _____, er heiratet _____: Sie sind verheiratet.
5. Sie spricht nicht mit _____, er spricht nicht mit _____: Sie unterhalten _____ nicht.
6. Sie lässt _____ scheiden, er lässt _____ scheiden: Sie sind geschieden.

Verena und Frau Graf beim Arzt

1 **Wo hat Herr Mimose überall Schmerzen?**

a) Bitte ergänzen Sie.

A _Zahnschmerzen_

B _____

C _____

D _____

E _____

b) Was Herr Mimose sagt.

1. Mir _tun_ alle Zähne _weh_ !
2. Mein Kopf _____ mir auch so _____.
3. Und mein Hals _____ mir wirklich sehr _____.
4. Ach, und die Ohren _____ so _____.
5. Außerdem _____ mir der Bauch so _____.

2 **Wer sagt was? Die Ärztin oder die Patienten?**

		Ärztin	Patienten
1.	Ziehen Sie bitte das Hemd aus, ich muss Sie untersuchen.	X	
2.	Seit wann haben Sie Fieber?		
3.	Ich habe starke Halsschmerzen, vielleicht ist der Hals entzündet.		
4.	Nehmen Sie drei Mal täglich eine Tablette nach dem Essen.		
5.	Mir ist sehr heiß, ich habe bestimmt eine Grippe.		
6.	Können Sie mich bitte krankschreiben?		
7.	Mir ist kalt und ich habe Kopfschmerzen.		
8.	Bleiben Sie bitte ein paar Tage im Bett und trinken Sie viel.		

3 **Was ist freundlicher A oder B?**

1. A Praxis Dr. Schlosser, mein Name ist Doris Gabler. Was kann ich für Sie tun?
   B Hallo. Mit wem wollen Sie sprechen?

2. A Ich will mit dem Arzt sprechen.
   B Kann ich bitte mit dem Doktor sprechen?

3. A Rufen Sie später wieder an.
   B Können Sie bitte in zehn Minuten noch einmal anrufen?

4. A Drei Tage im Bett bleiben und viel Ruhe.
   B Bleiben Sie zwei bis drei Tage im Bett und erholen Sie sich gut.

5. A Mir geht es nicht gut, bitte schreiben Sie mir ein Rezept.
   B Mir geht es schlecht, schreiben Sie mir ein Rezept.

4 Was passt zusammen? Bitte kombinieren Sie.

① ein Medikament
② eine Diagnose
③ Diät
④ Fieber
⑤ Tabletten
⑥ den Patienten
⑦ einen Ratschlag
⑧ ein Rezept

A untersuchen
B geben
C nehmen
D machen
E haben
F verschreiben
G schreiben
H stellen

1	C
2	
3	
4	
5	
6	
7	
8	

5 Wie ist Ihre Diagnose? Welcher Ratschlag passt zu welchem Patienten?

A
Name: Isabel Schön
Schmerzen: keine
Problem: Nase läuft

D
Name: Johann Pause
Schmerzen: Hals
Problem: 38,5 °C Fieber seit gestern

B
Name: Anna Gebauer
Schmerzen: Ohren
Problem: 39 °C Fieber seit zwei Tagen

E
Name: Andreas Kunz
Schmerzen: keine
Problem: rote Punkte im Gesicht

C
Name: Carlos Maura
Schmerzen: Bauch
Problem: kein Hunger

1. „Sie haben eine Halsentzündung. Bitte trinken Sie viel und nehmen Sie die Tabletten, die ich Ihnen aufschreibe." → Patient _D_

2. „Sie haben auf dem rechten Ohr eine Entzündung. Ich schreibe Ihnen ein Medikament auf. Sie sollten drei Tage im Bett bleiben." → _____

3. „Sie haben eine Magen-Darm-Grippe. Sie sollten wenig essen und viel trinken. Sie brauchen kein Medikament zu nehmen." → _____

4. „Sie haben eine Allergie. Wir müssen Allergietests machen und Sie genauer untersuchen." →

5. „Sie haben eine leichte Erkältung. Ich verschreibe Ihnen etwas gegen den Schnupfen und schreibe Sie

6 Gute Ratschläge. Ergänzen Sie.

1. Sie _sollten_ auf Ihr Gewicht achten.
2. Ihr _____ euch mehr bewegen.
3. Du _____ nicht so oft Schlaftabletten nehmen.
4. Er _____ sich öfter entspannen.
5. Wir _____ mehr Obst und Gemüse essen.
6. Ich _____ nicht immer allen Leuten Ratschläge geben.

Frau Pflaum ist krank. Sie geht zum Arzt. Bitte nummerieren Sie.

☐ Frau Pflaum geht schließlich noch zur Apotheke und kauft das Medikament. Dann kann sie nach Hause gehen und sich wieder ins Bett legen.

☐ Sie sitzt im Wartezimmer. Mit ihr warten viele Leute. Frau Pflaum liest eine Zeitschrift.

☐ Sie erzählt, dass sie seit drei Tagen Fieber hat und sich nicht wohl fühlt. Der Arzt untersucht sie.

1 Frau Pflaum ruft bei ihrem Arzt an. Sie macht einen Termin aus.

☐ Nun verschreibt der Arzt ein Medikament. Er sagt zu Frau Pflaum, dass sie zwei Tage im Bett bleiben soll. Er schreibt ihr auch eine Krankmeldung.

☐ Nach zwanzig Minuten ist Frau Pflaum endlich dran.

☐ Frau Pflaum geht in das Sprechzimmer. Der Arzt sitzt schon dort und begrüßt sie. Er fragt sie, wie es ihr geht.

Dresdens Wahrzeichen

Seite 28	Aufgabe 1

1 **Lesen Sie noch einmal im Kursbuch Seite 28, Aufgabe 1.**

a) **Richtig r oder falsch f ? Bitte markieren Sie.**

1. Verena schreibt eine Reportage über die Frauenkirche. _____ r f
2. Die Steine haben jahrelang unter den Trümmern der Frauenkirche gelegen. _____ r f
3. Jeder Stein soll wieder genau an seinem alten Platz liegen. _____ r f
4. Die Steinmetze haben keine neuen Steine gehauen, sie haben nur die alten restauriert. _____ r f
5. Viele Leute haben für den Wiederaufbau der Frauenkirche gespendet. _____ r f
6. Der Verein zum Wiederaufbau der Dresdner Frauenkirche hat 14 Mitglieder. _____ r f
7. Man kann einen kleinen Stein in einer Armbanduhr adoptieren. _____ r f

b) **Was passt?**

1. Was ist anfassen?
   A adoptieren
   B wegbringen
   ☒ berühren

2. Was ist ein Bürger?
   A ein Einwohner einer Stadt
   B ein Architekt
   C ein Steinmetz

3. Wo findet man ein Mitglied?
   A beim Arzt
   B in einem Büro
   C in einem Verein

4. Was kann man gründen?
   A einen Stein
   B einen Verein
   C eine Spende

2 Deutschland nach dem Krieg. Ergänzen Sie.

> in Trümmern   Vergangenheit
> Erinnerung   Denkmäler   Wiederaufbau
> Spenden   Bauwerke

1939 hat Deutschland den Zweiten Weltkrieg begonnen. Am Ende dieses Krieges gibt es auf der ganzen Welt, aber besonders in Europa viele Millionen Tote, Deutschland und andere Länder liegen _in Trümmern_ . Beim _____ ihres Landes sind die Deutschen nicht allein – von vielen Seiten kommen _____ und Hilfen. So kann man berühmte _____ und _____ wieder in alter Schönheit aufbauen. Aber die _____ an die furchtbaren Zerstörungen des Krieges bleibt, und das ist auch richtig so: Die _____ darf man in Deutschland nie vergessen, sonst wiederholt man schnell die schrecklichen alten Fehler.

3 Der Verbdetektiv. Wie heißen die Verben zu diesen Nomen?

1. der Spender: _spenden_____
2. der Gedanke: _____
3. die Zerstörung: _____
4. die Rettung: _____
5. der Ausgang: _____
6. die Begleitung: _____

7. der Einwanderer: _____
8. das Angebot: _____
9. der Vergleich: _____
10. das Versteck: _____
11. die Kombination: _____
12. die Korrektur: _____

Seite 29	Aufgabe 2–4

1 Frau Graf macht ihrer Enkelin Vorschläge. Bitte kombinieren Sie.

① Wir könnten heute in die Frauenkirche gehen.

② Sollen wir morgen den Zwinger besichtigen?

③ Ich würde auch gern Tante Gisela und Onkel Michael besuchen.

④ Sollen wir auch in das Konzert am Samstagabend gehen?

⑤ Hast du eigentlich schon mal meine alten Bilder von Dresden gesehen?

⑥ Ich glaube, das wird eine schöne Woche.

A Ja, das würde ich gern hören.

B Oh ja, den möchte ich unbedingt sehen.

C Die werde ich bestimmt nicht so schnell wieder vergessen.

D Nein, die musst du mir aber unbedingt zeigen.

E Gern, die kenne ich noch nicht.

F Mit denen möchte ich mich auch gern treffen.

1	E
2	
3	
4	
5	
6	

2 der, die, das als Pronomen. Verena und ihre Oma gehen ins Konzert.

▶ Hast du die Karten für das Konzert?

◁ Klar, _die_ sind schon in meiner Tasche. Aber den Schlüssel dürfen wir nicht vergessen.

▶ _____ habe ich.

◁ Ich glaube, du hast den falschen. Du musst _____ da nehmen.

▶ Wofür ist dann _____ hier?

◁ _____ ist für den Keller.

▶ Mit welcher Straßenbahn fahren wir eigentlich?

◁ Wir können mit jeder fahren, z.B. mit _____ um fünf vor halb acht. Komm, wir gehen, sonst kommen wir zu spät.

▶ Ich glaube, es ist schon zu spät für die Straßenbahn. Rufen wir doch lieber ein Taxi. Mit _____ kommen wir noch pünktlich ins Konzert.

3 So sollte es sein. Bitte ergänzen Sie jed-/alle in der passenden Form.

1. _Jeder_ Mensch sollte pünktlich sein.
2. _____ Kind sollte lesen lernen.
3. Man sollte _____ Kinder fördern.
4. _____ Frau sollte einen Beruf wählen können.
5. _____ Menschen sollten ein Dach über dem Kopf haben.
6. Man sollte _____ Tag genießen.

4 Alles meins!

Frau Krämer	Das ist unser neues Häuschen.
Frau Reich	Und das ist _meins_.
Frau Krämer	Hier sehen Sie meinen Garten.
Frau Reich	Und hier sehen Sie _____.
Frau Krämer	Hier sind meine Bücher.
Frau Reich	Das hier sind _____.
Frau Krämer	Das bin ich in unserem neuen Auto.
Frau Reich	Und hier sitze ich in _____.
Frau Krämer	Das ist unser neues Klavier.
Frau Reich	Und das ist _____.
Frau Krämer	Hier ist meine Familie.
Frau Reich	Und das ist _____.

5 Immer nur eins. Bitte verbinden Sie.

① Haben Sie zwei Koffer? —————— **A** Aber nicht alle, nur eins.   ⌈1⌉⌈ E ⌉
② Gehen wir in beide Galerien?   **B** Also, ich esse nur eins!   ⌈2⌉⌈   ⌉
③ Isst du ein oder zwei Stück Kuchen?   **C** Ach, eine ist genug.   ⌈3⌉⌈   ⌉
④ Kauft ihr keine Blumen für Mama?   **D** Doch, wir haben schon welche.   ⌈4⌉⌈   ⌉
⑤ Beschreiben Sie mir die Bilder?   **E** Nein, ich habe nur einen.   ⌈5⌉⌈   ⌉
                                 Ich habe wenig Gepäck.

6 Verenas Tante wohnt in einem kleinen Dorf bei Dresden.

a) Das gibt es in ihrem Dorf.

1. Gibt es im Dorf eine Kirche?   Ja, es gibt _eine_____.
2. Gibt es einen Marktplatz?   Ja, es gibt _____.
3. Gibt es bei euch eine Bäckerei?   Ja, es gibt _____.
4. Haben die Häuser Gärten?   Ja, sie haben _____.
5. Haben die Leute Haustiere?   Ja, die meisten haben _____.
6. Habt ihr einen Sportplatz?   Ja, wir haben _____.

b) Das gibt es in ihrem Dorf nicht.

1. Gibt es im Dorf große Straßen?   Nein, es gibt _keine____.
2. Fährt in eurem Dorf ein Bus?   Nein, in unserem Dorf fährt _____.
3. Hast du ein Auto?   Nein, ich habe _____.
4. Und habt ihr einen Supermarkt?   Nein, wir haben _____.
5. Wohnen viele jungen Leute in deinem Dorf?   Nein, fast _____.
6. Gibt es im Dorf ein Kino?   Nein, es gibt _____.

7 Keine Aufgabe ist leichter als *diese*. Bitte ergänzen Sie.

1. Keine Tasche geht so oft verloren wie _diese____.
2. Kein Zug hat so oft Verspätung wie _____.
3. Keinem Hund geht es so gut wie _____.
4. Keine Freundin habe ich so gern wie _____.
5. Keine Grammatik kann ich so gut erklären wie _____.
6. Kein Geschäft hat so oft geschlossen wie _____.

13. Februar 1945

 Hertha Grafs Bericht. Rekonstruieren Sie.

B weh und meine Schwester weint. Aber wer weint nicht in dieser Nacht?
„Gisela, Hertha, kommt mit!" ruft eine bekannte Stimme. Es ist aber nicht unsere Mutter, sondern eine Nachbarin mit

A euch", haben die Eltern gesagt, „ihr wartet hier auf uns." Sie sind in unser Haus zurückgelaufen. Vielleicht können sie dort noch ein paar wichtige Sachen herausholen, vielleicht ist nicht alles verbrannt. Warum dauert das nur so lange? Wir warten hier sicher schon eine Stunde. Oder sind es erst fünf Minuten? Meine Augen tun

C Noch heute habe ich die Bilder dieser Nacht im Kopf. Ich sehe mich immer noch auf dem Dürerplatz stehen, meine

D in einen Keller gehen und dort auf den Morgen warten. Hier erleben wir den zweiten Bombenangriff und der ist noch viel schrecklicher. Jetzt bin ich mit meiner Schwester allein, ohne Eltern, zwischen alten, kranken Menschen und Müttern mit ihren Kindern. Und alle haben Angst.

E kaum noch möglich vorwärts zu kommen. Die junge Frau treibt uns weiter: „Wir müssen hier durch, wir müssen es schaffen, eine andere Rettung bleibt uns nicht."
Schließlich geht es doch nicht mehr weiter und wir müssen

F ihrem Baby auf dem Arm. Wir bleiben stehen. „Wir warten auf unsere Eltern, sie werden sicher bald kommen."
„Hier könnt ihr nicht bleiben, der Rauch tötet euch."
Schließlich gehen wir mit, denn ich weiß

G wirklich nicht, ob meine Eltern wieder zu uns zurückfinden, und ich habe die Verantwortung für meine Schwester. Wir versuchen zwischen den brennenden Häusern zum Elbufer zu kommen, aber es ist

H fünfjährige Schwester an meiner rechten Hand, mein Köfferchen in der linken. Und um uns herum ein Meer von Feuer und Rauch! Wir aber stehen da und warten.
„Wir sind bald wieder bei

1. _C_ 2. ____ 3. ____ 4. ____ 5. ____ 6. ____ 7. ____ 8. ____

 Ein Wort passt nicht.

1. Schwester – Baby – Eltern – Mutter
2. Rettung – Feuer – Rauch – Asche
3. Bombe – Krieg – Meer – Zerstörung
4. Kopf – Augen – Arm – Angst
5. Haus – Keller – Köfferchen – Dach
6. weitergehen – weinen – zurücklaufen – vorwärts kommen

3 Dresden vor und nach der Bombennacht vom 13. Februar 1945. Ordnen Sie.

~~war Dresden eine der schönsten Städte Europas~~ war Dresden zu 80 % zerstört
hat Dresden die Namen „Elbflorenz" und „Venedig des Ostens" bekommen
war die Frauenkirche die berühmteste protestantische Kirche in Deutschland
war keine andere Stadt in Deutschland so stark zerstört wie Dresden
hat man einen Teil der historischen Gebäude in Dresden wieder aufgebaut

Vor dem Krieg

war Dresden eine der schönsten Städte Europas.

_____

_____

Nach dem Krieg

_____

_____

_____

4 Was gibt es in Dresden zu sehen? Ordnen Sie zu.

1. Das schönste barocke Bauwerk Dresdens heißt _Zwinger_____.
2. Das Dresdner Opernhaus nennt sich _____.
3. Das orientalisch aussehende Gebäude ist die _____.
4. Der bekannteste Park in der Stadt heißt _____.

A

Im Zentrum der Altstadt steht der berühmte Zwinger. Umgeben vom Schloss, der Kathedrale St. Trinitatis und dem Opernhaus ist er ein gern besuchter Anziehungspunkt. Sein grüner Innenhof bietet müden Gästen einen idealen Ruheplatz nach der Stadtbesichtigung – und es gibt viele Gäste: Die barocke Schönheit des Zwingers zieht Touristen aus aller Welt an.

B

In ihrer gesamten Ausdehnung fertig gestellt war die Bürgerwiese schon 1869. Der sonst unterirdische Kaitzbach schlängelt sich durch sie hindurch, im Zentrum der Anlage im englischen Stil steht ein Wasserbecken mit einer Fontäne. Zahlreiche Skulpturen und Denkmäler schmücken die Bürgerwiese, die bedeutendste Parkanlage Dresdens.

C

Nach umfangreichen Rekonstruktionsarbeiten wurde die Yenidze 1996 mit Büroräumen, einem Restaurant und einer Diskothek wiedereröffnet. Ihre ungewöhnliche Architektur kopiert maurisch-mameluckische Vorbilder: Eine farbig verglaste, 18 Meter hohe Kuppel, ein Kamin in Minarettform und orientalische Elemente sind charakteristisch für die ehemalige Tabak- und Zigarettenfabrik Yenidze.

D

Inmitten der Dresdner Altstadt am Theaterplatz steht eines der architektonisch bedeutendsten Operngebäude des 19. Jahrhunderts. Die Dresdner Semperoper. Gleichzeitig gehört sie mit den überaus prächtigen Innenräumen zu den schönsten Opernhäusern der Welt.

Lektion 15

In Wien zu Hause

Seite 32/33	Aufgabe 1–2

1 6 Texte, 10 Überschriften – welche Überschriften passen zu den Wien-Texten?

1. Hier arbeitet der Bundespräsident _____ *F*
2. Eine neue Aufgabe für ein altes Gebäude _____
3. Seit 1986 liefern die Gasometer endlich wieder Gas _____
4. Kaffee – Hilfe gegen die Müdigkeit _____
5. Das berühmteste Opernhaus der Welt _____
6. Ein Haus für Musik und Tanz _____
7. Wien – die Stadt der Künstler _____
8. Wohnen einmal anders _____
9. Kaffee, der „Türkentrank" _____
10. Internationale Diplomatie in Wien _____

A Bis 1986 lieferten die vier Gasometer Gas für die Stadt. Danach bauten Stararchitekten sie zu Wohn-, Arbeits- und Verkaufsräumen um.

B Die Wiener waren stolz, als ihre Stadt 1979 die dritte UNO-Stadt wurde, denn Völkerverständigung und Diplomatie haben hier Tradition.

C Die Wiener Staatsoper ist eine der wichtigsten kulturellen Einrichtungen der Stadt. Hier finden viele Opernaufführungen und der berühmte Opernball statt.

D Der Künstler Friedensreich Hundertwasser konnte in den Siebzigerjahren sein ökologisches Traumhaus in Wien realisieren. Es ist bunt, fröhlich, naturfreundlich.

E 1683 war Wien von den Türken belagert. Nach der Befreiung der Stadt fand man Säcke mit Kaffeebohnen. So kam der Kaffee nach Wien und mit ihm das erste Kaffeehaus.

F Der Sitz des Bundespräsidenten, ein Konferenzzentrum, die Nationalbibliothek, Museen und Sammlungen befinden sich in der Hofburg. Sie war früher kaiserliches Palais und Residenz der Habsburger.

2 Was gehört zusammen in Wien? Bitte ordnen Sie zu.

① Kaffeehaus	Ⓐ Nationalbibliothek	1	B
② UNO	Ⓑ Kaffeebohnen	2	
③ Gasometer	Ⓒ Völkerverständigung	3	
④ Opernhaus	Ⓓ moderne Architektur	4	
⑤ Hofburg	Ⓔ ökologisches Traumhaus	5	
⑥ Hundertwasserhaus	Ⓕ Ball	6	

3 Gebäude. Welches Wort passt nicht? Markieren Sie bitte.

1. Kindergarten – Schule – ~~Bibliothek~~ – Universität
2. Einkaufszentrum – Supermarkt – Kaufhaus – Galerie
3. Beisel – Kaffeehaus – Post – Restaurant
4. Station – Haltestelle – Hotel – Bahnhof
5. Kirche – Büro – Fabrik – Betrieb
6. Museum – Opernhaus – Theater – Geschäft

4 Welche Personen findet man in welchem Gebäude? Ordnen Sie zu.

1. Bibliothek — Badegäste
2. Einfamilienhaus — Bundeskanzler
3. Fabrik — Studenten
4. Hochhaus — Arbeiter
5. Kanzleramt — Hausmeister
6. Schwimmbad — Professorin
7 Tiefgarage — Dauercamper
8. Hochschule — Hausfrau
9. Wohnwagen — Zimmermädchen
10. Hotel — Autofahrer

5 Wie sagt man in Österreich?

a) Bitte kreuzen Sie an.

	Deutschland	Österreich
1. An welcher <u>Haltestelle</u> muss ich aussteigen?	X	
2. <u>Servus</u>. Wie geht's dir denn?		
3. Gibt's im Gasometer auch ein gemütliches <u>Beisel</u>?		
4. Postkarten gibt es <u>gegenüber</u> vom Hundertwasserhaus.		
5. Ich muss noch das <u>Geburtstagspackerl</u> fertig machen.		
6. Hier gibt es keinen Lift. Sie müssen die <u>Stiege</u> nehmen.		

b) Tragen Sie die Wörter aus a) ein und ergänzen Sie die Tabelle.

Deutschland	Österreich
Haltestelle	Station

Im UNO-Gebäude

| Seite 34 | Aufgabe 1 |

 Die UNO

a) Lesen Sie bitte folgenden Text.

Von 1939 bis 1945 findet der Zweite Weltkrieg statt. Sechs Jahre lang zerstören die Bomben besonders in Europa Städte und Länder. Schon bald beginnen einige Politiker über einen dauerhaften Frieden in der Welt nachzudenken. Kann vielleicht eine Weltorganisation Frieden und Freundschaft zwischen den Völkern herstellen?
Am 14. August 1941 machen der amerikanische Präsident Franklin Delano Roosevelt und der britische Premierminister Winston Churchill Vorschläge für die internationale Zusammenarbeit zur Garantie von Frieden und Sicherheit in der Welt. Am 1. Januar 1942 treffen sich Vertreter von 26 Nationen und erklären in der „Deklaration der Vereinten Nationen" ihre Zusammenarbeit. In diesem

Papier steht zum ersten Mal offiziell der Begriff „Vereinte Nationen".
Heute gehören zur UNO insgesamt 188 Staaten als Mitglieder. Neben New York, Genf und Nairobi ist Wien einer der vier Amtssitze der Vereinten Nationen. Über 4000 Mitarbeiter aus mehr als 100 Ländern arbeiten bei den verschiedenen internationalen Organisationen in Wien. Etwa 1/3 davon sind Österreicher.
Seit dem 23. August 1979 ist das Internationale Zentrum Wien (Vienna International Centre, VIC) Sitz verschiedener UNO-Einrichtungen wie zum Beispiel des Büros für Drogenkontrolle und Verbrechensverhütung, der Organisation für industrielle Entwicklung, der Internationalen Atomenergie-Organisation etc.

b) Ergänzen Sie die richtige Zahl.

1. Der Zweite Weltkrieg hat _6_ Jahre gedauert.
2. _____ Nationen erklären 1942 ihre Zusammenarbeit.
3. Die UNO hat heute _____ Mitglieder.
4. Sie hat _____ Sitze in mehreren Ländern.
5. Allein in Wien arbeiten über _____ Mitarbeiter.
6. Sie kommen aus über _____ Ländern.

c) Welches Wort passt nicht?

1. Volk – Nation – Staat – ~~Stadt~~
2. Frieden – Krieg – Sicherheit – Zusammenarbeit
3. Organisation – Europa – Verein – Union
4. Mitglied – Mitarbeiter – Kollege – Chef
5. Premierminister – Bundeskanzler – Bundespräsident – Politiker

1 Leute bei der UNO. Bitte verbinden Sie.

1. Jean-François arbeitet nicht bei der UNIDO,
2. Krisztna hat keine Stelle bei der UNO,
3. Aischa arbeitet in Wien,
4. Juan Pablo geht gern zu Fuß zur Arbeit
5. Debbi geht jedes Jahr zum Opernball,
6. John hat in New York bei der UNO gearbeitet

und dann ist er nach Wien gegangen.
sondern er ist Mathematiker bei der IAEO.
oder er fährt mit dem Fahrrad.
sondern sie macht ein Praktikum.
aber sie wohnt in Baden.
denn sie tanzt so gern Walzer.

2 Andrea fährt mit einem Fiaker zur Hochzeit. *aber, denn, und, sondern, oder?*

1. Der Fiaker holt das Hochzeitspaar zu Hause ab.
   Er kommt zur Kirche.
   (oder) *Der Fiaker holt das Hochzeitspaar zu Hause ab oder er kommt zur Kirche.*

2. Nach der Hochzeit wartet der Fiaker vor der Kirche.
   Nun beginnt die romantische Fahrt.
   (und) _____

   _____

3. Die Gäste gratulieren dem Paar. Der Fiaker fährt
   schnell ab.
   (aber) _____

   _____

4. Der Fiaker sieht wunderschön aus. Er und sein Pferd
   tragen Blumen.
   (denn) _____

5. Die Fahrt ist nicht windig. Man sitzt bequem und angenehm.
   (sondern) _____

Ein Fiaker

3 Tünde, eine Praktikantin. *aber, denn, und, sondern, oder?*

1. Sie ist keine Österreicherin. Sie kommt aus Ungarn.
   Sie ist keine Österreicherin, sondern sie kommt aus Ungarn.

2. Sie hat ein Zimmer in Wien. Sie wohnt auch in Veszprém bei ihren Eltern.

   _____

3. Sie ist gut in Fremdsprachen. Sie versteht auch das Wienerische.

   _____

4. Sie kennt Wien ein bisschen. Sie hat hier nämlich ein Semester studiert.

   _____

5. Abends geht sie oft ins Kino. Sie sitzt auch gern mit Kollegen im Kaffeehaus.

   _____

6. Nach dem Praktikum geht sie nicht nach Ungarn zurück. Sie zieht nach London um.

   _____

4 Bringen Sie die Sätze in die richtige Ordnung.

1. In Aachen ist die Europäische Union Wirklichkeit,
   denn / liegt / Europas / hier / das erste grenzüberschreitende Gewerbegebiet / .
   denn hier liegt das erste grenzüberschreitende Gewerbegbiet Europas.

2. Früher hat man Aachener Printen mit kunstvollen Modeln hergestellt,
   aber / heute / man / findet / nur noch / die einfache Schnittprinte / .

3. In und um Dresden gibt es nicht nur schöne alte Gebäude und Denkmäler,
   kann / sondern / entdecken / auch / man / schöne Landschaften / an der Elbe / .

4. Die Stadt Dresden braucht zurzeit sehr viel Geld,
   wieder aufbauen / sie / will / die Frauenkirche / denn / .

5. Fast alle Wien-Touristen besichtigen das Hundertwasserhaus
   besuchen / oder / sie / die Wiener Kaffeehäuser / .

6. Die Staatsoper, das Burgtheater und viele andere Institutionen machen Wien zu einer Weltstadt
   und / geben / Organisationen / wie / die UNO / der Stadt / die internationale Atmosphäre / .

5 Es gibt viele Gründe für einen Besuch in Wien!

a) *denn* oder *weil*?

Viele Touristen kommen nach Wien, ...
1. _denn_ sie wollen einmal in einem echten Wiener Kaffeehaus sitzen.
2. _____ sie interessieren sich für Architektur.
3. _____ es in Wien viele gute Theater gibt.
4. _____ Wien ist eine wunderschöne Stadt.
5. _____ es viele bekannte Sehenswürdigkeiten gibt.
6. _____ sie schon viel über Wien gelesen haben.

In Österreich heißen Fußgänger auch Fußgeher.

b) Formulieren Sie die Sätze aus a) mit *nämlich*.

Viele Touristen kommen nach Wien;
1. _sie wollen nämlich einmal in einem echten Wiener Kaffeehaus sitzen._
2. _____
3. _____
4. _____
5. _____
6. _____

6 **Céline ist als Au-pair-Mädchen in Wien.** *denn, weil* **oder** *nämlich?*

1. Ich bin hier in Wien, ☐ weil ☒ denn ☐ nämlich ich möchte meine Sprachkenntnisse verbessern.
2. Am ersten Tag war ich sehr müde, ☐ weil ☐ denn ☐ nämlich die Fahrt nach Wien anstrengend war.
3. Ich fühle mich sehr wohl in Wien, ☐ weil ☐ denn ☐ nämlich die Familie Rosegger sehr freundlich zu mir ist.
4. Oft gehen wir zusammen ins Konzert; ich liebe ☐ weil ☐ denn ☐ nämlich Musik sehr.
5. Ich habe auch großes Glück; die Kinder sind ☐ weil ☐ denn ☐ nämlich sehr lieb.
6. Gern möchte ich noch ein Jahr hier bleiben, ☐ weil ☐ denn ☐ nämlich Wien ist eine sehr schöne Stadt.

Wohnhäuser

Seite 36/37	Aufgabe 1–6

1 **Bewohner berichten**

a) **Wo wohnen die Leute? Im Hundertwasserhaus oder im Gasometer?**

1. Manchmal finde ich es etwas unheimlich, so hoch oben zu wohnen. Ich wohne im achten Stock.
   Gasometer
2. Ich bin erst vor zwei Tagen eingezogen. Jetzt habe ich ein Problem. Ich finde keinen Platz für meine Schränke, weil es kaum gerade Wände gibt.
3. Früher konnte ich in Wien alles mit dem Fahrrad erledigen. Jetzt muss ich mit der U-Bahn zur Uni fahren.
4. Ich wohne hier schon von Anfang an und finde die farbenfrohe Architektur immer noch toll.
5. Leider ist das Leben hier draußen ziemlich unpersönlich.
6. Ich habe gar nicht das Gefühl, dass ich in einer großen, lauten Stadt wohne.
7. Eigentlich könnte es hier so ruhig wie auf dem Land sein. Aber die vielen Touristen erinnern mich immer wieder daran, dass ich in Wien bin.

b) **Welche Sätze sind positiv, welche negativ?**

☺: _____   ☹: *1,*_____

c) **Welche Bewohner haben diese Wünsche?**

1. Ich hätte lieber eine Wohnung in einem Haus mit netten Nachbarn. *5*
2. Mir wäre eine Wohnung in einem weniger bekannten Haus lieber.
3. Ich würde gern wieder in meiner alten Wohnung in Uni-Nähe wohnen.
4. Ich hätte lieber eine ganz normale Wohnung für meine Möbel.
5. Ich würde mich im Erdgeschoss wohler fühlen.

2 **Hundertwasserhaus oder Gasometer – was passt? Markieren Sie.**

	Hundertwasserhaus	Gasometer
1. Hier gibt es viele Geschäfte.	☐	X
2. Das Gebäude hatte früher eine andere Funktion.	☐	☐
3. Die Fenster sind alle unterschiedlich.	☐	☐
4. In einem der Gebäude befindet sich ein Studentenwohnheim.	☐	☐
5. Auf dem Dach wachsen Bäume und Büsche.	☐	☐
6. Die Fassaden sind ganz bunt.	☐	☐
7. Für den Bau hat man ökologisches Material verwendet.	☐	☐

3 **Ergänzen Sie die richtigen Formen.**

1. Ich _würde_ gern besser singen.
2. _____ du gern gut kochen?
3. Er _____ gern bald schon eine Stelle finden.
4. Wir _____ gern nächste Woche ein Geburtstagsfest feiern.
5. _____ ihr gern heute Abend zu uns kommen?
6. Sie _____ gern zusammen in den Deutschkurs gehen.

4 *hätte, wäre.* **Viele Wünsche.**

1. Axel Funke ist Mechaniker, aber er _wäre_ lieber Polizist.
2. Wir haben einen großen Hund, aber wir _____ lieber einen kleinen Hund.
3. Ich habe eine Frau und drei Söhne, aber ich _____ lieber drei Töchter.
4. Sie haben eine Wohnung in einem Hochhaus, aber sie _____ lieber ein eigenes Haus.
5. Ich bin 1,95 m groß, aber ich _____ lieber etwas kleiner.
6. Ihr seid hier, aber ihr _____ lieber dort.

5 **Ergänzen Sie bitte die Tabelle.**

	sein	haben	andere Verben
ich			*würde* + Infinitiv
du	*wärst*		+ Infinitiv
er • sie • es		*hätte*	+ Infinitiv
wir			+ Infinitiv
ihr		*hättet*	+ Infinitiv
sie • Sie	*wären*		+ Infinitiv

6 hätte, wäre, würde. Noch mehr Wünsche.

| Kuchen | Österreich | ~~Krankenschwester~~ | Katze | Fußball | Büro | Auto | Land |

1. Tinka Frankenberg ist Schülerin, aber *sie wäre lieber Krankenschwester.*
2. Sven Krause hat einen Hund, aber _____
3. Anna-Katharina wohnt in der Stadt, aber_____
4. Frau Röder isst einen Salat, aber_____
5. Herr Ambrosch arbeitet in der Fabrik, aber _____
6. Jochen spielt Tennis, aber _____
7. Angelo und Romano sind in Deutschland, aber _____
8. Herr Radlmeier hat ein Fahrrad, aber _____

7 hätte, wäre oder würde? Diskussion am Stammtisch.

1. Ich _*hätte*_ gern ein Haus auf dem Land.
2. Auf dem Land? Ach nein, wir _____ lieber am Meer leben. Wir _____ gern ein Häuschen mit Meerblick.
3. Meerblick!! _____ ihr wirklich gern immer Sand in den Schuhen tragen? Und immer Salzgeschmack im Mund haben? Ich _____ gern ein Häuschen in den Bergen: gute Luft, Ruhe, nur die Natur und ich … Und dann _____ ich morgens immer schon ganz früh aufstehen.
4. Ich _____ gern mit meiner Familie in der Stadt wohnen, aber in einem Haus mit einem großen Garten. Dann _____ wir die Vorteile des Stadtlebens und die Ruhe der Natur genießen. Und du, was für ein Haus _____ du am liebsten?
5. Am liebsten _____ ich immer bei meinen Eltern wohnen, denn niemand kocht so gut wie meine Mutter.

8 Attilas Freunde. Bitte schreiben Sie.

1. Joschi hat kein Zimmer im Studentenwohnheim, er wohnt allein.
   Er sagt: *Ich hätte so gern ein Zimmer im Studentenwohnheim.*
2. Jan spricht nicht gut Englisch.
   Er sagt: _____
3. Teresa arbeitet nicht beim Informationsdienst (UNIS) der UNO.
   Sie sagt: _____
4. Paul macht kein Praktikum bei der UNO.
   Er sagt: _____
5. Roberta ist nicht mit ihrer Freundin im Kino.
   Sie sagt: _____
6. Lajos bekommt kein Stipendium.
   Er sagt: _____
7. Dorota hat noch keinen Computer.
   Sie sagt: _____

Im Opernhaus

Seite 38/39	Aufgabe 1–5

1 Bitte lesen Sie noch einmal im Kursbuch Seite 38, Aufgabe 1.

1. Wien hat mehr Tanzveranstaltungen als andere Großstädte. _____ r f
2. Künstler gehen nicht gern zum Wiener Opernball. _____ r f
3. Der traditionsreiche Ball kostet 200 Euro Eintritt. _____ r f
4. Man kann den Opernball auch live im Fernsehen anschauen. _____ r f
5. Beim Eröffnungswalzer tragen die Debütanten bunte Kleider. _____ r f

2 Entschuldigungen und Antworten

~~Das ist mir wirklich sehr unangenehm.~~   Das macht doch nichts.
Das kann doch jedem mal passieren.   Reden wir nicht mehr davon.
Oh, das wollte ich nicht!   Es tut mir schrecklich Leid.   Entschuldigung!
Das ist schon in Ordnung.

Entschuldigung	Antwort
Das ist mir wirklich sehr unangenehm.	

3 Wortbildung

a) Feminine Endungen. Sortieren Sie bitte.

die Möglich-   die Samml-   die Land-   die Mus-   die Persönlich-
~~die Veranstalt-~~   die Gelegen-   die Besonder-   die Polit-   die Gesell-

-heit	-keit	-ung	-schaft	-ik
		Veranstaltung		

b) Welche Wortart? Sortieren Sie bitte.

~~möglich~~   sammeln   persönlich
ländlich   politisch   veranstalten
gelegentlich   musizieren   gesellschaftlich

Adjektiv	Verb
möglich	

4 Wer ist höflicher? Kreuzen Sie an.

1. **A** Entschuldigung, könnte ich mal telefonieren?
   B Entschuldigung, kann ich mal telefonieren?
2. **A** Guten Tag, darf ich Sie mal was fragen?
   B Guten Tag, dürfte ich Sie mal was fragen?
3. **A** Ich würde gern mal in Ihren Fahrplan schauen, darf ich?
   B Kann ich mal in Ihren Fahrplan schauen?
4. **A** Wir wollen Sie sehr gern mal zu uns zum Essen einladen.
   B Wir möchten Sie gern mal zu uns zum Essen einladen.
5. **A** Hast du am Samstag vielleicht etwas Zeit für mich?
   B Hättest du am Samstag vielleicht etwas Zeit für mich?
6. **A** Könntet ihr endlich mal ruhig sein?
   B Seid endlich mal ruhig!

5 Was kann man in dieser Situation sagen?

~~Könntest du mich in die Stadt fahren?~~   Würdest du mir etwas Geld leihen?
Könntest du bitte das Fenster aufmachen?   Hätten Sie etwas Zeit für ein Gespräch?
Dürfte ich dein Handy mal kurz benutzen?

1. Antje hat den Bus nicht mehr erreicht. _Könntest du mich in die Stadt fahren?_
2. Holger hat sein Handy vergessen. _____
3. Ali hat kein Geld dabei. _____
4. Yüksel und Ronnie finden die Luft im Zimmer schlecht. _____
5. Mia möchte mit ihrem Lehrer reden. _____

6 Bitte ergänzen Sie in der richtigen Form.

1. (können) _Könntest_ du mir den Weg erklären?
2. (dürfen) _____ wir euch um eure Hilfe bitten?
3. (können) _____ Sie uns nach Hause bringen?
4. (können) _____ du dem Kunden die Haare waschen?
5. (dürfen) _____ ich mal kurz telefonieren?
6. (können) _____ ich dich etwas fragen?

7 Bitte fragen Sie höflicher.

1. Geben Sie mir doch Ihre Adresse.   _Würden Sie mir Ihre Adresse geben?_
2. Haben Sie vielleicht ein Aspirin dabei?   _____
3. Darf ich das Fenster öffnen?   _____
4. Leihst du mir deine Jacke?   _____
5. Kannst du mich schnell zur Schule fahren? _____
6. Kaufst du noch schnell Brot?   _____
7. Zeigen Sie mir bitte das Formular.   _____
8. Darf ich mal Ihren Kugelschreiber benutzen? _____

8 Der faule Robert und seine Familie.

a) Lesen Sie bitte.

1. Papa, gehst du noch zum Bäcker und kaufst Kuchen?
2. Mama, hast du vielleicht etwas Schokolade für mich?
3. Paula, kannst du mir sagen, wie spät es ist?
4. Pia, räumst du noch die Küche auf?
5. Mama, kannst du mir den Orangensaft geben?
6. Toni, bringst du noch den Mülleimer nach unten?

b) Wie würden Sie fragen? Natürlich viel höflicher!

1. *Papa, würdest du bitte noch zum Bäcker gehen und Kuchen kaufen?*
2. _____
3. _____
4. _____
5. _____
6. _____

9 Der Wiener Walzer. Welche Überschrift passt zu welchem Textabschnitt? Zwei Sätze passen nicht.

1. Johann Strauß und seine Wiener Walzer kennt man auf der ganzen Welt.   *C*
2. Den Walzer findet man heute unfein.   _____
3. Wien und der Walzer gehören zusammen.   _____
4. Johann Strauß hat die österreichische Nationalhymne komponiert.   _____
5. Den Wiener Walzer gibt es seit etwa 150 Jahren.   _____
6. Der Wiener Walzer ist auch heute noch sehr beliebt.   _____

A Wiener Walzer tanzt und spielt man rund um die Welt. Als repräsentativer Gesellschaftstanz darf er auf keiner Hochzeit fehlen, aber auch auf Bällen und zu anderen gesellschaftlichen Gelegenheiten tanzt man ihn gern. Bis heute ist der Eröffnungstanz beim traditionsreichen Wiener Opernball ein Wiener Walzer.

B Entwickelt hat sich der Wiener Walzer in Wien in der 2. Hälfte des 18. Jahrhunderts. Das Wiener Publikum war von dem neuen Tanz sofort begeistert. Es hat anfangs aber auch Kritiker gegeben. Ihnen war der Walzer zu unmoralisch und unfein. Aber schon zu Beginn des 20. Jahrhunderts hat man den Walzer in allen Ballsälen getanzt.

C Untrennbar verbunden ist der Walzer mit dem Namen Johann Strauß (1825–1899). Er war ein internationaler Star und Liebling seiner Epoche. Seine Walzer mit den Titeln „Wiener Blut", „Kaiserwalzer" oder „Donauwalzer" haben den Walzer so beliebt gemacht und sind auch heute noch weltberühmt.

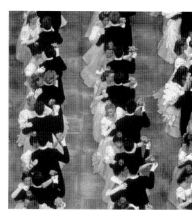

D Die schnelle Verbreitung des Wiener Walzers durch Johann Strauß hat dazu geführt, dass man bis heute bei Wien sofort auch an die Walzermusik denkt. Der „Donauwalzer" gilt sogar als heimliche Nationalhymne der Österreicher und das Wiener Neujahrskonzert ist das vielleicht meistgesehene Musikereignis auf der ganzen Welt.

Wiener Kaffeehäuser

| Seite 40/41 | Aufgabe 1–6 |

1 **Wortbildung: Ein Wiener Kaffeehaus – ein Kaffeehaus in Wien**

1. Ein _Wiener_ Kaffeehaus ist ein Kaffeehaus in Wien.
2. Die _____ Printe ist eine Printe aus Aachen.
3. _____ Lebkuchen sind Lebkuchen aus Nürnberg.
4. _____ Luft ist Luft aus Berlin.
5. Münchner Bier ist Bier aus _____.
6. Ein _____ Hotel ist ein Hotel in Salzburg.
7. Die Dresdner Museen sind die Museen in _____.
8. Das _____ Münster ist das Münster in Freiburg.

2 **Diese Buchtitel und ihre Beschreibungen sind in Unordnung.**

a) Bitte ordnen Sie zu.

| Saubere Umwelt | Weißes Weihnachtsfest | Hohe Berge | Schwere Stunden |
| ~~Ewige Ruhe~~ | Schrecklicher Frühling | Bayrisches Bier | |

1. _Ewige Ruhe_ — Der bekannte Rechtsanwalt Armin Lohfert liegt tot am Strand. Wer hat ihn getötet? Ein Krimi von Patricia Hochschmidt.
2. _____ Die Geschichte eines berühmten Getränks. Von Alois Gschwendtner, Münchner Biergartenbesitzer.
3. _____ Unsere Mülleimer sind zu voll. Das gefährdet die Natur und unsere Umwelt.
4. _____ Endlich schneit es – gerade noch pünktlich für die Familienfeier.
5. _____ Die Alpen. Eine Gebirgslandschaft in Europa.
6. _____ Die Eltern sind geschieden – die Kinder haben Probleme. Wie können sie ihren Kindern die Situation erklären?
7. _____ Allergien und was man dagegen tun kann. Ratschläge von Dr. Kratzner.

b) Maskulin, feminin, neutrum, Plural? Bitte sortieren Sie die Titel.

m	f	n	Pl
schrecklicher Frühling			

3 Im Kaffeehaus

Was sagt man? Was steht im Reiseführer?

1. Die Atmosphäre ist angenehm.   *angenehme Atmosphäre*
2. Der Kaffee ist stark.
3. Die Milch ist warm.
4. Die Mehlspeisen sind lecker.
5. Die Gäste sind international.
6. Die Kaffeetassen sind elegant.
7. Der Kaffeeduft ist herrlich.
8. Das Obst ist frisch.

4 Wo gibt es was? Ergänzen Sie bitte.

~~Luft / gut~~	Kaffeeduft / herrlich	Sand / weiß	Kollegen / nett
Angebote / günstig	Gedanken / neu	Wein / rot	Obst / frisch

1. In den Bergen gibt es *gute Luft.*
2. Am Strand gibt es _____ .
3. Im Restaurant gibt es _____ .
4. Auf dem Markt gibt es _____ .
5. Im Kaffeehaus gibt es _____ .
6. Im Kaufhaus gibt es _____ .
7. Im Betrieb gibt es _____ .
8. Im Kopf gibt es _____ .

5 Ergänzen Sie bitte die Endungen.

1. Mit Herrn Müllers alt*em* Vater gibt es viele Probleme.
2. Mit Klaus' und Herberts toll____ Fahrrädern macht Radfahren noch mehr Spaß.
3. Mit Andreas schnell____ Computer konnte ich viel besser arbeiten als mit meinem.
4. Mit Lindas groß____ Auto ist die Reise viel bequemer.
5. Mit Stefans erst____ Frau habe ich mich nicht gut verstanden.
6. Mit Hannas klein____ Kindern kann man noch keine Reisen machen.
7. Mit Lauras neu____ Plänen bin ich nicht zufrieden.
8. Mit Simones alt____ Schuhen habe ich noch viele Wanderungen gemacht.

6 Im Beisel. Eine Speisekarte.

Genießen Sie in romantisch*em* Beisel mit gut____ Freunden in angenehm____ Atmosphäre klassisch____ Gerichte der Wiener Küche.

Hauptgerichte

1. Gebraten *er* Fisch mit jung____ Kartoffeln und grün____ Salat
2. Scharf____ Gemüsesuppe mit französisch____ Brot
3. Bunt____ Salat mit schwarz____ Oliven

Desserts

1. Heiß____ Salzburger Nockerln
2. Groß____ Schokoladeneis mit Banane
3. Frisch____ Obstkuchen mit dunkl____ Schokolade

7 Ergänzen Sie die Endungen.

1. Ältest*es* Kaffeehaus von Wien, wie ge-
   mütlich____ Wohnzimmer eingerichtet.
2. Damensalonorchester in traditionsreich____
   Konzertcafé, lecker____ Torten.
3. Teuerst____ Konditorei Wiens mit kühl____
   Atmosphäre.
4. Modern____, aber gemütlich____ Kaffeehaus
   mit Internetplätzen.
5. Klassisch____ Wiener Kaffeehaus in
   zentral____ Lage, 365 Tage im Jahr geöffnet.
6. Legendär____ Künstlertreffpunkt der 60er-
   und 70er-Jahre.

8 Hannes sucht eine Frau.

a) Ergänzen Sie bitte.

Hannes ist ein fantasievoll *er,* fröhlich____ Student und hat groß____ Interesse an alt____ Autos und
modern____ Technik. Er sucht eine nett____, jugendlich____ Frau bis 40 Jahre mit einem eigen____
Haus, einer groß____ Garage und einem sicher____ Arbeitsplatz.

b) Hannes gibt eine Kontaktanzeige auf. Was schreibt er?

Fantasievoll *er* , _____ Student mit
_____ Interesse an _____ Autos und
_____ Technik sucht nett____, _____
Frau bis 40 Jahre mit _____ Haus, _____
Garage und _____ Arbeitsplatz.

9 Adjektive als Nomen. Wie viele Adjektive finden Sie?

1. Das Schöne an Wien sind die Kaffeehäuser. *schön* _____
2. Hier verbringt man die Zeit mit Jungen und Alten, hier sitzen Arme und Reiche.

   _____
3. Ich gehe fast jeden Tag dorthin und trinke dort einen kleinen Braunen. _____
4. Gestern habe ich einen Bekannten im Kaffeehaus getroffen. _____
5. Er ist Deutscher, studiert aber seit ein paar Jahren in Wien. _____
6. Wir haben Kaffee und etwas Süßes bestellt und uns unterhalten. _____
7. Er hat mir erzählt, dass es ihm sehr gut in Wien gefällt; aber manchmal kommt er sich doch wie ein
   Fremder hier vor. _____
8. Nach unserem Gespräch haben wir die Zeitung geholt und das Neueste vom Tag gelesen.

   _____

Wiener und ihre Häuser

Seite 42	Aufgabe 1–3

 1 **Wiener Sehenswürdigkeiten. Lesen Sie und markieren Sie dann den richtigen Satz.**

1. Im Prater kann man
   - [A] Wien besichtigen
   - [B] Riesenrad fahren
   - [C] Fiaker fahren
2. Im Burgtheater spielen
   - [A] Sänger
   - [B] Schauspieler
   - [C] Musiker
3. Das Parlament befindet sich
   - [A] in der Hofburg
   - [B] am Heldenplatz
   - [C] an der Ringstraße
4. Das Café Landtmann ist in der Nähe
   - [A] vom Stephansdom
   - [B] vom Schottenstift
   - [C] vom Burgtheater

5. Im Schottenstift gab es
   - [A] ein Gymnasium
   - [B] ein Theater
   - [C] eine Universität
6. Im Graben kann man
   - [A] gut einkaufen
   - [B] berühmte Schauspieler sehen
   - [C] mit dem Auto fahren

Liebes Tagebuch,

gestern war ich im Prater und bin endlich Riesenrad gefahren – und es war toll! Ich wollte Wien aber auch noch aus der Nähe sehen und habe deshalb heute eine Fiakerfahrt durch die Innenstadt gemacht. Unsere Fahrt mit dem Fiaker hat am Heldenplatz vor der Hofburg begonnen. Von dort sind wir zur Wiener Staatsoper gefahren. Da findet doch immer der Opernball statt. Dann ging die Fahrt weiter die Ringstraße entlang am Parlament vorbei – die Ringstraße führt einmal rund um die Altstadt von Wien. Das Parlament ist das schönste Gebäude an der Ringstraße, finde ich.
Weiter ist unsere Fahrt zum Burgtheater gegangen. Das Burgtheater ist das berühmteste und traditionsreichste Theater in Wien, eigentlich sogar im deutschsprachigen Raum. Viele berühmte Schauspieler arbeiten dort. An der Fassade gibt es viele Statuen von bekannten Dichtern wie Goethe und Shakespeare.
Vorbei am Café Landtmann, wo man die Schauspieler aus dem nahen Burgtheater treffen kann und der Universität sind wir zum Schottenstift gefahren. Im Gymnasium Schottenstift sind übrigens Johann Strauß, der Walzerkönig, und der berühmte Theaterautor Johann Nestroy zur Schule gegangen. Vorbei an vielen interessanten Gebäuden sind wir auch zu einem wunderschönen Jugendstil-Haus mit großen Engeln an der Fassade gekommen.
Durch den Graben, eine große Einkaufsstraße in Wien, sind wir zum Stephansdom gefahren. Der Stephansdom ist eines der Wahrzeichen von Wien, eine der schönsten gotischen Kathedralen der Welt, hat der Fiaker gesagt. Hier war unsere Fahrt auch zu Ende. Wir haben uns noch den Dom von innen angesehen und sind dann ins Restaurant Figlmüller gegangen. Dort sind die Wiener Schnitzel so groß, dass man den Teller nicht mehr sehen kann.

2 **Ein Brief von Nils.**

a) **Lesen Sie und unterstreichen Sie die Formulierungen für Meinungen und Ratschläge.**

> Lieber Hocine,
>
> vielen Dank für deinen lieben Brief. Du fragst mich darin, ob du heiraten sollst. Ich denke, dass das eine sehr gute Idee ist. Ich bin der Meinung, dass du bestimmt keine bessere Frau als Laura findest. Ihr solltet aber zuerst nach einer gemeinsamen Wohnung suchen. Du weißt ja, wie schwer es ist, heute eine schöne und große Wohnung zu finden; vor allem wenn ihr erst mal Kinder habt.
>
> Du schreibst auch, dass du ein bisschen Angst vor der Ehe hast. Ich glaube, das ist ganz normal. Eine Familie bedeutet natürlich eine große Verantwortung. Aber sieh doch auch die positive Seite.
>
> Leider habe ich keine schönen Nachrichten. Wie du weißt, bin ich immer noch arbeitslos und auf der Suche nach einer Stelle. Ich hoffe aber, dass ich dir schon bald bessere Nachrichten schicken kann. Vielleicht hast du ja auch eine Idee, was ich noch machen kann. Du hast doch sehr schnell eine Arbeit hier gefunden.
>
> Bis hoffentlich bald,
> herzliche Grüße von
> Nils

b) **Beantworten Sie den Brief von Nils. Verwenden Sie ähnliche Formulierungen wie im Brief oben.**

Schreiben Sie etwas über folgende Punkte:

– Bedanken Sie sich für den letzten Brief.
– Geben Sie Nils Ratschläge für die Arbeitssuche: mehr Bewerbungen schreiben, noch besser Deutsch lernen, einen Sprachkurs besuchen, eine Anzeige in der Zeitung aufgeben …
– Verabschieden Sie sich.

Lieber Nils, _____

_____

_____

Eine E-Mail aus Zürich

Seite 44/45	Aufgabe 1–2

1 Lesen Sie im Kursbuch Seite 44, Aufgabe 1. Richtig **r** oder falsch **f**?

1. Susanne ist schon mehr als zwei Wochen in Zürich. _____ **r** **f**
2. Susannes Arbeit macht Spaß, weil sie viel Zeit für sich hat. _____ **r** **f**
3. In einer Schweizer Bank ist vieles anders als in einer deutschen. _____ **r** **f**
4. In Zürich gibt es viele freie Wohnungen, die aber sehr teuer sind. _____ **r** **f**
5. Susanne versteht die Zürcher besser, wenn sie Hochdeutsch sprechen. _____ **r** **f**
6. In der Schweiz gibt es viele Ausländer. _____ **r** **f**

2 Tamara antwortet Susanne. Bitte ordnen Sie die E-Mail.

I dass sie nicht zu teuer ist, denn sonst hast du kein Geld mehr zum Leben. Und du gehst wohl auch gern in Cafés :-))! Typisch Susanne ist nicht nur, dass du deine Geldbörse im Café vergessen hast, sondern auch,

Z Hallo Susanne,   *1*

R dass dein Chef das nicht versteht! Auch wenn er ziemlich anspruchsvoll ist, so muss er dir doch Zeit geben, die neue Arbeit richtig kennen zu lernen. Zum Glück hast du nette Kollegen, mit denen du dich auch privat gut verstehst.
Hoffentlich findest du bald eine schöne Wohnung! Es ist wirklich wichtig,

H Ich habe Hans, Evelyn, Luca und die anderen von dir gegrüßt. Sie lassen dich auch ganz herzlich grüßen! Ich wünsche dir weiterhin alles Gute und viel Spaß in Zürich. Schreib mir bitte bald wieder.
Viele Grüße,
deine Tamara

E dass es dir gut geht und dass dir die Arbeit Spaß macht. Das ist doch das Wichtigste! Natürlich ist alles am Anfang anstrengend, weil einige Dinge anders laufen und du viel Neues lernen musst. Und da ist es auch normal, dass man Fehler macht. Schade,

C dass du dich wohl verliebt hast! Wie heißt er denn, dein Russe? Hat er dich schon angerufen? Und was macht er eigentlich in Zürich? Wenn du im Juni nach Regensburg kommst, musst du mir alles erzählen. Ich freue mich schon!

U erst einmal vielen Dank für deine E-Mail! Ich habe mir schon Sorgen gemacht, weil du dich nicht gemeldet hast. Heute wollte ich dir schreiben, aber da habe ich schon deine E-Mail gefunden. Es freut mich sehr,

Lösungswort: 1. $\boxed{Z}$ 2. ☐ 3. ☐ 4. ☐ 5. ☐ 6. ☐ 7. ☐

3 | **Wo steht das normalerweise in einem Brief oder in einer E-Mail?**

	am Anfang	am Ende
1. Liebe Susanne	☒	☐
2. Entschuldige bitte, dass ich dir erst jetzt schreibe.	☐	☐
3. Ich habe mir schon Sorgen gemacht, weil du dich nicht gemeldet hast.	☐	☐
4. Alles Liebe	☐	☐
5. Erst einmal vielen Dank für deine E-Mail.	☐	☐
6. Grüß bitte alle ganz herzlich von mir.	☐	☐
7. Ich hatte so viel zu tun, dass ich mich noch nicht bei dir melden konnte.	☐	☐
8. Schreib mir bitte bald!	☐	☐

4 | **Sätze für einen Brief oder eine E-Mail.**

a) **Ordnen Sie bitte zu.**

~~Es tut mir Leid~~	Es ist toll	Stell dir vor	Es ist schön
Entschuldige bitte	Ich hoffe	Ich wünsche dir	Übrigens
Erinnerst du dich noch	Hoffentlich	Es freut mich	Es ist schade

Freude	Entschuldigung	Wunsch	Erzählen
	Es tut mir Leid		

b) **Susanne antwortet Tamara. Ergänzen Sie bitte.**

Ich hoffe	Hoffentlich	Es ist wirklich schade	Erinnerst du dich
~~Entschuldige bitte~~		Übrigens	Stell dir vor

Liebe Tamara,

vielen Dank für deine letzte Mail. *Entschuldige bitte*, dass ich dir schon so lange nicht mehr geschrieben habe, aber ich hatte furchtbar viel Arbeit. _____, ich habe jetzt eine schöne Wohnung gefunden und kann nächsten Monat umziehen! Ich bin total froh!

_____ gefällt es mir jetzt schon ganz gut in Zürich. Mit meinem Chef ist es zwar immer noch schwierig, aber zum Glück verstehe ich mich mit meiner Kollegin Jeanette immer besser. Sonst würde ich mich hier gar nicht wohl fühlen. Wir haben neulich sogar zusammen einen Ausflug in die Berge gemacht.

_____ an den netten Russen aus meiner letzten E-Mail? Mit ihm habe ich mich gestern zum Abendessen getroffen. Er ist wirklich sehr sympathisch.

_____, dass du mich bald mal besuchen kommst; dann lernst du ihn vielleicht auch kennen. Sicherlich bist du schon schrecklich neugierig.

_____, dass du nicht hier bist!

Herzliche Grüße und _____ bis bald,

Susanne

In der Bank

Seite 46/47 | **Aufgabe 1–4**

1 | **In der Bank.**

a) Finden Sie sechs Wörter.

Aus-	-ter	-se	-to-	-mat
Ü-	-au-	-dru-	Kon-	-wei-
-ber-	-zug	-to-	-sung	-aus-
Geld-	-cker	-zugs-	Kas-	
Schal-				

1. *Auszugsdrucker*   4. _____
2. _____   5. _____
3. _____   6. _____

b) Welches Wort aus a) passt?

1. Herr Stäger wartet am *Schalter*_____. Er möchte Geld abheben.
2. Frau Garí wechselt an der _____ Euro in Schweizer Franken.
3. Herr Leber druckt am _____ seine Kontoauszüge aus.
4. Frau Schuppli möchte eine _____ von 400 Franken machen.

2 | **Bankgeschäfte**

a) Was passt? Bitte markieren Sie.

1. 3500 €: (überweisen) – eingeben – eröffnen
2. ein Konto: einzahlen – eröffnen – ausdrucken
3. Geld: abheben – ausdrucken – eingeben
4. Kontoauszüge: überweisen – wechseln – ausdrucken
5. die Geheimzahl: abheben – eingeben – ausdrucken

b) Bitte kombinieren Sie.

① Laura hat zum Geburtstag 100 CHF bekommen.

② Frau Schupplis Tochter studiert in Basel.

③ Tanja Meier kommt aus Österreich und wohnt erst seit zwei Tagen in Zürich.

④ Frau Fuchs steht am EC-Automaten.

⑤ Frau Jung möchte wissen, wie viel Geld sie auf ihrem Konto hat.

⑥ Eva Sanguino hat keine Schweizer Franken.

A Sie überweist ihr jeden Monat 400 CHF.	1	B
B Sie zahlt das Geld auf ihr Konto ein.	2	
C Sie gibt ihre Geheimzahl ein.	3	
D Sie eröffnet ein Konto.	4	
E Sie wechselt Geld am Schalter.	5	
F Sie geht an den Auszugsdrucker und druckt ihre Kontoauszüge aus.	6	

3 Ein Wort ist nicht richtig. Markieren Sie es bitte.

1. Was kann man nicht wechseln?
   den Zug – Geld – die Schuhe – ~~den Kopf~~ – das Thema – den Beruf – das Konto
2. Was kann man nicht eröffnen?
   die Party – ein Geschäft – ein Konto – den Drucker – eine Ausstellung – die Diskussion – den Tanz
3. Was kann man nicht machen?
   Urlaub – eine Überweisung – die Geheimzahl – Musik – einen Vorschlag – Angst – eine Diät

4 Lesen Sie im Kursbuch Seite 46, Aufgabe 2. Was haben die Leute gemacht?

gewechselt	eröffnet	~~abgehoben~~	überwiesen
ausgedruckt	eingegeben	eingezahlt	

1. Herr Stäger _hat 2500 CHF abgehoben._
2. Frau Schuppli _____
3. Frau Garí _____
4. Herr Leber _____
5. Frau Bertucelli _____
6. Herr Strittmatter _____
7. Herr Löffner _____

5 Herr Strittmatter möchte ein Konto eröffnen. Wer sagt was?

	der/die Bankangestellte	der Kunde/ die Kundin
1. Was kann ich für Sie tun?	X	☐
2. Ich hätte da mal ein paar Fragen zu Ihren Kontomodellen.	☐	☐
3. Hatten Sie schon einmal ein Girokonto bei uns?	☐	☐
4. Haben Sie ein festes Einkommen?	☐	☐
5. Wie ist das denn mit einer Kreditkarte? Ist die inklusive?	☐	☐
6. Ich muss mir das noch einmal in Ruhe überlegen.	☐	☐

Freizeitbeschäftigungen

Seite 48	Aufgabe 1

1 **Susanne macht Pläne. Welche Anzeige passt zu welcher Situation?**

1. Susanne schaut sich gern Sportveranstaltungen an. *C*
2. Sie möchte am Wochenende auch mal in die Berge fahren. _____
3. Sie will die wichtigsten Sehenswürdigkeiten von Zürich kennen lernen. _____
4. Sie geht gern in Konzerte. _____
5. Ihr Freund Cornelius hat alle Heidi-Bücher von Johanna Spyri gelesen. Er kommt im Sommer zu Besuch. _____

A
Zürcher Festspiele
21.06. bis 14.07.
Opern – Konzerte – Theater – Tanz
Informationen im Internet unter
www.zuercher-festspiele.de

C
Ironman Switzerland
3,8 km Schwimmen,
180 km Radfahren,
42,2 km Laufen mit nationalen
und internationalen Stars
Sonntag, 21. Juli
Start: Landiwiese am See

E
Heidiland-Tour
Entdecken Sie mit uns
die Welt von Heidi, ihrem
Großvater und ihren Freunden.
Besuchen Sie mit uns die
Original-Schauplätze der Heidi-
Geschichte, das Dörfli und das
Denkmal von Johanna Spyri,
der bekannten Schweizer
Autorin des Buches „Heidi".

B
Die Rigi – Königin der Schweizer Berge
Mit der ältesten Zahnradbahn Europas
zur Königin der Berge. Genießen Sie
den herrlichen Blick über die Alpen und
sechs Seen. Danach mit dem Schiff
quer über den Vierwaldstätter See nach
Luzern. Abendessen in Luzern und
Rückfahrt mit dem Bus nach Zürich.

D
Entdecken Sie mit uns Zürich!
Auf einem zweistündigen Spaziergang lernen Sie Zürich und
seine Sehenswürdigkeiten kennen. Sie sehen das Geschäfts-
und Bankenzentrum, die Altstadt und das Münster. Unser
Spaziergang führt auch am See entlang und endet dort am
Zürichhorn.
April bis Oktober täglich 9.45/12.00/14.00 Uhr
Treffpunkt: Tourist Service im Hauptbahnhof

2 **Susanne und Jeanette unterhalten sich. Ordnen Sie zu.**

Hast du am Wochenende eigentlich schon was vor?
Also gut, dann treffen wir uns am Samstagmorgen, vielleicht so um neun?
~~Hallo Susannne! Ist hier noch frei?~~   Am besten direkt am Bahnhof. Um neun Uhr. Pünktlich!
Schade. Ich wollte dir mal Zürich zeigen.   Also, dann bis morgen.
Kannst du nicht einen anderen Termin ausmachen?

Jeanette
1. *Hallo Susanne! Ist hier noch frei?*
2. _____
3. _____
4. _____
5. _____
6. _____
7. _____

Susanne
Klar, setz dich doch!
Ich schaue mir am Samstag eine Wohnung an.
Oh, das wäre natürlich toll. Ich habe bisher fast
nichts von der Stadt gesehen.
Hmmm, ich denke schon. Ich kann mir die
Wohnung sicher auch am Sonntag anschauen.
Prima. Und wo?
Ja, ja. Versprochen.
Tschüs. Bis morgen.

1 **zu + Infinitiv. Ergänzen Sie.**

Sie hat nie Zeit	Er vergisst immer	~~Ich finde es schrecklich~~
Es ist unhöflich	Versuch bitte nicht	Er hat nie Lust

1. _Ich finde es schrecklich,_ _____ Weihnachten nicht mit der Familie zu feiern.
2. _____, seinen Computer auszuschalten.
3. _____, mit mir ins Kino zu gehen.
4. _____, sich nicht für das Geschenk zu bedanken.
5. _____, mit seiner Frau einkaufen zu gehen.
6. _____, mich zu überreden.

2 **Trennbar oder nicht?**

a) Bitte markieren Sie die untrennbaren Verben.

1. [X] bezahlen   6. [ ] einkaufen
2. [ ] ausgehen   7. [ ] unternehmen
3. [ ] anrufen   8. [ ] vergessen
4. [ ] aufhören   9. [ ] verschieben
5. [ ] besuchen   10. [ ] abholen

b) Ergänzen Sie jetzt zu + Infinitiv.

1. (abholen) Es ist für mich kein Problem, dich _abzuholen._ _____
2. (ausgehen) Es ist noch zu früh, _____
3. (verschieben) Versuch doch, den Termin _____
4. (anrufen) Hast du Zeit, am Bahnhof _____
5. (besuchen) Hast du Lust, mich mal _____
6. (unternehmen) Am Wochenende habe ich Zeit, etwas _____
7. (bezahlen) Versprich mir, nicht alles allein _____
8. (einkaufen) Es ist anstrengend, nach der Arbeit noch _____

3 **Wie finden Sie das?**

1. (einen guten Krimi lesen) Ich finde es spannend, _einen guten Krimi zu lesen._ _____
2. (mit dem Zug reisen) Er findet es interessant, _____
3. (unsere Eltern besuchen) Wir finden es anstrengend, _____
4. (in der Sonne liegen) Ich finde es gefährlich, _____
5. (Deutsch lernen) Finden Sie es lustig, _____
6. (am Samstag zu Hause bleiben) Es ist langweilig, _____
7. (ihm nicht absagen) Es ist nicht gut, _____
8. (in der Nacht allein sein) Es ist unheimlich, _____
9. (morgens fernsehen) Es ist toll, _____
10. (nach 22 Uhr anrufen) Es ist unhöflich, _____.

4 Infinitivsätze. Antworten Sie bitte.

1. Gehst du mal wieder mit mir ins Kino?
   Ich finde es langweilig, *mit dir ins Kino zu gehen.*
2. Du solltest immer deinen Computer ausschalten.
   Ich versuche ja _____
3. Fahr doch zu deinen Eltern.
   Ich habe keine Lust, _____
4. Nimm dir doch im August Urlaub.
   Ich habe keine Zeit, _____
5. Gehst du mal wieder mit mir einkaufen?
   Es macht mir keinen Spaß, _____
6. Gib nicht mehr so viel Geld für Computerspiele aus.
   Ich will ja aufhören, _____

5 Tamara oder ihr Mann Roland? Beantworten Sie die Fragen.

1. Er hat sie gebeten, das Auto zum Mechaniker zu bringen.
   Wer bringt das Auto in die Werkstatt? *Tamara* _____
2. Sie hat ihm versprochen, seine Bücher in der Bibliothek abzugeben.
   Wer gibt die Bücher ab? _____
3. Er versucht schon seit Stunden, sie im Büro anzurufen.
   Wer ruft an? _____
4. Sie empfiehlt ihm, das Hotel so früh wie möglich zu reservieren.
   Wer reserviert das Hotel? _____
5. Sie hat nicht vergessen, Rolands Eltern vom Bahnhof abzuholen.
   Wer hat die Eltern abgeholt? _____
6. Sie bittet ihn, heute unbedingt ihre Blumen zu gießen.
   Wer gießt die Blumen? _____

6 Infinitiv oder *zu* + Infinitiv?

1. Ich versuche pünktlich _zu___ kommen.
2. Hast du Lust, morgen essen _____ gehen?
3. Möchtest du heute Abend ins Kino _____ gehen?
4. Ich habe leider keine Zeit aus_____gehen.
5. Ich muss morgen den ganzen Tag _____ arbeiten.
6. Um wie viel Uhr fängst du morgens an _____ arbeiten?
7. Versprichst du mir, mich morgen an_____ rufen?
8. Wir können uns erst am Montag _____ treffen.

7 Susanne möchte etwas mit Jeanette unternehmen.

a) Susanne hat notiert, was sie gern machen möchte. Ergänzen Sie die Sätze.

Montag ist Kinotag! → 20.30 Uhr „Frühstück bei Tiffany" im Cinemaxx

Dienstagabend: Party bei Urs

Mittwoch: essen gehen?

Freitag: tanzen gehen (ab 22 Uhr Salsa im „Sound"!)

Samstagnachmittag: kostenlose Schifffahrten auf dem Zürichsee!

Sonntag ab 10 Uhr: sich zum Frühstück im Café am Hechtplatz treffen

1. Susanne hat Lust, am Montagabend _ins Kino zu gehen._
2. Susanne hat vor, am Dienstagabend _____
3. Susanne möchte am Freitagabend _____
4. Susanne hat Lust, am Samstagnachmittag _____
5. Und am Sonntag möchte Susanne _____

b) Hier ist Jeanettes Terminkalender. Wann kann sie, wann nicht?

Montag	Dienstag	Mittwoch	Donnerstag	Freitag	Samstag	Sonntag
20 Uhr Fotokurs	21 Uhr Café Capri mit Jörg	18 Uhr Sabine vom Bahnhof abholen		18.34 Uhr Zug nach Bern	20.03 Uhr Rückfahrt Bern–Zürich	

1. Jeanette hat Lust, am Montag Abend mit Susanne _ins Kino zu gehen._
   Aber sie kann nicht, sie muss _in den Fotokurs gehen._
2. Jeanette hat am Dienstagabend keine Zeit, _____
   Sie möchte _____
3. Jeanette hat Zeit, am Mittwoch _____, aber erst ab 19 Uhr.
   Vorher muss sie ihre Freundin Sabine _____
4. Jeanette hat keine Zeit, _____
   Sie muss _____
5. Jeanette kann am Samstagnachmittag _____
   Sie kommt _____
6. Jeanette und Susanne können _____

„Blinde Kuh"

 1 **Im Restaurant „Blinde Kuh".**

a) **Welches Verb passt zu welchem Körperteil?**

tasten   schmecken   sehen

riechen   hören

b) **Lesen Sie die Kommentare und verbinden Sie.**

1. Hmm! Der Reis riecht aber gut.   sehen
2. Die Musik ist aber schön!   schmecken
3. Die Servietten sind aber weich!   hören
4. Der Fisch ist aber lecker!   riechen
5. Hier ist es aber dunkel!   tasten

① *tasten*

 2 **Susanne reserviert einen Tisch im Restaurant „Blinde Kuh". Nummerieren Sie.**

- [1] Blinde Kuh, Pauli, guten Tag!
- [ ] Für wie viele Personen denn?
- [ ] Fries, guten Tag. Ich wollte fragen, ob Sie für Samstagabend noch einen Tisch frei haben.
- [ ] Fries.
- [ ] Für vier Personen.
- [ ] Ja, das geht. Wie war noch mal Ihr Name?

1 **Verben mit Präpositionen.**

a) **Bitte markieren Sie.**

1.	sich gewöhnen	zu	(an)	auf
2.	sich interessieren	für	mit	vor
3.	sich ärgern	über	auf	vor
4.	jemanden einladen	für	zu	bei
5.	warten	für	vor	auf
6.	anfangen	mit	an	auf
7.	jemandem helfen	für	auf	bei
8.	Angst haben	für	mit	vor
9.	sich treffen	mit	für	an

b) Dativ oder Akkusativ? Bitte markieren Sie.

	Dativ	Akkusativ
1. Ich kann mich nicht an <u>das Leben</u> hier gewöhnen.	☐	☒
2. Ich habe Angst vor <u>der Prüfung</u>.	☐	☐
3. Susanne hat sich gestern mit <u>ihrer Freundin</u> getroffen.	☐	☐
4. Interessierst du dich für <u>die Filme</u> von Kusturica?	☐	☐
5. Auf <u>wen</u> wartest du?	☐	☐
6. Hermine Espenlaub hat sich über <u>ihren Bruder</u> geärgert.	☐	☐
7. Wir fangen morgen schon um 7 Uhr mit <u>der Arbeit</u> an.	☐	☐
8. Kannst du mir bei <u>den Hausaufgaben</u> helfen?	☐	☐
9. Ich möchte dich zu <u>meinem Geburtstag</u> einladen.	☐	☐

2 Was passt zusammen?

① sich gewöhnen an	Ⓐ den Hausaufgaben	1 H
② sich interessieren für	Ⓑ Musik	2 ☐
③ sich ärgern über	Ⓒ Geburtstag	3 ☐
④ jemanden einladen zum	Ⓓ guten Freunden	4 ☐
⑤ warten auf	Ⓔ dem Essen	5 ☐
⑥ anfangen mit	Ⓕ großen Hunden	6 ☐
⑦ jemandem helfen bei	Ⓖ den Weihnachtsmann	7 ☐
⑧ Angst haben vor	Ⓗ das schlechte Wetter	8 ☐
⑨ sich treffen mit	Ⓘ den unfreundlichen Verkäufer	9 ☐

3 Peter Mwangi erzählt

a) Lesen Sie den Text und markieren Sie die richtige Form.

Ich lebe jetzt seit fast vier Jahren in Zürich. Die erste Zeit war nicht leicht! Ich war ganz allein und konnte mich nicht an ☒ das Leben ☐ dem Leben in der Schweiz gewöhnen. Es war vor allem schwer, Leute kennen zu lernen. Die Zürcher haben sich nicht besonders für ☐ mich ☐ mir interessiert. Vielleicht hatten sie ein bisschen Angst vor ☐ mich ☐ mir, weil ich schwarz bin. Also habe ich mich nur mit ☐ Leuten ☐ Leute aus meinem Heimatland getroffen. Dann habe ich ein sehr nettes Schweizer Ehepaar kennen gelernt. Sie haben mir ☐ beim Deutschlernen ☐ bei den Deutschlernen geholfen und ich habe sie ☐ zum Essen ☐ zu das Essen eingeladen. Ich bin ein guter Koch. Wir sind bald Freunde geworden. Dann habe ich mit ☐ meiner Ausbildung ☐ meine Ausbildung angefangen, eine eigene Wohnung bekommen und viele neue Freunde gefunden. Jetzt fühle ich mich sehr wohl in Zürich!

b) Ergänzen Sie. Vergessen Sie nicht, die Pronomen zu ändern!

1. Peter konnte sich nicht <u>an das Leben in der Schweiz</u> gewöhnen.
2. Die Zürcher haben sich nicht besonders _____ interessiert.
3. Sie hatten vielleicht ein bisschen Angst _____.
4. Er hat sich nur _____ getroffen.
5. Das Schweizer Ehepaar hat ihm _____ geholfen.
6. Er hat sie _____ eingeladen.
7. Später hat er _____ angefangen.

4 Aus dem Gästebuch des Restaurants „Blinde Kuh". Lesen Sie im Kursbuch Seite 50/51, Aufgabe 3, und ergänzen Sie dann.

1. Dietmar und Ingrid Koch: Wir haben ziemlich lange _auf_ einen freien Tisch _gewartet_ und erst um 21 Uhr _____ dem Essen _____. Aber es hat sich gelohnt! Das Essen, der Service, einfach alles war prima. Wir _____ _____ schon _____ das nächste Mal!

2. Marcel Matysiak: Ich war das erste Mal hier, aber ich habe _____ sehr schnell _____ die Dunkelheit _____. Schmecken, tasten, riechen und hören! Das Essen und die Musik waren wirklich wundervoll! Ich habe _____ vorher nicht _____ Blinde _____. Heute haben Sie mir die Augen geöffnet! Herzlichen Dank!

3. Regula Espenlaub: Mein Bruder hat _____ hier _____ einem Geburtstagsessen _____. Ich habe _____ wirklich sehr _____ ihn _____, denn er hat mir nicht erzählt, was das hier ist! Ich _____ die ganze Zeit _____ der Dunkelheit!

4. Beate Karle: Ich _____ _____ hier _____ alten Schulfreunden _____. Es war unglaublich lustig! Am Anfang habe ich mein Weinglas umgeschüttet, direkt auf meinen Salatteller. Meine Freundin Doris hat ihre Gabel verloren und nie wieder gefunden. Zum Glück hat _____ der Kellner _____ Essen _____!

5 Reflexive Verben mit Präpositionen. Bitte schreiben Sie.

1. Das schlechte Wetter ärgert mich. _Ich ärgere mich über das schlechte Wetter._
2. Wielands Bücher interessieren ihn. _____
3. Cornelia und Waldemar treffen ihre Eltern. _____
4. Dein Erfolg freut uns. _____
5. Ihr großer Bruder ärgert sie. _____
6. Interessiert euch der Film? _____
7. Melindas Postkarte freut mich. _____
8. Andrea trifft eine alte Schulfreundin. _____

6 Formulieren Sie die Fragen. Verwenden Sie dabei Verben mit Präpositionen.

anfangen	sich freuen
Angst haben	sich interessieren
~~helfen~~	sich ärgern

auf	über	mit
vor	~~bei~~	für

1. _Kannst du mir bei den Haus-_
   aufgaben helfen?
2. _____
3. _____
4. _____
5. _____
6. _____

– Kannst du deine Hausaufgaben nicht alleine machen?
– Wir arbeiten morgen erst ab 9 Uhr.
– Nein, die Prüfung ist doch kein Problem!
– Klar, es regnet schon wieder am Sonntag!
– Na klar! Die Party wird bestimmt prima!
– Doch, ich finde Politik sehr interessant!

7 Schweizer Schokolade. Welche Überschrift passt zu welchem Abschnitt? Zwei Überschriften passen nicht.

A Noch im 19. Jahrhundert hat man bei Schokolade nicht an die Schweiz, sondern eher an Länder wie Spanien, Frankreich, England oder Holland gedacht. Und noch einige hundert Jahre früher war die Schokolade in der „Alten Welt" überhaupt nicht bekannt.

B Erst seit dem 19. Jahrhundert gibt es Schokolade auch zum Essen. Neue Rezepte wie die Milchschokolade und neue Maschinen zur einfacheren Herstellung von Schokolade machen aus dem ursprünglich exklusiven Produkt Schokolade schnell eine Süßigkeit für alle. Zu Beginn des 20. Jahrhunderts ist die Schweizer Schokolade schon auf der ganzen Welt bekannt und beliebt.

C Um 1528 bringen die Spanier die Kakaobohne aus Mexiko nach Spanien; das von den Maya, den Bewohnern Mexikos, aus der Kakaobohne gekochte Getränk wird in Spanien schnell zur Mode. Der Name für dieses Getränk, Schokolade, kommt von den beiden Mayawörtern „chocol" (heiß) und „atl" (Wasser). Im Spanischen wurde daraus „chocolate".

D Von Spanien aus erreicht die Schokolade ganz Europa. 1819 wird die erste Schokoladenfabrik in der Schweiz eröffnet. Die erste Schokoladenfabrik in der Deutschschweiz gründet der Zürcher Konditor Rudolf Sprüngli-Ammann 1845. Am Paradeplatz in Zürich lohnt sich auch heute noch ein Besuch der Konditorei Sprüngli.

E Heute ist die Schokolade neben den Schweizer Uhren und dem Schweizer Taschenmesser eines der bekanntesten Schweizer Produkte. Schweizer Schokolade isst man überall auf der Welt.

1. Vor 100 Jahren beginnt die Erfolgsgeschichte der Schweizer Schokolade.   *B*
2. In der Schweiz gibt es Schokolade erst seit etwa 200 Jahren.   _____
3. Schokolade ist das berühmteste Schweizer Produkt.   _____
4. Schweizer Schokolade ist weltberühmt.   _____
5. Schokolade gibt es in vielen Farben und Sorten.   _____
6. Die Spanier haben den Kakao in Mexiko entdeckt.   _____
7. Die lange unbekannte Schokolade wird in Europa immer beliebter.   _____

Das schwarze Brett

Seite 52/53	Aufgabe 1–3

1 Lesen Sie noch einmal im Kursbuch Seite 52, Aufgabe 1. Ordnen Sie bitte zu.

① Woran hat sich Susanne gewöhnt?
② Bei wem bedankt sich Herr Tritschler?
③ Und wofür bedankt er sich?
④ Mit wem unterhält sich Susanne gern?
⑤ Um wen muss sich Herr Tritschler kümmern?
⑥ Für wen nimmt sich Susanne viel Zeit?
⑦ Worauf freut sich Susanne?
⑧ Auf wen muss Herr Tritschler aufpassen?

A Bei seinen Kollegen.
B Mit Menschen aus aller Welt.
C Für ihre Freunde.
D Auf ihren ersten Urlaub.
E An das Schweizerdeutsch.
F Um seine Enkel.
G Auf seine Enkel.
H Für die gute Zusammenarbeit.

1	E
2	
3	
4	
5	
6	
7	
8	

2 Welches Verb gehört zu welcher Präposition? Akkusativ oder Dativ?

denken sich kümmern sich Sorgen machen ~~aufpassen~~ Probleme haben helfen sich unterhalten sich erinnern sich Zeit nehmen warten sich bedanken (2-mal)

1. _aufpassen_ } auf + _Akkusativ_

2. _____ } an + _____

3. _____ } mit + _____

4. _____ } für + _____

5. _____ } um + _____

6. _____ } bei + _____

3 Ein Brief von Großmutter. Bitte ergänzen Sie die Präpositionen.

Meine liebe Susanne,

wie geht es dir? Zuerst möchte ich mich **(1)** _bei_ dir **(2)** _____ deinen netten Brief
bedanken. Ich denke jeden Tag **(3)** _____ dich und vermisse dich sehr. Ich konnte dir leider
nicht schneller antworten, weil ich mich **(4)** _____ Großvater kümmern musste. Er war krank,
weißt du? Wir haben uns schon Sorgen **(5)** _____ ihn gemacht, aber jetzt geht es ihm wieder
besser. Und dann muss ich gerade **(6)** _____ den Hund von Meiers aufpassen. Die sind nämlich
zwei Wochen nach Mallorca geflogen. Deine Oma hat viel zu tun!
Und du? Hast du immer noch Probleme **(7)** _____ deinem Chef? Und hast du jetzt jemanden,
der dir **(8)** _____ der Wohnungssuche hilft? Ich hoffe, du findest bald etwas Schönes!
Gestern habe ich mich **(9)** _____ deinem Vater unterhalten. Er ist ein bisschen sauer, dass
du nicht anrufst. Er glaubt, du erinnerst dich nicht mehr **(10)** _____ ihn! Nimm dir doch ein
bisschen Zeit **(11)** _____ einen Brief oder telefoniere öfter **(12)** _____ ihm. Was meinst du?
So, jetzt muss ich Schluss machen! Dein Großvater wartet **(13)** _____ das Essen …
Bis bald und alles Gute!

Deine Großmutter

4 Was denkt Herr Tritschler wirklich? Dativ oder Akkusativ? Markieren Sie.

1. Frau Knab arbeitet wirklich schlecht. Ich ärgere mich oft über ihr / (sie.)
2. Wenn ich sie rufe, muss ich immer auf ihr / sie warten.
3. Am ersten Tag war sie ganz nett und ich konnte mich ganz gut mit ihr / sie unterhalten.
4. Jetzt spricht sie nicht mehr mit mir. Vielleicht hat sie Angst vor mir / mich.
5. Wenn ich ihr helfe, bedankt sie sich nicht bei mir / mich.
6. Und ich nehme mir so viel Zeit für ihr / sie.
7. Wenn sie nicht will, dann kümmere ich mich eben nicht mehr um ihr / sie!
8. Zum Glück gehe ich in Rente! An dieser / diese Frau kann ich mich nicht gewöhnen.
9. Leider muss ich sie zu meinem / meinen Abschiedsfest einladen.

5 Wo- oder Wor-? Fragewörter mit Präpositionen.

1. _Womit_ hat Susanne Probleme? – Mit der Sprache.
2. _____ erinnert sich Herr Tritschler gern? – An die Betriebsausflüge.
3. _____ haben die Kollegen geholfen? – Beim Aufbau der Filiale.
4. _____ macht er sich keine Sorgen? – Um die Zukunft.
5. _____ freut sich Susanne? – Auf ihren ersten Urlaub.
6. _____ bedankt sich Herr Tritschler? – Für die gute Zusammenarbeit.

6 Person oder keine Person? Kombinieren Sie.

① Worauf wartest du?	A	An meine Schwester. Sie hat heute Geburtstag.	1 C
② Woran denkst du?	B	Vor meiner Chefin. Sie ist nicht nett zu mir.	2
③ Wovor hast du Angst?	C	Auf den Bus. Ich möchte nach Hause fahren.	3
④ An wen denkst du?	D	Auf meine Freundin. Sie kommt immer zu spät!	4
⑤ Auf wen wartest du?	E	Vor der Prüfung. Sie ist sicher sehr schwer.	5
⑥ Vor wem hast du Angst?	F	An das Abendessen. Ich habe Hunger.	6

7 Stellen Sie Fragen.

1. _Wofür_ nimmst du dir viel Zeit? – Für die Hausaufgaben.
2. _____ hast du Probleme? – Mit meinem Mann.
3. _____ denkst du? – An meine Großmutter.
4. _____ musst du aufpassen? – Auf meine Tochter.
5. _____ denkst du? – An meinen Urlaub.
6. _____ nimmst du dir viel Zeit? – Für meinen Freund.
7. _____ hast du Probleme? – Mit der Grammatik.
8. _____ musst du aufpassen? – Auf meinen Fotoapparat.

Seite 53	Aufgabe 4–6

1 Steht das Pronomen für eine Person, für ein anderes Nomen oder für einen ganzen Satz? Unterstreichen Sie bitte.

1. Der letzte Betriebsausflug war wirklich schön. Ich denke oft _daran_.
2. Großvater geht es gut. Ich habe gestern mit _ihm_ telefoniert.
3. Es gibt viel Arbeit. Am besten, wir fangen gleich _damit_ an!
4. Der Drucker geht mal wieder nicht. _Darauf_ habe ich schon gewartet.
5. Schau mal! Da hinten ist Karin. Kannst du dich noch an _sie_ erinnern?
6. Hier regnet es so oft. Ich kann mich einfach nicht _daran_ gewöhnen.
7. Meine Enkel haben Probleme mit den Hausaufgaben. Also helfe ich _ihnen_ dabei.
8. Herr Tritscher ist oft so unfreundlich. _Darüber_ ärgere ich mich wirklich.

dabei oder *bei* ihm? Dialoge in der Bank. Ergänzen Sie bitte.

1. Weißt du, wie man dieses Formular ausdruckt? – Warte, ich helfe dir *dabei.*
2. Der Chef ist wirklich unfreundlich! – Stimmt. Ich ärgere mich auch _____
3. Morgen ist endlich Wochenende! – Ich freue mich auch schon _____.
4. Wie geht es deinen Eltern? – Gut. Ich habe gestern _____ telefoniert.
5. Der Auszugsdrucker ist kaputt. – Ich kümmere mich gleich _____.
6. Jadwiga sieht heute krank aus. – Hmm. Ich mache mir auch schon Sorgen _____.
7. Ich verstehe den Dialekt hier kaum. – Keine Angst, _____ gewöhnst du dich schnell.
8. Hast du Frau Frohning schon kennen gelernt? – Ja, ich habe mich in der Pause _____ unterhalten.

Herr Tritschler hat Probleme mit seiner Familie. Geben Sie ihm Ratschläge!

1. Ich sehe meine Tochter fast nie.

   Nehmen Sie sich doch mehr Zeit für sie!
   (sich mehr Zeit nehmen)

2. Meine Frau putzt den ganzen Tag das Haus.

   _____
   (helfen)

3. Meine Enkel sind immer so laut.

   _____
   (sich mehr kümmern)

4. Meine Frau sitzt jeden Abend vor dem Fernseher.

   _____
   (sich unterhalten)

5. Wir wissen noch nicht, wo wir nächstes Jahr Urlaub machen.

   _____
   (sich keine Sorgen machen)

6. Meine Mutter ist sauer, weil ich mich nicht um sie kümmere.

   _____
   (öfter telefonieren)

7. Immer klingelt das Telefon bei uns zu Hause.

   _____
   (sich nicht ärgern)

Frau Tritschler unterhält sich mit einer Freundin.

damit	mit wem	wofür	an	dafür	daran
mit ihnen	um sie	an ihn	für	darauf	für ihn

▶ Nächste Woche geht mein Mann in Rente. Er wartet schon so lange **(1)** *darauf*, weil er das ganze Haus ausmalen möchte. Hoffentlich fängt er nicht sofort **(2)** _____ an!

◁ Hat er denn keine anderen Hobbys? **(3)** _____ interessiert er sich denn sonst so?

▶ **(4)** _____ seine Uhrensammlung! Jetzt nimmt er sich sicher noch mehr Zeit **(5)** _____. Er sollte lieber **(6)** _____ seine Enkel denken und sich mehr **(7)** _____ kümmern!

◁ Dann ist Ihr Mann jetzt immer zu Hause?!

▶ Oh ja! Hoffentlich kann ich mich **(8)** _____ gewöhnen. Er denkt bestimmt, dass ich immer **(9)** _____ Zeit habe. **(10)** _____ kann er sich sonst unterhalten? Er hat ja kaum Freunde.

◁ Und seine Kollegen?

▶ Na ja, er hatte ziemlich viele Probleme **(11)** _____. Ich glaube nicht, dass sie sich gern **(12)** _____ erinnern.

Ein Quiz

Seite 54	Aufgabe 1–2

1 **Die Schweiz ist ein bisschen anders als andere Länder! Warum?**

a) In diesem Text finden Sie die Informationen für das Quiz auf Seite 54.

A Die Schweiz liegt im Zentrum Europas, ist aber doch anders als die meisten Länder in Europa. Politisch gesehen. Denn das kleine Land mit seinen etwas mehr als 7 Millionen Einwohnern (etwa so viele wie London) ist nicht Mitglied der Europäischen Gemeinschaft (EU) wie alle seine Nachbarländer. Die Schweizer wollten bisher immer neutral bleiben. Trotzdem gehören sie seit 2002 zu den Vereinten Nationen (UNO).

B Die Schweiz hat vier Landessprachen: Deutsch, Französisch, Italienisch und Rätoromanisch. Die meisten Schweizer (etwa 63 %) sprechen zwar Deutsch als Muttersprache; wenn Sie aber über den „Röstigraben" in den französischen Teil fahren (dort gibt es die typischen „Rösti" – eine Art Bratkartoffeln – gar nicht!), geht es nicht ohne Französisch. Und wenn Sie im Tessin auf den höchsten Berg der Schweiz, den Monte Rosa (4637 m), steigen wollen, sollten Sie vorher Italienisch lernen.

C Die Schweiz ist traditionell ein sehr demokratisches Land. Das war aber lange Zeit nur für die Männer so. Erst seit 1973 können Frauen das Parlament in der Hauptstadt Bern wählen. Und bis 1990 durften sie in manchen Kantonen, den Schweizer „Bundesländern", immer noch nicht wählen. Das ist heute natürlich anders.

D Die Schweiz ist nicht in der NATO. Deshalb ist die Armee in der Schweiz sehr wichtig. Jeder Schweizer Mann muss regelmäßig an Militärübungen teilnehmen. Und zu Hause ein Gewehr im Schrank haben. Damit kann er das Land schützen, wenn es Krieg gibt.

E Die Schweiz ist ein traditionelles, aber auch ein multikulturelles Land. Mehr als 20 % Ausländer leben und arbeiten in der Schweiz. Max Frisch, vielleicht der bekannteste Schweizer Schriftsteller, hat schon 1965 begrüßt, dass Ausländer in die Schweiz zum Arbeiten kommen und hat darüber geschrieben: „Man hat Arbeitskräfte gerufen, und es kommen Menschen."

b) Welche Überschrift wohin? Zwei Überschriften passen nicht.

1. Zwischen Tradition und Offenheit   Text _E_
2. Ein Land – vier Sprachen   Text _____
3. Kultur und Tradition   Text _____
4. Eine Waffe für jeden Mann   Text _____
5. Frauenwahlrecht in der Schweiz   Text _____
6. Die Schweiz – das etwas andere Land in der Mitte Europas   Text _____
7. Die Schweizer Bergwelt   Text _____

hundertfünfundvierzig
145

16

Lektion 17

Die Schwabenmetropole: Stuttgart

Seite 56/57	Aufgabe 1–2

1 Ein Begriff passt nicht. Markieren Sie bitte.

1. Sekretärin – Industrieelektroniker – ~~Ausländer~~ – Industriemeister
2. Lehrling – Bauer – Berufsschule – Ausbilder
3. Galerie – Ausstellung – Kunst – Technik
4. Azubi – Werkstatt – Laden – Hightech-Konzern
5. Mineralwasser – Quelle – Liter – Wald
6. Zoo – Tier – Pasta – Biologie

2 Was ist richtig? Markieren Sie bitte.

1. In einer Kunstgalerie gibt es
   - ☒ Bilder und Fotos
   - Ⓑ HipHop-Musik
   - Ⓒ Elektrotechnik

2. Was produziert ein Bauer?
   - Ⓐ z.B. Lebensmittel und Getränke
   - Ⓑ z.B. Obst und Gemüse
   - Ⓒ z.B. Autos und Motorräder

3. Was machen Azubis?
   - Ⓐ sie unterrichten
   - Ⓑ sie studieren
   - Ⓒ sie lernen

4. Woraus macht man Pasta?
   - Ⓐ aus Milch
   - Ⓑ aus Mehl
   - Ⓒ aus Fleisch

5. Wasser kann
   - Ⓐ bieten
   - Ⓑ fließen
   - Ⓒ besitzen

6. Was ist Hightech?
   - Ⓐ Automobilindustrie
   - Ⓑ Feinmechanik
   - Ⓒ ganz moderne Technik

3 Verbinden Sie.

1. Arbeitsplätze — besitzen
2. eine Werkstatt — besuchen
3. eine Lehrstelle — machen
4. die Berufsschule → bieten
5. Abitur — suchen
6. ein Auto — gründen

Robert Bosch – ein Erfinder

Seite 58/59 | Aufgabe 1–2

 1 **Welche Wörter haben eine ähnliche Bedeutung? Verbinden Sie.**

1. Praktikum   gründen
2. Gerät   beruflicher Erfolg
3. eröffnen   Apparat
4. erfinden   Ausbildung
5. dringend   entwickeln
6. Karriere   wichtig

2 **Welches Wort hat eine etwas andere Bedeutung? Streichen Sie durch.**

1. Karriere – beruflicher Erfolg – ~~finanzieller Gewinn~~
2. Lehre – Praktikum – Berufsausbildung
3. Fabrik – Firma – Unternehmen
4. Gerät – Apparat – Motor
5. gründen – öffnen – eröffnen
6. verwendbar – brauchbar – machbar

3 **Wortbildung**

a) **Adjektive: *-bar* oder *-los*?**

| ~~form-~~ | kosten- | grenzen- | furcht- | arbeits- | verwend- | wunder- | problem- |

-bar	-los
formbar,	

b) **Welche Verben stecken in diesen Adjektiven?**

1. unglaublich: *glauben*
2. verwendbar: _____
3. arbeitslos: _____
4. machbar: _____

5. regnerisch: _____
6. unbekannt: _____
7. kostenlos: _____
8. brauchbar: _____

 4 **Wie heißen die Nomen zu diesen Verben?**

1. verändern: *Veränderung*
2. besuchen: _____
3. entwickeln: _____
4. ausbilden: _____

5. eröffnen: _____
6. spenden: _____
7. stiften: _____
8. helfen: _____

5 *entwickeln, entdecken, erfinden.* **Verstehen Sie den Unterschied?**

a) *entdecken oder erfinden?*

1. Die Firma Bosch hat die Zündkerze
    ☐ entdeckt ☐ erfunden.
2. Christoph Kolumbus hat für die Europäer Amerika
    ☐ entdeckt ☐ erfunden.
3. Thomas Alva Edison hat die Glühbirne
    ☐ entdeckt ☐ erfunden.
4. Sigmund Freud hat die Psychoanalyse
    ☐ entdeckt ☒ erfunden.
5. Vor vielen tausend Jahren haben die Menschen das Rad
    ☐ entdeckt ☐ erfunden.
6. David Livingstone hat die Victoria-Wasserfälle
    ☐ entdeckt ☐ erfunden.

b) *entwickeln, entdecken, erfinden?*

1. ein Projekt, ein Produkt, einen Film: *entwickeln*
2. einen Apparat, eine Maschine, etwas Neues: _____
3. ein Land, einen Kontinent, einen Fluss: _____

Seite 59	Aufgabe 3–5

1 **Was passt zusammen?**

① Eine Waschmaschine ist eine Maschine,
② Roboter sind Apparate,
③ Ein Navigationssystem ist ein Gerät,
④ Mitarbeiter sind alle Leute,
⑤ Ein Azubi ist ein junger Mensch,
⑥ Bosch ist ein Hightech-Konzern,

A das man im Auto verwendet.
B die für ein Unternehmen arbeiten.
C der einen Beruf lernt.
D denen man die Arbeit nicht erklären muss.
E der für die ganze Welt produziert.
F die Wäsche automatisch wäscht.

1	F
2	
3	
4	
5	
6	

2 **Welchen Kasus haben die Relativpronomen? Ergänzen Sie bitte.**

1. Schau mal. Da ist schon wieder der teure Wagen, <u>der</u> hier jeden Tag parkt. → *Nominativ*
2. Hast du schon mal die Frau gesehen, <u>der</u> das Auto gehört? → _____
3. Nein, das gehört nicht ihr, sondern dem verrückten Mann, <u>den</u> wir gestern in der Bäckerei gesehen haben. → _____
4. Du meinst den Mann, <u>dem</u> die Bäckerin zu viel Geld zurückgegeben hat? → _____
5. Nein, das mit dem Geld ist doch den Leuten passiert, <u>die</u> unbedingt mit ihrem Hund in den Laden kommen wollten. → _____
6. Da erinnerst du dich nicht richtig. Das Paar, <u>das</u> wir mit dem Hund beobachtet haben, hat am Ende gar nichts gekauft! → _____

3 Ein altes Ehepaar

„Sag mal, hörst du schlecht?!" Bilden Sie Relativsätze im Nominativ.

1. ▶ Schau mal, der Mann dort ist letzte Woche
   in die Wohnung unter uns gezogen.
   ◁ Wer ist das?
   ▶ Das ist der Mann, *der letzte Woche in*
   die Wohnung unter uns gezogen ist.

2. ▶ Diese Frau da unterhält sich den ganzen Tag mit
   den Nachbarn.
   ◁ Wer ist das?
   ▶ Das ist die Frau, _____

3. ▶ Das Kind dort macht ja einen furchtbaren Lärm.
   ◁ Wer ist das?
   ▶ Das ist das Kind, _____
   _____

4. ▶ Und die Leute gegenüber haben immer Besuch.
   ◁ Wer ist das?
   ▶ Das sind die Leute, _____

5. ▶ Die Studenten da wohnen in der Wohngemeinschaft im zweiten Stock.
   ◁ Wer ist das?
   ▶ Das sind die Studenten, _____

6. ▶ Das da ist unser Hausmeister. Der kümmert sich um nichts.
   ◁ Wer ist das?
   ▶ Das ist unser Hausmeister, _____

4 „Hilf mir doch!" Bilden Sie Relativsätze im Akkusativ.

1. ▶ Wo habe ich denn nur das Buch hingelegt?
   ◁ (letzte Woche bei Hugendubel gekauft)
   Meinst du das Buch, *das du letzte Woche bei Hugendubel gekauft hast?*

2. ▶ Wo ist bloß mein Schlüssel?
   ◁ (du hast ihn vorher auf den Tisch gelegt)
   Ach, du meinst sicher den Schlüssel, _____.

3. ▶ Seit Tagen suche ich meine Wanderschuhe.
   ◁ (noch nie benutzt)
   Ich glaube, die Wanderschuhe, _____,
   stehen im Keller.

4. ▶ Ich kann meine Brille nicht finden.
   ◁ (gestern im Brillengeschäft abgeholt)
   Suchst du die Brille, _____.

5. ▶ Wo sind eigentlich die Kontoauszüge?
   ◁ (wir haben sie gestern bekommen)
   Sprichst du von den Auszügen, _____?

6. ▶ Hast du meine Geldbörse gesehen?
   ◁ (im Urlaub in Mallorca gekauft)
   Suchst du etwa die Geldbörse, _____?

Der Millionär. Bilden Sie Relativsätze im Dativ.

1. (nie gefehlt) Meine lieben Verwandten, _denen ich nie gefehlt habe,_ _____
   interessieren sich plötzlich für mich, seit ich alt und krank bin. Aber sie werden mein Geld nicht
   bekommen, ich habe es schon verschenkt!

2. (mein großes Haus geschenkt) Das ist die Familie mit fünf Kindern, _____
   _____

3. (mein teures Auto gegeben) Das ist das Behindertenzentrum, _____
   _____

4. (meine Bibliothek versprochen) Das da sind die Studenten, _____
   _____

5. (finanziell geholfen) Und hier ist ein Foto von der jungen Zirkusgruppe, _____
   _____

6. (meine Kreditkarten geschickt) Das hier ist die Adresse von meinem ehemaligen Chauffeur, _____
   _____

7. (gestern die Rolex-Armbanduhr gebracht) Schauen Sie mal auf die Straße: Sehen Sie dort drüben den
   Arbeitslosen,
   _____

8. (meinen Garten geschenkt) Und wenn Sie aus dem Fenster schauen, sehen Sie auf der Gartenbank
   das arme Rentnerpaar, _____

6 **Bilden Sie bitte zwei Hauptsätze.**

1. Ich kenne einen Mann, der Autos über alles liebt.
   Ich kenne einen Mann. Er liebt Autos über alles. _____

2. Letzte Woche hat er sich ein teures Auto gekauft, das aus Stuttgart kommt.
   _____ .

3. Das Auto gefällt auch seiner Frau, die ebenfalls gern Auto fährt.
   _____ .

4. Manche Männer, die etwas altmodisch sind, glauben, dass Frauen schlechter Auto fahren als Männer.
   _____ .

5. Immer mehr Leute, die umweltfreundlich denken, fahren gar nicht mehr mit dem Auto, sondern mit
   Bus und Bahn.

7 **Meine Familie und ich. Ergänzen Sie das passende Relativpronomen.**

1. Mir schmeckt alles. Aber mein Bruder ist ein Mensch, _dem_ nichts schmeckt!
2. Ich bin immer fröhlich. Aber mein Bruder ist ein Mensch, _____ immer traurig ist!
3. Mich haben alle gern. Aber meine Schwester ist eine Person, _____ nur wenige gern haben!
4. Mich rufen viele Freunde an. Aber meine Eltern sind Leute, _____ niemand anruft!
5. Ich bin gern mit Freunden zusammen. Aber meine Eltern sind Leute, _____ lieber allein sind!
6. Mir gefällt HipHop-Musik. Aber meine Eltern sind komische Leute, _____ überhaupt keine Musik
   gefällt!

8 **Relativpronomen und Verben. Bitte ergänzen Sie.**

~~ist~~	hat	sind	gründet	gibt	beschäftigt

1. Robert Bosch, _der_ von Beruf Handwerker _ist_ , eröffnet 1886 eine Firma.
2. Der Betrieb, _____ Bosch 1886 in Stuttgart _____, ist heute ein Konzern.
3. 1901 erfindet Gottlob Honold die Zündkerze, _____ es heute noch _____.
4. Die Zündkerzen, _____ für jeden Fahrzeugtyp verwendbar _____, werden schnell das wichtigste Produkt der Firma.
5. Die Firma, _____ am Anfang nur zwei Mitarbeiter _____, ist bald weltweit erfolgreich.
6. Die 200 000 Leute, _____ Bosch heute auf der ganzen Welt _____, arbeiten in 50 Ländern.

„Lehrjahre sind keine Herrenjahre"

Seite 60/61	Aufgabe 1–7

1 **Was bedeuten diese Sprichwörter?**

A Was Hänschen nicht lernt, lernt Hans nimmermehr.

B Es ist noch kein Meister vom Himmel gefallen.

C Aller Anfang ist schwer.

D Übung macht den Meister.

E Handwerk hat goldenen Boden.

F Lehrjahre sind keine Herrenjahre.

1. Als Handwerker kann man viel Geld verdienen: _A_
2. Wenn man etwas gut können will, muss man üben, üben, üben: _____
3. Was man als Kind nicht gelernt hat, lernt man als Erwachsener nicht mehr: _____
4. Wenn man noch in der Ausbildung ist, hat man es nicht immer leicht: _____
5. Wenn man etwas Neues macht oder lernt, ist es am Anfang schwer. Später findet man es aber ganz leicht: _____
6. Wenn man etwas sehr gut kann, hat man vorher lange geübt und gelernt: _____

2 **Schulnoten in Deutschland. Bitte ordnen Sie zu.**

~~ungenügend~~	befriedigend	sehr gut	mangelhaft	gut	ausreichend
☺☺☺	☺☺	☺	😐	🙁	🙁🙁

Noten in Worten						_ungenügend_
Noten in Zahlen	1	2	3	4	5	6

3 Ausbildungswege

a) Was kommt zuerst? Bitte sortieren Sie.

Ausbildungsabschluss ~~Kindergarten~~	Grundschule Hauptschule	Ausbildungsplatz Berufsschule

1. *Kindergarten*   3. _____   5. _____
2. _____   4. _____   6. _____

b) Was dauert wie lang?

Gymnasium	Grundschule	~~Kindergarten~~	Realschule	Hauptschule

3 Jahre	4 Jahre	5 Jahre	6 Jahre	9 Jahre
Kindergarten				

4 Bitte sortieren Sie.

a) Praktisch oder schulisch?

~~die betriebliche Ausbildung~~   der Fachunterricht   das Studium die Werkstatt   die Berufsschule   das Handwerk

praktisch
die betriebliche Ausbildung
schulisch

b) Handwerk oder Industrie?

lehren   die Lehrstelle   ~~die Ausbildung~~   ~~die Lehre~~   ausbilden der Azubi   der Ausbildungsplatz   der Lehrer   der Lehrling   der Ausbilder

die Lehre _____
_____
_____   } beim Handwerk
_____

die Ausbildung _____
_____
_____   } in der Industrie
_____

der Lehrer _____   *ausbilden* _____

5 Noch mehr Ausbildung. Ergänzen Sie bitte das Relativpronomen.

1. Der Betrieb, mit _dem_ die Azubis einen Vertrag haben, bezahlt sie auch.
2. Das Unternehmen, bei _____ ich eine Lehre gemacht habe, hat über 500 Mitarbeiter.
3. Das Arbeitsfeld, für _____ Lena sich besonders interessiert, ist die Metalltechnik.
4. Azubis, um _____ sich die Ausbilder intensiv kümmern, lernen mehr.
5. Das Bosch-Ausbildungszentrum, in _____ 45 Ausbilder arbeiten, ist sehr modern.
6. Die meisten Kollegen, mit _____ ich zusammenarbeite, haben in anderen Betrieben gelernt.
7. Der praktische Teil der Ausbildung, für _____ der Betrieb verantwortlich ist, findet in den Firmenräumen statt.
8. Es gibt in Deutschland ca. 20 000 verschiedene Berufstätigkeiten, zu _____ ungefähr 380 Ausbildungsberufe gehören.

6 Kombinieren Sie die zwei Sätze und bilden Sie Relativsätze.

1. In Deutschland gibt es viele Hochschulen. An den Hochschulen kann man studieren.
   In Deutschland gibt es viele Hochschulen, an denen man studieren kann.
2. Es gibt in Deutschland ungefähr 380 anerkannte Ausbildungsberufe. Die Jugendlichen können sich für diese Berufe entscheiden. _Es gibt in Deutschland ungefähr 380 anerkannte_
   Ausbildungsberufe,
3. Azubis gehen auf die Berufsschule. In der Berufsschule gibt es Fachunterricht, aber auch Unterricht in Deutsch, Religion oder Wirtschaftskunde. _Azubis gehen auf die Berufsschule,_

4. Die meisten Azubis haben einen Haupt- oder Realschulabschluss. Ohne einen Haupt- oder Realschulabschluss ist es fast unmöglich, eine Lehrstelle zu finden. _Die meisten Azubis_
   haben einen Haupt- oder Realschulabschluss,

5. Die Berufsschulen sind staatlich finanziert. Die Betriebe arbeiten eng mit den Berufsschulen zusammen. _Die Berufsschulen,_

7 Ein Azubi erzählt. Ergänzen Sie das Relativpronomen und die Präposition.

1. Die Firma, _in der_ ich seit gut einem Jahr meine Ausbildung mache, ist eine bekannte Bank.
2. Die Ausbildung, _____ ich mich entschieden habe, dauert noch zwei Jahre.
3. Die Abteilung, _____ ich gehöre, arbeitet viel mit dem Ausland zusammen.
4. Die Frau, _____ ich träume, arbeitet leider in einer anderen Abteilung.
5. Aber ich sehe sie immer in der Kantine, _____ ich täglich zu Mittag esse.
6. Morgen werde ich sie im Bus, _____ wir beide jeden Tag um Viertel vor acht zur Arbeit fahren, fragen, ob sie mit mir essen gehen möchte. Oder übermorgen.
7. Die Themen, _____ wir dann reden werden, kann ich mir im Moment noch gar nicht vorstellen.
8. Aber die Insel, _____ wir unseren ersten gemeinsamen Urlaub verbringen werden, sehe ich schon deutlich vor mir …

8 **Ein kleines Quiz. Bilden Sie Relativsätze mit Präpositionen.**

1. In welcher Stadt steht der erste Fernsehturm der Welt? Kennen Sie sie?
   Kennen Sie die Stadt, in der der erste Fernsehturm der Welt steht?

2. An welche europäischen Länder grenzt Baden-Württemberg?
   Wie heißen die europäischen Länder, _____

3. Aus welcher Stadt stammt der Philosoph Georg Wilhelm Friedrich Hegel?
   Kennen Sie _____

4. Auf welche berühmte Schule ist der Schriftsteller Hermann Hesse gegangen?
   Wie heißt _____

5. Zu welchen europäischen Staaten gehört der Bodensee?
   Wie heißen _____

6. Welches Stuttgarter Museum gehört zu den wichtigsten Kunstmuseen in Deutschland?
   Kennen Sie _____

7. In welchem deutschen Bundesland leben die meisten Menschen?
   Kennen Sie _____

8. In welcher europäischen Großstadt fließt das meiste Mineralwasser aus den Quellen?
   Wie heißt _____

Österreich
1. Stuttgart 2. Die Schweiz und Österreich 3. Aus Stuttgart 4. Auf die Schule im Kloster Maulbronn 5. Zu Deutschland, der Schweiz und Österreich 6. Neue Staatsgalerie 7. Nordrhein-Westfalen 8. Budapest

Der Familienrat tagt

Seite 62/63	Aufgabe 1–6

1 **Lesen Sie noch einmal im Kursbuch Seite 62, Aufgabe 2. Markieren Sie bitte.**

1. Matthias hat die Nase voll. Er
   - **A** ist sauer
   - **B** hat keine Zeit mehr
   - **C** hat kein Interesse mehr

2. Blockunterricht bedeutet
   - **A** handwerklicher Unterricht
   - **B** mehrere Wochen nur Unterricht in der Berufsschule
   - **C** Unterricht in der Berufsschule und im Betrieb

3. Konsequenzen sind
   - **A** Resultate aus dem, was man getan hat
   - **B** Resultate aus dem, was man geplant hat
   - **C** Probleme

4. Ein mittelmäßiger Realschulabschluss ist
   - **A** sehr schlecht
   - **B** schlecht
   - **C** nicht besonders gut

5. kriegen ist ein anderes Wort für
   - **A** bekommen
   - **B** für etwas kämpfen
   - **C** finden

6. Eine Alternative ist
   - **A** eine gute Idee
   - **B** eine weiterführende Schule
   - **C** eine andere Möglichkeit

2 *sollen* oder *müssen*?

1. Man _soll_ spenden, bittet der Verein.

4. Die Frau _____ die Blumen kaufen, ruft der Verkäufer.

2. Man _____ langsam fahren, das ist eine Verkehrsregel.

5. Man _____ zu Fuß gehen.

3. Das Kind _____ vorsichtig sein, sagt die Mutter.

6. Er _____ sich beeilen, sonst fährt der Bus ohne ihn ab.

3 *Soll* Matthias oder *muss* er?

1. Er _musste_ einen Ausbildungsvertrag unterschreiben, als er die Lehrstelle bekam.
   (Das war notwendig.)
2. Er _____ sich noch mal über alles Gedanken machen.
   (Sagt sein Vater.)
3. Matthias, du _____ dich sofort beim Chef melden.
   (Die Sekretärin des Chefs hat gerade angerufen.)
4. Am Ende seiner Ausbildung _____ Matthias eine Abschlussprüfung machen.
   (Das ist seine Pflicht laut Ausbildungsvertrag.)
5. Wenn er seine Lehre abbricht, _____ er sich eine Alternative überlegen.
   (Das ist sein eigener Plan.)
6. Wenn er mit seiner Band Erfolg haben will, _____ er regelmäßig proben.
   (Das ist ihm klar.)
7. Er _____ sich beeilen, weil er sonst zu spät zur Arbeit kommt.
   (Das sagt seine Mutter.)
8. Er _____ sich beeilen, weil der Bus in fünf Minuten fährt.
   (Er hat gerade auf seine Uhr gesehen.)

4 *Soll* Melanie oder *muss* sie?

1. Melanie will, dass auch ihr Bruder Matthias im Haushalt hilft.
   Auch ihr Bruder Matthias soll im Haushalt helfen.

2. Sie wünscht sich, dass ihr Vater mehr Zeit mit der Familie verbringt.
   _____

3. Melanie ist erst 14. Sie hat noch die Pflicht zur Schule zu gehen.
   _____

4. Es ist wichtig, dass sie auch Fremdsprachen lernt.
   _____

5. Für Melanie ist es wichtig, das Abitur zu machen, weil sie Biologie studieren will.
   _____

6. Ihre Eltern wollen lieber, dass sie eine Ausbildung in der Bank macht.
   _____

5 *mögen.* Wer findet wen sympathisch?

1. Ich _mag_ dich!
2. _____ du mich auch?
3. Er _____ mich überhaupt nicht.
4. Nein, wir _____ uns beide nicht.
5. _____ ihr euch denn?
6. Na klar, die zwei _____ sich. Und wie!

6 *mögen* – Präsens oder Präteritum? Ergänzen Sie.

1. [Melanie] *Mochtest* du damals deine Lehrer?
2. [Erika Strecker] Ein paar _____ ich, einige hatte ich auch nicht so gern. Und einen _____ ich überhaupt nicht. Unseren Mathelehrer. Der war sehr streng. Und du? Welche Lehrer _____ du?
3. [Melanie] Ich _____ unsere Klassenlehrerin sehr. Mit der kann man über alles reden. Wir _____ sie alle, weil …
4. [Erika Strecker] Ihr _____ sie alle, weil sie euch wenig Hausaufgaben gibt! Stimmt's?

7 *mögen* oder *möchte*? Ergänzen Sie in der richtigen Form.

1. Ich _mag_ kein Eis, und du? Ich schon, ich _____ mir gleich eins kaufen.
2. _____ du die Musik von den „Faultieren"? Ja, ich finde sie echt super, die neue CD _____ ich gern zum Geburtstag haben.
3. Ich _____ mich dafür entschuldigen, dass ich leider nicht bis zum Ende bleiben kann.
4. Herrn Neuner, den Mathelehrer, finden die Schüler ganz gut, aber noch lieber _____ sie Frau Greensleeves, die Englischlehrerin.
5. Du _____ Reis und du _____ Salat, warum _____ du dann keinen Reissalat?
6. Der Chef ist sehr ärgerlich und sagt, dass er diesen Kunden nie wieder sehen _____.

8 „Ein ganz normaler Tag"

a) Lesen Sie das Lied, das Matthias für Jule geschrieben hat.

Mein Wecker geht mir auf den Wecker.
Die Mutter schreit bis zum Exzess.
Die Arbeit wartet, ich will schlafen –
ich komm zu spät und kriege Stress.

Ich will dürfen, ich will wollen,
ich will können, nur nicht sollen.
Nie mehr Lehre, nie mehr Schule,
nennt mich einfach coole Jule.

Mein Chef, der geht mir auf die Nerven,
er drängt und schimpft und gibt nie Ruh.
Er treibt mich dauernd an zur Arbeit,
doch ich steh da und guck nur zu.

Ich will dürfen, ich will wollen,
ich will können, nur nicht sollen.
Nie mehr Lehre, nie mehr Schule,
nennt mich einfach coole Jule.

Die Eltern kommandieren immer,
von morgens früh bis in die Nacht.
Sie wollen immer nur das Beste,
auch schon am Morgen um halb acht.

Ich will dürfen, ich will wollen,
ich will können, nur nicht sollen.
Nie mehr Lehre, nie mehr Schule,
nennt mich einfach coole Jule.

b) Was glauben Sie: Welches Freizeitangebot gefällt Jule?

A

**Möchtest du deine Lehrer beeindrucken
und nur noch gute Schulnoten schreiben?
Willst du deine Leistungen in der
Ausbildung und am Arbeitsplatz
verbessern?
Willst du wissen, wie du mit Eltern,
Verwandten und Freunden harmonischer
zusammenleben kannst?**

Wir helfen dir. Bei ANIMA lernst du dich neu kennen
und erfährst, wie du deine Persönlichkeit entwickeln
und stärken kannst.
ANIMA Deutschland, Büro Stuttgart, Florian-Meier-Straße 11,
70811 Stuttgart, Tel. 0711/2 44 26 33

B

Du fühlst dich allein und niemand versteht dich. Du möchtest endlich mal
wieder richtig mit jemandem reden. Du
hast die Nase voll von lauter Musik,
lauten Leuten, lauten Orten. Dann bist
du bei uns richtig, komm in die
Teestube Sonnenschein. Bei uns gibt
es gemütliche Sofas, heißen Tee und
nette Menschen. Und wir alle wollen für
dich das Beste. Schau doch mal rein –
live oder auf unsere WWW-Seite:
www.teestube-sonnenschein.de
Klarastraße 28, 71970 Stuttgart.
Mo. bis Sa. 16 bis 21 Uhr,
So. 11 bis 18 Uhr

C

**Reggae, Salsa, HipHop, Techno, Rock'n'Roll –
jeden Abend gibt's im Jugendhaus**
Juha heiße Musik bis zum Abwinken. Und wer lieber selbst
Musik machen will:
Donnerstags von 18 bis 22 Uhr heißt es immer „Wer kann,
der darf!" Und dazu in der Juha-Bar jede Menge coole Boys
und Girls, leckere internationale Gerichte und Interessantes
zu trinken.
Guck doch mal rein: **www.ju-ha.stuttgart.de**
Oder besser gleich ins Juha:
Hohe Straße 9, 70174 Stuttgart, Tel. 0711/25 89 30

Schwäbische Landeskunde

Seite 64/65	Aufgabe 1–5

1 Welche Anzeige passt zu welcher Situation?

1. Sie möchten eine Ausbildung als Mechaniker machen.   Anzeige _H_
2. Sie möchten mit Freunden eine kleine Wanderung machen und anschließend
   etwas essen und trinken.   Anzeige _____
3. Sie möchten im Theater ein Stück von Friedrich Schiller sehen.   Anzeige _____
4. Ihr Auto braucht neue Zündkerzen (Sie können sie nicht selbst wechseln). Anzeige _____
5. Sie haben Probleme mit ihrem fünfzehnjährigen Sohn.   Anzeige _____

Trollinger, Lemberger, Riesling, heimischer Apfelsaft – alles aus eigenem Anbau. Genießen im Herzen der Natur, genießen in der Besenwirtschaft
No a Viertele
Jetzt geöffnet!
71522 Strümpfelbach **A**

BILLIG, BILLIGER AM BILLIGSTEN – reparieren Sie Ihr Auto selbst! Mit unserem Sonderangebot: Scheibenwischer, Seitenspiegel, Zündkerzen, Reifen, Autoradio, jetzt alles 50% billiger!
BAUMARKT EBI
Pragsattel 50, Stuttgart **E**

Erziehungsprobleme? Ärger mit den Kindern? Sorgen in der Schule? Reden Sie mit uns – wir hören Ihnen zu.
Elternberatung im Rathaus
Sprechstunde Mi., 10–12 h oder Tel. 0711-203/45 67 **G**

B Natur und Kultur erleben mit
Vista Tours
Für Sie und Ihre Gäste stellen wir Wanderungen (mit Wirtschaften zum Essen und Trinken) und kulturelle Begleitprogramme zusammen.
Infos: Tel. 0711/366 4224

Schillernde Persönlichkeiten
Der neue Film mit Hugo Grantig, Roberta Julian und vielen anderen Hollywood-Größen.
Ab morgen im Ufo-Palast, Vorstellungen um 18.00 h, 20.15 h, 22.30 h. **F**

Interessierst du dich für Autos? Suchst du einen interessanten Job? Und willst dabei gut verdienen? Wir bieten dir eine Lehrstelle in unserem netten Mechaniker-Team!
Autowerkstatt Rossberg
Tel. 07171/39 84 82 **H**

I
Schillers „Wilhelm Tell" einmal anders: Das Stuttgarter Puppentheater am Faden zeigt den Klassiker, wie Sie ihn noch nicht gesehen haben.

Vorstellungen Di. bis So., 19.30 h
Heslacher Straße 31, 70199 Stuttgart
www.puppentheater-neu.de

Probleme mit der Schule? Lehrer gehen auf die Nerven? Immer Ärger mit den Eltern? Ruf uns an oder schick eine E-Mail – wir haben ein Ohr für dich!
Sorgentelefon im Rathaus
Tel. 0711-203/45 33, sorgentelefon@rathaus.de **C**

Autos interessieren Sie? Und mit Menschen reden Sie auch gerne? Erfahrung in der Büroarbeit haben Sie sowieso? Dann suchen wir Sie!
Autowerkstatt Rossberg
Tel. 07171/39 84 82 **D**

Der nächste Winter kommt bestimmt! Unser **Sonderangebot** für Sie: Wir tauschen Ihre Zündkerzen aus – vier zum Preis von zwei!
Autowerkstatt Rossberg
Tel. 07171/39 84 82 **J**

2 Welche Endung? Welche Deklination? Sortieren Sie bitte.

~~Florist~~   Patient   Kollege   Assistent   Chemielaborant   Junge
Produzent   Chinese   Kunde   Komponist   Fotograf   Tourist
Psychologe   der Franzose   Mann   Gaslieferant   Niederländer
Architekt   Praktikant   Spezialist   Biologe   Automat   Chemiker
Informationstechnologe   Türke

n-Deklination:						
maskuline Personen auf -e	Nationali-täten auf -e	Wörter auf -ist	Wörter auf -ant	Wörter auf -ent	Wörter auf -oge	andere Fremd-wörter
		Florist				
nicht n-Deklination:						

3 Besondere Herren – die Polizei fragt. Lesen Sie und ergänzen Sie die Tabelle.

1. Kennen Sie diesen Herrn?
2. Ja natürlich, das ist Herr Dunker, mein Nachbar. Herrn Dunker gehört das teure Auto da drüben.
3. Und wie ist der Name dieses Herrn?
4. Also, ich sehe noch zwei Herren auf dem Bild.
5. Ja genau, wie heißen die beiden Herren?
6. Die Namen dieser Herren kenne ich nicht, aber ich weiß, dass es Herrn Dunkers Söhne sind.

	Singular	Plural
Nominativ		
Akkusativ		
Dativ		*Herren*
Genitiv		

4 Der Nachbar von Streckers. Ergänzen Sie in der passenden Form.

1. (Nachbar) Kennen Sie schon Herrn Häberle, den _Nachbarn_ der Familie Strecker?
2. (Bauer) Von Beruf war Herr Häberle früher _____ wie sein Vater, aber das Leben eines _____ war ihm nach ein paar Jahren zu anstrengend.
3. (Kunde) Er hat immer weniger Kartoffeln verkauft, und als er keinen einzigen _____ mehr hatte, wollte er etwas ganz anderes machen.
4. (Student) Herr Häberle hat erst an der Volkshochschule das Abitur gemacht und ist dann mit 28 Jahren _____ an der Kunsthochschule geworden.
5. (Fotograf) Er hat sein Studium erfolgreich beendet und arbeitet heute als _____. Er ist sehr zufrieden, weil er nicht mehr so früh aufstehen muss und auch mal richtig Urlaub machen kann.
6. (Fotograf) Ist es nicht interessant, dass es einen _____ gibt, der früher Kartoffeln verkauft hat?

5 Personen und Berufe

a) Ergänzen Sie das passende Wort in der richtigen Form.

Jurist	~~Architekt~~	Patient	Fotograf	Komponist	Christ
Praktikant		Präsident	Journalist	Polizist	

1. Haben Sie schon mal einem _Architekten_ bei der Arbeit zugesehen? Er zeichnet Gebäudepläne und baut Spielzeughäuschen.
2. Kennen Sie einen _____? Er hat Jura studiert und arbeitet z. B. als Rechtsanwalt.
3. Gibt es in Ihrem Heimatland berühmte _____? Können Sie eine Komposition singen oder spielen?
4. Haben Sie schon mal mit einem _____ gesprochen? Hat Sie vielleicht schon mal einer für eine Reportage interviewt?
5. Vorsicht, wenn Sie mit dem Auto fahren wollen. Die _____ kontrollieren sehr genau.
6. Die meisten Menschen in Europa sind _____, aber inzwischen gibt es hier noch viele andere Religionen.
7. Erinnern Sie sich noch daran, wie jemand heißt, der ein Praktikum macht? Er ist _____.
8. Ärzte sollten ihren _____ immer genau erklären, wie sie wieder gesund werden können, finden Sie nicht?
9. Welche politische Form hat Ihr Heimatland? Gibt es als Staatschef einen _____?
10. Waren Sie mal bei einem _____? Heute machen manche ihre Fotos mit Computerkameras.

b) Wie heißt die feminine Form?

m	f		m	f
1. der Jurist	_die Juristin_	6. der Christ	_die_ _____
2. der Architekt	_die_ _____	7. der Praktikant	_die_ _____
3. der Patient	_die_ _____	8. der Präsident	_die_ _____
4. der Fotograf	_die_ _____	9. der Journalist	_die_ _____
5. der Komponist	_die_ _____	10. der Polizist	_die_ _____

6 So oder so? Ergänzen Sie bitte, wo nötig.

1. Kontrolliert der Polizist__/__ den Demonstrant _en_ ?
2. Oder kontrolliert der Demonstrant____ den Polizist____?
3. Sagt der Verkäufer____ zum Kunde____: „Moment, der Kollege____ kommt gleich."
4. Oder sagt der Verkäufer____ zum Kollege____: „Moment, der Kunde____ kommt gleich."

7 Stimmt das wirklich?!

~~die Ungarn~~
die Briten
die Schweizer
die Schwaben
die Belgier
die Russen

1. Ein Essen ohne Paprika ist für _die Ungarn_ nicht essbar.
2. _____ produzieren Käse mit Löchern.
3. _____ schmeckt der Tee nur mit Milch.
4. _____ gefällt nur traurige Musik.
5. _____ finden nichts wichtiger als die Kehrwoche.
6. Das Lieblingsgericht _____ sind Pommes frites.

Traumberuf: Dichter

| **Seite 66** | **Aufgabe 1** |

1 Welches Wort passt? Markieren Sie bitte.

Wissen Sie, einen Buben wie den Matthias Strecker kann ich **(1)**
schon verstehen. Auch ich habe **(2)** _____
meine Ausbildung zum Juristen abgebrochen und habe zur Medizin
gewechselt. Nach dem Studium hatte ich in Stuttgart eine Stelle als
Regimentsmedikus beim Militär, aber in Wirklichkeit hat mich immer
nur eins interessiert: die Literatur! Dichter sein oder nicht sein – das
war die Frage, **(3)** _____ ich mir in jenen Tagen wieder
und wieder gestellt habe, **(4)** _____ Sie müssen sich
meine unglückliche Lage vorstellen: In Stuttgart hatte ich
Schreibverbot! Sollte ich also in der Stadt bleiben oder sollte ich
fliehen und im Ausland mein Glück versuchen?

Ich hoffe sehr, dass Matthias sich richtig entscheidet. Soll er seine
Ausbildung beenden oder lieber etwas Neues versuchen? Eine schwierige Frage. Was meinen denn Sie
dazu? Wissen Sie, ich bin damals bei Nacht und Nebel aus Stuttgart geflohen, **(5)** _____
nach Mannheim, aber auch in Leipzig, Dresden und Weimar habe ich mich aufgehalten. Später bin ich **(6)**
_____ in Jena gelandet und bin **(7)** _____ Professor für Geschichte geworden.
In all den Wanderjahren konnte ich zwar endlich frei und ungehindert schreiben, aber leider war mein
Traumberuf Dichter für mich auch immer mit Geldsorgen verbunden.

Matthias' absolute Begeisterung für Musik – das ist wie bei mir die Bücher. Unzählige Gedichte, Balladen
und Dramen habe ich geschrieben. Mein berühmtestes Gedicht „An die Freude" kennen Sie vielleicht.
Ludwig van Beethoven hat in seiner 9. Sinfonie eine schöne Musik **(8)** _____ komponiert.
Für den Fall, dass Sie mal was von mir im Theater anschauen möchten: „Die Räuber", „Maria Stuart",
und mein letztes Drama „Wilhelm Tell" sind berühmte Theaterstücke von mir.

1. a) (schon)	b) schließlich		5. a) zuerst	b) dann
2. a) heute	b) damals		6. a) dann	b) denn
3. a) dass	b) die		7. a) schon	b) dort
4. a) denn	b) sondern		8. a) dadurch	b) dazu

2 Wie viele Verben können Sie damit bilden?

ab-	auf-	aus-	~~be-~~	ein-	her-	mit-	teil-	über-
unter-		ver-		vor-	weiter-		wieder-	zurück-

1. suchen: _besuchen_ _____
2. gehen: _____
3. stellen: _____
4. geben: _____
5. machen: _____
6. nehmen: _____

Lektion 18

Eine Firma in Hannover

Seite 68/69	Aufgabe 1–2

1 **Wer sagt was? Lesen Sie die Mitarbeiterporträts im Kursbuch Seite 68/69.**

1. Ich bin seit 1997 bei Minolta tätig.   *Mark Oldfield*
2. Ich bin der Vertriebsleiter der Marketingabteilung. _____
3. Ich mache ein Praktikum im Kundenservice. _____
4. Für neue Stellen bei Minolta bin ich zuständig. _____
5. Ich arbeite in der Poststelle. _____
6. Ich bin zuständig für die Systembetreuung. _____

2 **Die Mitarbeiter der Firma Meierhäuser**

a) Welche Zeichnung passt zu welcher Person?

1. Mein Name ist Robert Dentlinger und ich bin seit 2 Jahren bei der Firma Meierhäuser **(1)** _____. Ich arbeite als Assistent in der **(2)** _____ für Kommunikation. Ich bin **(3)** _____ für die Kontakte mit der Presse. Bild _D_

2. Ich bin Ursula Heinzmann und arbeite in der Poststelle. Zu meinen **(4)** _____ gehören das Versenden der Post, das Verteilen der Briefe und Pakete in alle Abteilungen und so weiter. Meine **(5)** _____ bei Meierhäuser habe ich 1992 begonnen. Bild _____

3. Mein Name ist Fred Seeger und ich bin der **(6)** _____ der Entwicklungsabteilung. Ich habe 1997 bei Meierhäuser angefangen. Ich bin für die Entwicklung und den Bau von Fertighäusern **(7)** _____. Bild _____

4. Ich heiße Anna-Maria Blumenthal und bin Sekretärin des Geschäftsführers. Mit 18 Jahren Betriebszugehörigkeit bin ich am längsten von allen Kollegen hier. Ich bin Assistentin des Geschäftsführers und **(8)** _____ Büroarbeiten. Bild _____

b) Welches Wort passt in die Lücke?

1. a) ☐ gearbeitet   b) ☒ beschäftigt
2. a) ☐ Abteilung   b) ☐ Firma
3. a) ☐ zuständig   b) ☐ tätig
4. a) ☐ Arbeitsplatz   b) ☐ Aufgaben

5. a) ☐ Tätigkeit   b) ☐ Leitung
6. a) ☐ Leiter   b) ☐ Vertriebsleiter
7. a) ☐ verantwortlich   b) ☐ Verantwortung
8. a) ☐ erledige   b) ☐ produziere

3 / Wie heißen die Nomen?

1. zuständig: _die Zuständigkeit_
2. arbeiten: _____
3. beschäftigt: _____

4. tätig: _____
5. verantwortlich: _____
6. leiten: _____

4 / Mitarbeiter und ihre Aufgaben. Bitte schreiben Sie.

1. der Firma Meierhäuser / Frau Henn / beschäftigt sein / bei / .
   Frau Henn ist bei der Firma Meierhäuser beschäftigt.

2. für / zuständig sein / Sie / die Postverteilung / .
   _____

3. bei / Herr Walz / als / arbeiten / Techniker / Meierhäuser / .
   _____

4. die Systembetreuung / für / Er / verantwortlich sein / .
   _____

5. die Personalabteilung / leiten / Frau Sonnenfels / .
   _____

6. tätig sein / Personalreferentin / Sie / als / .
   _____

5 / Bitte vervollständigen Sie die Informationen zu diesem Unternehmen.

Das traditionsreiche Familienunternehmen Hengstenberg GmbH & Co.KG ist seit mehr als 125 Jahren im Besitz der Familie Hengstenberg. Heute nimmt die Firma eine führende Position auf dem deutschen Lebensmittelmarkt ein.

Die Firma Hengstenberg hat rund 750 Mitarbeiter, die auf drei Standorte verteilt sind: das baden-württembergische Esslingen, wo sich auch die zentrale Verwaltung des Unternehmens befindet, das nahe gelegene Bad Friedrichshall und Fritzlar in Hessen.

Das Unternehmen Hengstenberg ist vor allem bekannt für sein Sauerkraut. Aber aus den drei Standorten kommen auch andere Produkte wie Essig oder saures Gemüse im Glas.

Gegründet wurde die Firma im Jahre 1876 durch den 26-jährigen Kaufmann Richard Alfred Hengstenberg, der mit einem Startkapital von 18000 Mark die „Essigfabrik Kallhardt & Hengstenberg" gründete. Heute beträgt der Gesamtumsatz stolze 150 Millionen Euro. Henstenberg kann auch mit dem Auslandsgeschäft sehr zufrieden sein: Die Firma exportiert in 40 Länder.

„Wir machen aus Gutem das Beste" gilt nicht nur für die Produkte, sondern auch für die Ausbildung. Hengstenberg hat momentan insgesamt 30 Auszubildende, die u.a. als Industriekaufleute sowie als Fachleute für Lebensmittel ausgebildet werden.

Name heute:	_Hengstenberg GmbH & Co.KG_
Name früher:	_____
Gründungsjahr:	_____
Umsatz:	_____
Zentrale:	_____
Mitarbeiterzahl:	_____
Auszubildende:	_____
Produkte:	_____

Die Geschichte der Firma Minolta

| Seite 70/71 | Aufgabe 1–5 |

  Was passt nicht?

1. feiern: ein Glück – ein Jubiläum – eine Beförderung
2. zuständig sein: für das Marketing – für die Postverteilung – für ein Jahr
3. gründen: ein Unternehmen – eine Niederlassung – einen Firmengründer
4. präsentieren: einen Film – eine Zusammenarbeit – ein Produkt
5. sein: japanisch – bergauf – digital
6. exportieren: ins Inland – ins Ausland – in die Niederlande

  Die Geschichte der Firma Minolta.

a) Richtig r oder falsch f? Lesen Sie den Text.

Der Japaner Kazuo Tashima gründete 1928 in Zusammenarbeit mit deutschen Ingenieuren in Osaka die Firma „Shashinki Shoten", die „Deutsch-Japanische Fotofirma". Anfangs hatte die Firma nur 20 Mitarbeiter.
Die erste Kamera, die „Nifcalette" hieß, kam 1929 auf den Markt.
5 Es blieb jedoch nicht nur bei Kameras: 1958 produzierte die Firma ihr erstes Planetarium und zwei Jahre später dann ihren ersten Kopierer, den „Minolta Copymaster".
1962 reiste Minolta das erste Mal ins Weltall. US-Astronauten machten im ersten bemannten amerikanischen Satelliten mit der HI-Matic-Kamera sensationelle Bilder von der Erde. Sechs Jahre später flog
10 Minolta zum zweiten Mal ins All: Astronauten benutzten an Bord der Apollo 8 einen Minolta-Belichtungsmesser.
1965 kamen die Japaner mit Minolta nach Deutschland. Sie gründeten in Hamburg die erste Niederlassung und in den nächsten Jahren noch viele andere in fast allen europäischen Ländern. Nach 30 Jahren gab es europaweit bereits 20 Niederlassungen.
15 1985 starb der Firmengründer Tashima, doch mit der Firma ging es weiterhin bergauf. In den 80er Jahren begannen die Minolta-Techniker mit der Videoproduktion, entwickelten den weltweit ersten Zoom-Kopierer und 1986 das erste Minolta-Faxgerät.
1993 eröffnete Minolta seine neue europäische Zentrale in Hannover mit zwei Verwaltungs- und einem Lagergebäude.
20 1994 begann für die Firma die digitale Zukunft: zuerst mit digitalen Druckern und ein Jahr später mit der ersten digitalen Kamera. 1997 präsentierte Minolta auf der CeBIT-Computermesse die ersten Laserdrucker. Ein Jahr später feierte die Firma ihr 70-jähriges Jubiläum, zu dem sie ein spezielles Logo bekam.

1. Der Firmengründer arbeitete anfangs mit internationalen Ingenieuren zusammen. _____ r f
2. Das erste Produkt, das die Firma produzierte, war eine Kamera. _____ r f
3. Die Europazentrale von Minolta hat ein Produktions- und ein Vertriebsgebäude. _____ r f
4. Die erste deutsche Niederlassung von Minolta war in München. _____ r f
5. Die „CeBIT" ist eine Messe für Computertechnik. _____ r f
6. Nach dem Tod des Firmengründers ging es der Firma nicht mehr so gut. _____ r f

b) Worterklärungen. Was ist richtig?

1. Der Vertrieb
   - [A] stellt die Firmenprodukte her
   - [B] organisiert den Verkauf der Firmenprodukte
   - [C] organisiert die Postverteilung in der Firma

2. Niederlassungen einer Firma bedeutet:
   - [A] So heißt die Zentrale eines Unternehmens
   - [B] Sie sind das Verwaltungsgebäude der Firma
   - [C] Es gibt die Firma an verschiedenen Orten

3. Europaweit heißt:
   - [A] in Europa und auf der ganzen Welt
   - [B] überall, nur nicht in Europa
   - [C] in ganz Europa

4. Die Verwaltung einer Firma
   - [A] entwickelt neue Produkte
   - [B] organisiert den täglichen Ablauf einer Firma
   - [C] kümmert sich um die Computer der Mitarbeiter

5. Im Lagergebäude
   - [A] befindet sich die Telefonzentrale der Firma
   - [B] warten die Produkte der Firma auf den Verkauf
   - [C] arbeiten die Abteilungsleiter der Firma

6. In einem Planetarium sieht man
   - [A] den Himmel und die Himmelskörper
   - [B] die Erde mit ihren Tieren und Pflanzen
   - [C] das Meer und die Fische

c) Unterstreichen Sie im Text alle Verben im Präteritum und füllen Sie die Tabelle aus.

regelmäßig		unregelmäßig	
Präteritum	**Infinitiv**	**Präteritum**	**Infinitiv**
gründete	*gründen*		

3 Wie heißen die passenden Endungen?

	sagen	**exportieren**	**warten**	**beginnen**	**gehen**
ich	sag*te*	exportier_____	wart_____	begann___/___	ging_____
du	sag_____	exportier_____	wart_____	begann_____	ging_____
er • sie • es	sag_____	exportier_____	wart_____	begann_____	ging_____
wir	sag_____	exportier_____	wart_____	begann_____	ging_____
ihr	sag_____	exportier_____	wart_____	begann_____	ging_____
sie • Sie	sag_____	exportier_____	wart_____	begann_____	ging_____

4 Regelmäßige Verben. Wie heißt das Präteritum?

1. ich habe besucht   *ich besuchte*
2. du hast gearbeitet   _____
3. er ist gereist   _____

4. wir haben gefeiert   _____
5. ihr habt präsentiert   _____
6. sie haben besichtigt   _____

5 Unregelmäßige Verben

a) Was passt zusammen?

fand	~~begann~~	ging	gab	kam	bestand

1. beginnen   *begann*
2. kommen   _____
3. geben   _____

4. finden   _____
5. bestehen   _____
6. gehen   _____

b) Tragen Sie die richtigen Präteritumformen ein.

1. ich gehe: *ich ging*
2. du findest: *du* _____
3. er besteht: *er* _____
4. wir kommen: *wir* _____
5. ihr gebt: *ihr* _____
6. sie beginnen: *sie* _____

6 Pronomen und Verbformen. Markieren Sie bitte.

	ich	du	er • sie • es	wir	ihr	sie • Sie
1. flog	X		X			
2. reisten						
3. hießen						
4. produziertest						
5. präsentiertet						
6. gründete						

7 Kazuo Tashima, der Gründer der Firma Minolta

a) Welche Verben sind regelmäßig, welche unregelmäßig?

~~gehen~~	reisen	besichtigen	besuchen	gründen	entwickeln
beginnen	bleiben	sterben	sein	produzieren	haben

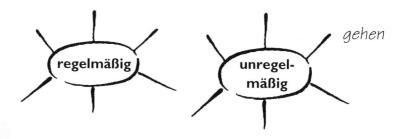

gehen

regelmäßig   unregel-mäßig

b) Ergänzen Sie die passenden Verben aus a) im Präteritum.

1. Kazuo Tashima kam am 20. November 1899 in Kainan City, Japan, auf die Welt. 1927 _reiste_
   er als Vertreter der Import-Export-Firma seines Vaters sieben Monate lang durch Asien und
   _____ Firmen.

2. Im Frühjahr 1928 _____ er nach Paris und _____ die Produktion der Firma SOM,
   die optische Geräte _____.

3. Dort _____ er die Idee, solche Produkte selbst herzustellen. Am 11. November 1928
   _____ er sein Unternehmen.

4. Am Anfang _____ das Unternehmen Kameras. Wenig später _____ die Firma auch
   andere Geräte herzustellen.

5. Dank des hohen Einsatzes von Tashima _____ die Firma auch in wirtschaftlich schwierigen
   Zeiten erfolgreich. Der Gründer _____ 1985; da war Minolta bereits eine Weltfirma.

8 Kurze Geschichte der Stadt Hannover. Notieren Sie den passenden Buchstaben.

1. Die Gründung Hannovers: _C_
2. Die Stadt im Mittelalter: _____
3. Die Entwicklung der Stadt ab
   dem 16. Jahrhundert: _____

4. Hannover ab 1800: _____
5. Die Stadt nach dem Zweiten Weltkrieg:
   _____

A
Die Stadt begann zu wachsen und die Bürger Hannovers wurden stark und selbstbewusst.
1533 schlossen sie sich der Lehre Martin Luthers an und wurden Protestanten. Die größer werdende
Bedeutung der Nordseehäfen verstärkte den Verkehr auf den Nord-Süd-Wegen durch Deutschland
und begünstigte so die Entwicklung Hannovers. Auch die Lage der Stadt am Übergang zwischen
Norddeutschem Tiefland und den Mittelgebirgen wirkte sich positiv aus.

B
Nach Kriegsende waren 2/3 der Gebäude in der Stadt zerstört. Trotzdem entwickelte sich Hannover,
insbesondere durch die Industriemesse, zum größten Messeplatz Westdeutschlands. Die
Weltausstellung Expo 2000 war sicher einer der Höhepunkte in der Geschichte Hannovers.

C
Zwischen 1124 und 1141 gründete Graf Hildebold am Fluss Leine den Ort Hanovere, der zunächst
ganz unbedeutend war. Aber schon bald entwickelte sich aus der kleinen Siedlung der Fährleute und
Flussfischer eine richtige Stadt mit Handwerkern und Händlern: 1241 stellte Herzog Otto ein
Stadtprivileg aus, das als älteste Erwähnung der Stadt Hannover gilt.

D
Im 19. Jahrhundert wurde Hannover ein Königreich. Es entstanden bedeutende Schlösser in der Stadt
und in der Umgebung, man baute einen Bahnhof, ein Opernhaus und die Ernst-August-Stadt, in der
sich vor allem Handel und Gewerbe niederließen. Die Industrialisierung begann und besonders nach
1871 entstanden überall neue Industriebetriebe und neue Stadtviertel.

E
Im 14. Jahrhundert wurde die Stadt mit einer Stadtmauer befestigt, die man nur durch drei Tore
passieren konnte. Aus der Zeit stammen auch die drei gotischen Kirchen der Stadt. Etwa hundert
Jahre später entstanden das Rathaus und die mittelalterliche Altstadt Hannovers.

9 „Märchen der Brüder Grimm"

a) Wie heißt die Geschichte?

☐ „Schneewittchen"   ☐ „Rotkäppchen"   ☐ „Hänsel und Gretel"

b) Ergänzen Sie das Verb im Präteritum. Die Liste im Anhang hilft Ihnen.

1. Es (sein) _war_ einmal eine Familie, die sehr, sehr arm (sein) _____ und am Waldrand (leben) _____. 2. Eines Tages (nehmen) _____ der Vater seine zwei Kinder und (gehen) _____ mit ihnen in den Wald. 3. Am Abend aber (laufen) _____ er allein nach Hause zurück und das kleine Mädchen und der kleine Junge (bleiben) _____ allein im Wald und (haben) _____ große Angst. 4. Sie suchen lange den Weg zu ihrem Elternhaus (suchen) _____; trotzdem (können) _____ sie ihn nicht finden.

5. Endlich (entdecken) _____ sie ein ganz besonderes Häuschen: Es war aus Kuchen und Schokolade und eine freundliche alte Frau (wohnen) _____ darin. 6. Die Alte (holen) _____ die Kinder ins Haus und (geben) _____ ihnen zu essen. 7. Aber plötzlich war sie gar nicht mehr freundlich: Der kleine Junge (müssen) _____ in einen Käfig steigen und furchtbar viel essen, denn er (sollen) _____ dick und fett werden.

8. Das arme Mädchen (dürfen) _____ gar nicht mehr spielen, sondern ab sofort (putzen) _____, (kochen) _____ und (arbeiten) _____ es nur noch jeden Tag für die böse Alte. 9. Diese hatte einen furchtbaren Plan – sie (wollen) _____ den Jungen braten und aufessen! 10. Als sie schon Feuer im Herd (machen) _____, hatte das Mädchen eine Idee:

11. Die böse Alte (fallen) _____ ins Feuer und die beiden Kinder waren wieder frei. 12. Als sie ins Lebkuchenhaus (gehen) _____, (finden) _____ sie nicht nur viele Süßigkeiten, sondern auch viel, viel Geld. Jetzt waren sie nicht mehr arm, und wenn sie nicht gestorben sind, dann leben sie noch heute!

Aus der Mitarbeiterzeitschrift

Seite 72/73	Aufgabe 1–2

1 Welcher Satz passt zu welchem Ereignis?

die Präsidentenwahl	~~das Dienstjubiläum~~	die Kündigung
der Ausbildungsabschluss	die Neueinstellung	

1. Vielen Dank für die jahrelange gute Zusammenarbeit! das _Dienstjubiläum_
2. Herzlichen Glückwunsch zu Ihrer Wahl! _____
3. Wir gratulieren zur neuen Stelle! _____
4. Herzlichen Glückwunsch zur bestandenen Prüfung! _____
5. Wir wünschen Ihnen alles Gute für die weitere berufliche Zukunft! _____

2 Welches Verb passt? Bitte markieren Sie.

1. die Stelle — (kündigen) / abschließen

2. einen Vertrag — abschließen / einstellen

3. den Präsidenten — beenden / wählen

4. einen Ausbildungsplatz — erhalten / bestehen

5. ein Jubiläum — verlassen / feiern

6. die Abteilung — gehören / wechseln

3 Aus der Mitarbeiterzeitung. Ergänzen Sie die Tabelle.

regelmäßige Verben			unregelmäßige Verben		
Infinitiv	Präteritum	Perfekt	Infinitiv	Präteritum	Perfekt
wählen	wählte	hat gewählt		erhielt	
		hat gekündigt		begann	
besuchen					ist gekommen
	machte			verließ	
		hat gehört			ist gewesen
leiten			sprechen		
	beendete		gehen		
		hat gewechselt			hat gegeben

4 Taschendiebe in der U-Bahn. Ergänzen Sie die Erzählung im Perfekt.

Wieder Taschendiebe in der U-Bahn
Hannover (bzu). Unbekannte stahlen am gestrigen Dienstag nun schon zum wiederholten Mal die Geldbörsen mehrerer Fahrgäste der U-Bahn-Linien 3 und 7. Nach Polizeiangaben passierte es in den vollen Abteilen während der abendlichen Rushhour. Die Bestohlenen erzählten, dass die Diebe vermutlich zu zweit arbeiteten: Einer begann ein Gespräch mit einem Fahrgast und der zweite nahm ihm heimlich die Geldbörse aus der Tasche. Ein bestohlener Fahrgast verfolgte den Dieb sogar bis zum Bahnhof Zoo, wo er ihn aus den Augen verlor.
Die Diebe stahlen Bargeld in Höhe von 500 Euro sowie mehrere Kreditkarten. Die Polizei gibt den Rat: Seien Sie in Zukunft vorsichtig; die Täter sind gefährlich und wahrscheinlich im Besitz von Waffen.

1. Mein Gott, haben Sie es schon gehört?! In der U-Bahn _haben_ gestern schon wieder Taschendiebe den Fahrgästen ihre Geldbörsen _gestohlen_ !

2. Es _____ wohl vor allem in den vollen Abteilen am Abend _____.

3. Die Bestohlenen _____ _____, dass die Diebe zu zweit _____ _____.

4. Einer _____ ein Gespräch mit einem Fahrgast _____ und der zweite _____ ihm heimlich den Geldbeutel aus der Tasche _____.

5. Ein Mann _____ den Dieb sogar _____, aber leider _____ er ihn aus den Augen _____.

6. Und stellt euch vor: Die Diebe _____ 500 Euro _____!!

1 **Meine Schulzeit. Bitte kreuzen Sie an: Einmal oder mehrmals?**

		einmal	mehrmals
1.	Als ich meinen ersten Schultag hatte, weinte ich den ganzen Tag.	☒	☐
2.	Ich war schon ein großer Junge, als ich in die 2. Klasse kam.	☐	☐
3.	Immer wenn wir Mathematik hatten, langweilte ich mich furchtbar.	☐	☐
4.	Als ich in der 6. Klasse war, verliebte ich mich in Marie aus der 5. Klasse.	☐	☐
5.	Ich sah sie regelmäßig, wenn wir Pause hatten.	☐	☐
6.	Wenn wir Schulfeste hatten, tanzte ich nur mit ihr.	☐	☐

2 *als* oder *wenn*? **Markieren Sie.**

1. ☒ Als ☐ Wenn uns die Kollegen aus Hamburg letztes Jahr besuchten, war fast die Hälfte der Abteilung krank.
2. ☐ Als ☐ Wenn Herr Hofer die Sitzung leitete, kamen wir oft zu keinem Ergebnis.
3. Wir machten immer mehr Pausen, ☐ als ☐ wenn unser Abteilungsleiter auf Geschäftsreise war.
4. ☐ Als ☐ Wenn die Assistentin von Frau Semmers kündigte, fand die Firma lange Zeit keine Nachfolgerin.
5. Als ☐ Wenn unsere Azubis ihre Prüfungen bestehen, feiern wir dies meistens mit Sekt und Kuchen.
6. ☐ Als ☐ Immer wenn Frau Willers und Frau Künert letzte Woche Streit hatten, sprachen sie ein paar Tage lang nicht mehr miteinander.
7. Die Firma stellte fast 100 neue Mitarbeiter ein, ☐ als ☐ wenn sie die neue Niederlassung in Bremen gründete.
8. Wir hatten regelmäßig Schulungen, ☐ als ☐ wenn wir eine neue Software bekamen.

3 **Das Leben von Frau Hoffmann. Schreiben Sie.**

1. Der Zweite Weltkrieg begann. Sie kam auf die Welt.
2. Der Krieg war zu Ende. Sie ging das erste Mal in die Schule.
3. Sie zog mit ihrem Vater nach Berlin. Die Mauer stand noch nicht.
4. Sie heiratete. Sie war 25.
5. Sie bekam ihr erstes Kind. Konrad Adenauer war deutscher Bundeskanzler.
6. Das neue Jahrhundert begann. Sie wurde Oma.

Als der Zweite Weltkrieg begann, kam sie auf die Welt.

4 Wenn oder wann?

1. Wissen Sie, _wann_ Yoshikatu Otas Karriere bei Minolta begann?
2. Was machen Sie, _____ Sie die Stelle nicht bekommen?
3. _____ er die Prüfung besteht, feiert er eine große Party.
4. Ich kann Ihnen nicht genau sagen, _____ Frau Obermann ihr 25-jähriges Jubiläum feiert.
5. _____ die Firma umzieht, baut sie ein neues Gebäude.
6. _____ nimmst du in diesem Jahr Urlaub?
7. Ich frage mich, _____ er kündigt.

5 Als, wenn oder wann?

1. _Als_ ich 15 Jahre alt war, traf ich meinen heutigen Ehemann.
2. _____ wir genug Geld haben, gehen wir immer ins Kino.
3. Ich möchte wirklich gern wissen, _____ du mal Zeit für mich hast.
4. _____ ich meine erste Zigarette geraucht habe, durfte ich eine Woche lang nicht mehr fernsehen.
5. _____ ich in der Schule meine erste 5 schrieb, musste ich täglich 3 Stunden lernen.
6. _____ wir in der Disco sind, versuchen wir immer Leute kennen zu lernen.
7. Ich kann dir nicht genau sagen, _____ der Film beginnt.
8. _____ ich abends nach Haus komme, will ich meine Ruhe haben.

6 Das Sommerfest der Firma Schwarz & Söhne. Was passt?

~~als~~	wenn	wann	dass	wenn	als	ob	als	weil

1. _Als_ ich auf das Sommerfest kam, waren alle schon da. _____ meine Kollegen mich aber schon kennen, haben sie mir einen Platz freigehalten.
2. Ich weiß nicht, _____ sich meine Kollegen darüber ärgern, _____ ich immer zu spät komme. Sie haben noch nie etwas zu mir gesagt, _____ ich zu spät gekommen bin.
3. Es gab Würste und Salate. _____ es dunkel wurde, haben wir Lichter aufgestellt.
4. Mit meinen Kollegen feiere ich sehr gern. Immer _____ wir zusammen sind, haben wir viel Spaß.
5. Ich weiß nicht mehr, _____ wir nach Hause gegangen sind. Aber _____ ich mich ins Bett legte, wurde es draußen schon hell.

Ein Vorstellungsgespräch

Seite 73/74	Aufgabe 1–4

1 Welche Wörter haben eine ähnliche Bedeutung?

die Stelle   Aufgaben
~~die Lehre~~   die Erfahrung
der Verdienst

1. die Tätigkeit   _Aufgaben_
2. das Gehalt   _____
3. Kenntnisse   _____
4. die Position   _____
5. die Ausbildung   _____

2 Was ist wie?

1. Die Arbeit ist   [X] abwechslungsreich   [ ] niedrig
2. Der Mitarbeiter ist [ ] beruflich   [ ] motiviert
3. Das Gehalt ist   [ ] fest   [ ] sozial
4. Das Team ist   [ ] hoch   [ ] engagiert
5. Der Bewerber ist   [ ] zusätzlich   [ ] teamfähig
6. Die Bewerberin ist   [ ] notwendig   [ ] qualifiziert

3 Was passt zu welchem Stichwort? Wer sagt was? Bitte ordnen Sie.

> Wie sind denn Ihre Arbeitszeiten geregelt?   ~~Was haben Sie denn bisher beruflich gemacht?~~
> Das Gehalt beträgt 1800 Euro brutto.   Wir suchen jemanden, der schnellstmöglich anfangen kann.
> Wie hoch ist denn das Gehalt?
> Nach meiner Ausbildung habe ich bei der Telekom in der Kundenbetreuung angefangen,
> wo ich jetzt immer noch tätig bin.
> Ab wann soll ich denn anfangen?   Welche Voraussetzungen gibt es für die Stelle?
> Ihre Arbeitszeit bestimmen Sie selbst, von 9 bis 15 Uhr müssen Sie aber da sein.
> Haben Sie Erfahrung mit elektronischer Buchhaltung?
> Ich habe vier Jahre lang mit UNIX gearbeitet.
> Wir suchen eine Person mit technischer Ausbildung und Berufserfahrung.

		Bewerber(in)	Firma
1.	bisherige Tätigkeit		*Was haben Sie denn bisher beruflich gemacht?*
2.	Voraussetzungen		
3.	Kenntnisse		
4.	Arbeitszeiten		
5.	Verdienst		
6.	Eintrittstermin		

4 Ingenieur gesucht! Welches Stellengesuch passt zu der Stellenanzeige?

A

Engagierter Bauingenieur
in ungekündigter Stellung, 33, selbstständiges Arbeiten gewöhnt, sucht neue Stelle auf dem Gebiet der Bautechnik oder des Hochbaus. Erfahrung in Windows, CAD, Pearl.
✉ **unter Z 239866**

B

Dipl.-Ingenieur (FH), 26 J.
sucht nach einjähriger Berufstätigkeit in den USA neue Perspektive im Bereich Gebäude-/Wassertechnik (Thema Diplomarbeit). MS-Office, E-Schein, QM-Kenntnisse; Java-Grundkenntnisse.

Angebote unter **Chiffre Z 706397**

[ ] Stellengesuch A   [ ] Stellengesuch B

Ingenieur(in)

für den Bereich Wasser- und Abwassertechnik
für unsere Abteilung Gebäudetechnik gesucht.

Aufgaben: Planung und Projektbearbeitung
in den Bereichen Industrieanlagenbau

Voraussetzungen: Sie bringen ein Studium
der Ingenieurswissenschaft, Berufserfahrung
in einer ähnlichen Position und Kenntnisse in
MS-Office und CAD (Auto-CAD, Microstation)
mit.

Wenn Sie engagiert und selbstständig arbeiten
und teamfähig sind, fühlen Sie sich sicher bei
uns wohl.

Wir bieten Ihnen einen angenehmen
Arbeitsplatz mit hoher Verantwortung
und einem attraktiven Gehalt in einem
jungen Team.

Fühlen Sie sich angesprochen?

Dann senden Sie bitte Ihre ausführlichen
Bewerbungsunterlagen mit Gehaltsvorstellung, möglichem Eintrittstermin
und Lichtbild an Frau Christiane Lang.

LANG & Söhne · Referat Personal · Gräfenberger Straße 23 · 90463 Nürnberg

---

5 **Was machen Sie bei einem Vorstellungsgespräch in diesen Situationen?**

1. Sie verstehen den Namen Ihres Gesprächspartners nicht.
   - [A] Sie fragen nicht nach und sprechen die Person im Gespräch nicht mit dem Namen an.
   - [B] Sie fragen sofort nach: „Entschuldigung, wie war Ihr Name, bitte?"

2. Sie sind sehr nervös.
   - [A] Sie versuchen trotzdem, Ihrem Gesprächspartner direkt in die Augen zu schauen.
   - [B] Sie schauen ihm nicht in die Augen, weil er Ihre Nervosität nicht bemerken soll.

3. Wie sitzen Sie?
   - [A] Sie sitzen sehr gerade. Sie bewegen sich wenig, weil Sie einen guten Eindruck machen möchten.
   - [B] Sie versuchen, natürlich und entspannt zu sitzen und schauen zu Ihrem Gesprächspartner.

4. Man bietet Ihnen Kaffee an. Sie möchten aber lieber Wasser.
   - [A] Sie nehmen den Kaffee, trinken aber aus Höflichkeit nichts.
   - [B] Sie fragen, ob es auch Wasser gibt.

5. Sie wissen nicht so viel über die Firma.
   - [A] Sie versuchen, vor dem Gespräch möglichst viele Informationen zu sammeln.
   - [B] Sie bitten Ihren Gesprächspartner, Ihnen viele Informationen über die Firma zu geben.

6. Am Ende des Gesprächs möchten Sie wissen, ob Sie die Stelle bekommen.
   - [A] Sie fragen, wie Ihre Chancen stehen.
   - [B] Sie fragen, wann die Firma sich entscheidet.

Ein Betriebsausflug

| Seite 76 | Aufgabe 1 |

1 **Nach dem Betriebsausflug**

a) **Lesen Sie den Text. Was hat den Mitarbeitern (nicht) gefallen?**

~~Wir mussten sehr früh aufstehen.~~   Am Abend wurde das Wetter schlecht.

Wir mussten auch noch auf zwei Kollegen warten.   Wir konnten erst eine Stunde später losfahren.

Die Fahrt nach Celle hat sehr lang gedauert.   Der Ausflug war länger als geplant.

Wir sind erst sehr spät nach Hause gekommen.   ~~Die Fahrt war gut organisiert.~~

Alle hatten gute Laune.   Wir haben viel gesehen.   Das Essen im Restaurant war sehr gut.

Celle ist eine hübsche kleine Stadt.   Den ganzen Tag schien die Sonne.

☺

1. *Die Fahrt war gut organisiert.*
2. _____
3. _____
4. _____
5. _____
6. _____

☹

1. _____
2. *Wir mussten sehr früh aufstehen.*
3. _____
4. _____
5. _____
6. _____

b) **Bilden Sie Sätze.**

Alle waren vom Betriebsausflug begeistert,
1. *weil die Fahrt gut organisiert war.*
2. _____
3. _____
4. _____
5. _____
6. _____

Alle waren vom Betriebsausflug begeistert,
1. *obwohl sie früh aufstehen mussten.*
2. _____
3. _____
4. _____
5. _____
6. _____

2 **Klatsch und Tratsch**

a) **Bilden Sie Sätze mit _obwohl_.**

1. Sie hat es nur einer Kollegin erzählt. Alle wissen, dass Frau Möller geheiratet hat.
   Obwohl sie es nur einer Kollegin erzählt hat, wissen alle, dass Frau Möller geheiratet hat.

2. Seine Frau war oft krank. Alle waren von ihrem frühen Tod überrascht.

   _____

3. Der Teamleiter hat die Sache selbst entschieden. Er ist sehr ärgerlich.

   _____

4. Minolta ist eine gute Firma. Elisabeth hat gekündigt.

   _____

b) Bilden Sie Sätze mit *trotzdem*.

1. *Sie hat es nur einer Kollegin erzählt. Trotzdem wissen alle, dass Frau Möller geheiratet hat.*

2. _____

3. _____

4. _____

3 *obwohl* **oder** *weil*?

1. Er geht zum Zahnarzt, _*obwohl*_ er Angst hat.
2. Sie entschuldigt sich, _____ es ihr Leid tut.
3. Ich gehe nicht auf die Party, _____ es mir zu Hause langweilig ist.
4. Wir laden Werners nie wieder ein, _____ wir uns so über sie geärgert haben.
5. Sie geht zur Arbeit, _____ sie hohes Fieber hat.
6. Ich sehe mir den Film noch einmal an, _____ er mir so gut gefallen hat.

4 *weil*, *obwohl* **oder** *trotzdem*?

1. Sie bewirbt sich bei Minolta, _*weil*_ Minolta eine Weltfirma ist.
2. _____ sie erst vor einem Jahr bei Minolta angefangen hat, ist sie schon für viele Bereiche verantwortlich.
3. Er ist erst 18 Jahre alt. _____ hat er seine Lehre schon beendet.
4. _____ in Hannover die neue europäische Zentrale eröffnet wurde, wechselte Elvira Obermann dorthin.
5. Frau Kern möchte als Projektassistentin arbeiten, _____ sie da ihre Fremdsprachenkenntnisse wieder anwenden kann.
6. Frau Estermeier hält eine Rede, _____ Frau Obermann ihr 25-jähriges Betriebsjubiläum feiert.
7. _____ sie seit 25 Jahren bei Minolta arbeitet, gefällt ihr die Arbeit immer noch.

Seite 76/77	**Aufgabe 2–5**

1 **Gefühle und Stimmungen. Welche Wörter haben eine ähnliche Bedeutung?**

① Angst haben	A jemanden mögen	1 B
② Leid tun	B sich fürchten	2
③ fröhlich sein	C Mitleid haben	3
④ sich wundern	D sauer sein	4
⑤ sich ärgern	E sich freuen	5
⑥ jemanden sympathisch finden	F überrascht sein	6

2 Gefühlvolle E-Mails

a) Welches Gefühl passt zu welcher E-Mail?

1. Freude   _F_
2. Sorge
3. Überraschung

4. Begeisterung
5. Wut
6. Angst

A O je, morgen ist es also so weit ... Ich habe jetzt schon weiche Knie. Ich fürchte, dass er beide Zähne ziehen muss — das tut sicher schrecklich weh! Hoffentlich geht alles gut!
Liebe Grüße, Anna

D Gestern habe ich zufällig Tina Andresen beim Friseur gesehen und bin aus allen Wolken gefallen: Lebt sie nicht schon längst in Brasilien?! Was macht sie hier in Hannover?
Tschüs, Corinna

B Hast du schon gehört, wer den VIVI-Musikpreis bekommen hat? Die Crusaders mit „Huh la la"! Mit diesem furchtbaren Lied, kannst du dir das vorstellen?! Ich bin total sauer, denn wir waren viel besser!
Dein Fritz

E Bitte lass keine fremden Leute herein! Und denk daran, dass du immer den Herd und das Licht ausmachst, wenn du gehst, hörst du?! Das ist schließlich deine erste eigene Wohnung.
Alles Liebe, deine Mama

C Gucken wir morgen zusammen das Fußballspiel an? Rinaldo ist einfach der beste Spieler der Welt, er spielt wie ein Gott! Das müssen wir sehen.
Viele Grüße, dein Philipp

F Juhu, ich habe die Prüfung bestanden!! 78 von 90 Punkten, ist das nicht toll?! Mein Ausbildungsleiter wird sicher Augen machen! :-))
Gruß, dein Tom

b) Bitte schreiben Sie Sätze.

1. Tom – sich freuen über – gute Prüfung   _Tom freut sich über die gute Prüfung._
2. Fritz – wütend sein auf – die Crusaders
3. Corinna – überrascht sein über – Tinas Besuch beim Friseur
4. Anna – Angst haben vor – Zahnarzt
5. Die Mutter – sich Sorgen machen um – Tochter
6. Philipp – begeistert sein von – Rinaldo

Arbeit am Computer

Seite 78	Aufgabe 1–2

1 Wer sagt was? Herr Schmolling oder die neue Mitarbeiterin Frau Kern?

	Herr Schmolling	Frau Kern
1. Wie war eigentlich Ihr erster Arbeitstag bisher?	X	☐
2. Ich habe schon jetzt wieder alle Namen vergessen.	☐	☐
3. Sehen Sie, hier legt man die CD-ROM ein.	☐	☐
4. Wo steht denn der Drucker?	☐	☐
5. Ich richte Ihnen gleich mal Ihre E-Mail-Adresse ein.	☐	☐

2 Formulieren Sie Ihre Sätze so freundlich wie Herr Schmolling.

a) *gleich mal*

1. Schalten Sie den Computer ein. *Schalten Sie gleich mal den Computer ein.*
2. Wir schauen im Internet nach. _____
3. Ich zeige Ihnen Ihren neuen Arbeitsplatz. _____
4. Wir kopieren das Programm. _____
5. Wir gehen durch den Betrieb. _____

b) *eigentlich*

1. Wie war dein erster Arbeitstag? *Wie war eigentlich dein erster Arbeitstag?*
2. Wie verschickt man eine Mail? _____
3. Wo legt man die Diskette ein? _____
4. Gibt es in der Firma eine Kantine? _____
5. Wie spät ist es? _____

3 Suchen Sie acht Computerteile.

W	G	L	T	G	G	D	B	R	W	M	X	X	X	X
F	T	A	S	T	A	T	U	R	A	J	C	C	C	S	C
D	R	U	C	K	E	R	G	M	H	T	K	K	K	C	K
M	U	F	E	S	T	P	L	A	T	T	E	S	B	A	T
O	O	W	E	C	I	K	D	U	Ä	Y	C	C	C	N	C
D	R	E	L	A	M	U	S	S	T	A	N	N	N	N	N
E	M	R	E	D	M	O	N	I	T	O	R	L	S	E	F
M	A	K	G	N	U	L	Ü	H	C	F	U	U	U	R	U

1. *Modem* 3. _____ 5. _____ 7. _____
2. _____ 4. _____ 6. _____ 8. _____

4 Was gehört zusammen?

> **Seiten ausdrucken**
> **Bilder und Texte einscannen**
> **im Internet surfen**
> **Texte und Tabellen tippen**
> **Textteile markieren** ~~Dateien speichern~~

1. die Festplatte: *Dateien speichern*
2. das Modem: _____
3. die Tastatur: _____
4. der Drucker: _____
5. die Maus: _____
6. der Scanner: _____

5 Mit dem Computer arbeiten. Bitte suchen Sie die richtige Reihenfolge.

1. ☐ das Passwort eingeben
2. ☐ den Computer ausmachen
3. ☐ die Änderungen speichern
4. ☐ eine Datei öffnen
5. ☐ Daten eingeben
6. ☐ *1* den Rechner anschalten
7. ☐ das Programm starten
8. ☐ die Datei schließen

Anhang

Lösungen zum Übungsbuch
Die *Lösungen zum Übungsbuch* enthalten die Lösungen
zu sämtlichen Übungen der Lektionen im Übungsbuch

Systematische Grammatik
Die *systematische Grammatik* erläutert alle grammatischen Kapitel
des Kurs- und Übungsbuchs. Das detaillierte Inhaltsverzeichnis hilft
das gesuchte Grammatikkapitel zu finden

Liste der Verben
Alle Verben des Kurs- und Übungsbuchs, die Unregelmäßigkeiten
aufweisen, sind in der *Liste der Verben* mit Infinitiv, Präsens, Präteritum und
Perfekt aufgeführt

Alphabetische Wortliste
Die *alphabetische Wortliste* enthält alle Wörter aus dem Kursbuch,
zusammen mit einem Hinweis auf die Stelle in der Lektion, an der
das jeweilige Wort zum ersten Mal vorkommt. Außerdem ist der
Wortschatz für das *Zertifikat Deutsch* markiert

Lösungen

Lektion 13

S. 82 Europastadt Aachen

1 2. der Sportplatz 3. die Ballonfahrt 4. der Bundespräsident 5. der Pferdesport 6. das Gewerbegebiet 7. die Europastadt 8. das Rheinland

2 2. Europa 3. CHIO 4. Rheinland 5. Präsident 6. Aventis • *Lösungswort:* Aachen

S. 83/84 Im Ballon über Aachen und Umgebung

1 2D • 3C • 4A • 5F • 6E

2 wünschen • Familie • Freude • Geburtstagsfeier • Gäste • Fest • Gute

3 2A • 3B • 4D • 5F • 6C

4 a) *Mögliche Lösung:* 5 • 4 • 3 • 7 • 2 • 1 • 6: Sie dankt Katharina für die Einladung. Sie gratuliert Katharina zum 21. Geburtstag. Sie kann nicht zur Geburtstagsparty kommen. Sie wünscht Katharina viel Spaß bei der Geburtstagsparty. Birgit möchte Katharina bald wieder sehen. Sie schickt Katharina ein Buch. Sie hofft, dass ihr das Buch gefällt.

b) *Mögliche Lösung:* Liebe Katharina, vielen Dank für deine Einladung. Ich gratuliere dir ganz herzlich zu deinem 21. Geburtstag und wünsche dir alles Liebe und Gute. Leider kann ich nicht zu deiner Geburtstagsparty kommen, wünsche dir aber einen wunderschönen Abend mit deinen Gästen. Ich hoffe aber, dass wir uns schon bald wieder sehen. Damit die Zeit bis zu unserem nächsten Treffen schnell vorbei geht, schicke ich dir ein spannendes Buch. Ich hoffe, es gefällt dir.
Herzliche Grüße, deine Birgit

S. 84–87

1 2. hell 3. sonnig 4. rot 5. glücklich 6. trocken

2 a) 2. Spielzeug 3. Pilot 4. Heißluftballon 5. Landschaft 6. Gutschein

b) 2. Landschaft 3. Gutschein 4. Spielzeug 5. Heißluftballon 6. Pilot

3 a) 2. einsam 3. trocken 4. feucht 5. heiter 6. möglich 7. mehrsprachig 8. offen

b) 2. nah 3. warm 4. kalt 5. groß 6. leer 7. ruhig 8. hoch

4 2. Das ist der Politiker Karl Müller. Er ist berühmt. Das ist der berühmte Politiker Karl Müller. 3. Das ist das Industriegebiet. Es ist groß. Das ist das große Industriegebiet. 4. Das sind die Aachener Printen. Sie sind beliebt. Das sind die beliebten Aachener Printen.

5 französische • vielen • italienischen • tolle • neuen

6 a) 1. blaue Bluse 2. grüne Bluse 3. rote Kleid, graue Jacke 4. graue Jacke, schwarze Jacke

b) 1. schwarze 2. tollen 3. lange 4. grüne, weiße 5. neuen

7 italienischen • bunten • hübschen • grünen, starke • jungen, schreckliche

8 a) 2. sauer 3. dunkel 4. teuer

b) 2. teuren 3. sauren 4. dunklen

9 2. offenen 3. moderne, nationalen 4. deutsch-niederländische 5. technische, –, internationalen

S. 87/88 Es geht los – „Avantis"

1 wohnen: das Zelt, das Zimmer • **arbeiten:** das Unternehmen, die Firma, der Betrieb • **lernen:** die Universität, die Volkshochschule, die Schule • **spazieren gehen:** der Wald, der Park, der Zoo • **essen und trinken:** die Kneipe, der Biergarten, das Café

2 1. f 2. r 3. f 4. r 5. r 6. f

3 2. die Kunst, der Stoff 3. die Zeitung, der Artikel 4. das Automobil, die Entwicklung 5. die Luft, die Fahrt 6. der Raum, die Fahrt

S. 88–91

1 1. des Unternehmens • der Strecke 2. des Betriebs 3. des Chefs 4. der Stühle, der Woche 5. des Chauffeurs • Deutschlands • Frieder Malinkes

2 2. des Geschäftsführers Han Hardy 3. der 2 Länder 4. der Tiere 5. der Autobahnen, der Firma „Centipedes"

3 **a)** 2. Er wohnt mit seiner Familie im Haus der Schwiegereltern. 3. Frieder Malinkes Kinder sind noch klein. 4. Sie spielen nachmittags oft mit den Kindern der Nachbarn. 5. Petras und Sebastians Mutter arbeitet bei der Firma Lambertz.

b) 2. Das ist Iris' Computer. 3. Das ist Max' Tochter. 4. Das ist Franz' Problem.

4 2. Gutschein für eine Ballonfahrt über Aachens Umgebung zu gewinnen. 3. Englands Königin zu Besuch beim CHIO. 4. Eupens Einwohner sprechen genauso gut Flämisch wie Deutsch.

5 2. eines Liedes 3. einer Universität 4. eines Buches 5. eines Kaisers 6. einer Sängerin 7. eines Films 8. einer Mozart-Oper

6 2. seines Vaters 3. unserer Mutter 4. ihrer Eltern 5. deines Großvaters 6. eurer Großmutter

7 **a)** 2. Wem gehört das Handy? Es gehört der Assistentin. Es gehört ihr. 3. Wem gehört die Wohnung? Sie gehört Familie Arnold. Sie gehört ihr. 4. Wem gehören die Autos? Sie gehören dem Taxiunternehmen. Sie gehören ihm. 5. Wem gehört der Kalender? Er gehört dem Chef. Er gehört ihm. 6. Wem gehört das Geld? Es gehört Jonas. Es gehört ihm.

b) 2. Wessen Handy ist das? Das ist das Handy der Assistentin. Das ist ihr Handy. 3. Wessen Wohnung ist das? Das ist die Wohnung von Familie Arnold. Das ist ihre Wohnung. 4. Wessen Autos sind das? Das sind die Autos des Taxiunternehmens. Das sind seine Autos. 5. Wessen Kalender ist das? Das ist der Kalender des Chefs. Das ist sein Kalender. 6. Wessen Geld ist das? Das ist das Geld von Jonas. Das ist sein Geld.

c) 2. Wessen 3. Wessen 4. Wem 5. Wessen 6. Wem

8 2. gehört 3. gehört 4. Gehört 5. gehört zu 6. gehört

S. 91 Aachener Printen

1 **früher:** Teig in Formen drücken, Probleme mit dem Import von Zucker und Honig • **heute:** einfache, flache Printe, industrielle Herstellung, gut versenden

S. 91–93

1 2. ob Printen süß oder bitter schmecken? 3. wie man Printen früher hergestellt hat? 4. wie eine Schnittprinte aussieht? 5. ob die moderne Printe flach ist?

2 2. wer die heutigen Printen erfunden hat? 3. wie viele Arbeitsplätze es im Gewerbegebiet „Avantis" geben soll? 4. wo es die erste freie Zeitung Deutschlands nach dem Zweiten Weltkrieg gegeben hat? 5. was man in Maastricht beschlossen hat. 6. warum man Sirup verwendet hat?

3 1. ob ich wirklich mit dieser Hose aus dem Haus gehen will 2. ob du Veronika schon geweckt hast 3. wann ich aus dem Büro komme 4. wer gestern Brot kaufen wollte

4 *Mögliche Lösungen:* 2. Ich weiß nicht, was der CHIO ist. 3. Weißt du, ob das Gewerbegebiet „Avantis" zu Belgien gehört? 4. Ich möchte wissen, wann man Karneval feiert. 5. Können Sie mir sagen, ob die Karlskirche in Aachen steht? 6. Hast du verstanden, wie die Moorlandschaft in Belgien heißt?

5 2. wer der nächste Präsident wird. / Wer der nächste Präsident wird, können wir noch nicht sagen. 3. wann ihr Mann nach Hause kommt. / Wann ihr Mann nach Hause kommt, weiß Frau Marinelli nicht. 4. ob Barbara heute Abend mit uns ins Kino geht. / Ob Barbara heute Abend mit uns ins Kino geht, können wir noch nicht sagen. 5. wie viel Manuel fernsieht. / Wie viel Manuel fernsieht, will Veronika gar nicht wissen.

6 ob • wenn, ob • wenn, dass • dass

S. 94–96 Der CHIO – Pferdesport in Aachen

1 2D • 3B • 4C • 5A • 6E

2 **a)** 2A • 3E • 4F • 5B • 6C

b) 1. wunderschönen Pferden 2. lebendigen Atmosphäre 3. schicken Leuten 4. leckeren Essen 5. tollen Reitern

3 **a) m:** großen, großen, großen • **f:** kluge, kluge, klugen, klugen • **n:** neue, neue, neuen, neuen • **Pl.:** netten, netten, netten, netten

b) f: -e, -e, -en, -en • **n:** -e, -e, -en, -en • **Pl.:** -en, -en, -en, -en

4 2. Dem 13-jährigen Julian gefallen die schnellen Pferde. 3. Der alten Dame gefällt die interessante Atmosphäre. 4. Dem kleinen Mädchen gefallen die schicken Leute. 5. Dem ausländischen Gast gefällt das spannende Turnier.

5 2. vielen, leckeren, ganzen, schönen 3. großen 4. schicken, schönen, starken 5. fröhlichen

6 1. sonnigen, weißen, feinen, kristallklaren 2. ruhige, einsamen • wunderbaren, hohen, dunklen, großen 3. freundlichen, lieben, leckeren, typischen, traumländischen

7 2. a) 3. b) 4. c) 5. b) 6. a) 7. c) 8. c)

S. 97
Zwei Aachener Preise

1 2. Vergangenheit 3. Karlspreis 4. Bundesminister 5. Ordensritter 6. Karnevalsverein 7. Jahrhundert 8. Persönlichkeit

2 **a)** 1A • 2B

b) 1. r 2. f 3. f 4. r 5. f 6. r

Lektion 14

S. 98/99
Zu Besuch in Dresden

1 **Kultur:** im Chor singen, Gedichte schreiben, ins Museum gehen, Klavier spielen • **Sport:** Fußball spielen, reiten, Tennis spielen • **Essen:** kochen, ein Picknick machen, einen Obstsalat vorbereiten, backen

2 **a)** Anita anrufen, zum Zahnarzt gehen

b) 2. Um 9.00 Uhr geht sie zum Zahnarzt. 3. Um 11.00 Uhr geht sie zum Friseur. 4. Um 13.00 Uhr isst sie mit Thomas zu Mittag. 5. Um 17.00 Uhr ruft sie Anita an. 6. Um 20.00 Uhr geht sie in die Oper.

3 2. Am Dienstag hat er Gitarre gespielt. 3. Am Mittwoch ist er mit dem Schiff gefahren. 4. Am Donnerstag ist er ins Kino gegangen. 5. Am Freitag hat er einen Brief geschrieben. 6. Am Samstag hat er Fußball gespielt. 7. Am Sonntag ist er Fahrrad gefahren.

4 **a)** ein Tagebuch

b) 1. r 2. f 3. f 4. r 5. r

S. 100
Verena im Museum

1 **a)** Hals • Ohr • Bein • Rücken • Hand • Nase • Arm

b) 2. Ohr 3. Nase 4. Hals 5. Arm 6. Rücken 7. Hand 8. Bein

2 **klein:** Näslein, Öhrchen, Äuglein, Beinchen • **groß:** Rücken, Fuß, Finger, Knie, Gesicht

S. 100–102
1 2. eine schöne Reise 3. ein schrecklicher Traum 4. ein spannender Film 5. ein hoher Berg 6. ein buntes Bilderbuch 7. ein ruhiger Fluss 8. eine schwere Krankheit

2 **a) glücklich:** die Familie, Tage, die Ehe • **bequem:** der Platz, Betten, das Auto, Schuhe

b) 2. Eine glückliche Familie 3. glückliche Tage 4. eine glückliche Ehe 5. ein bequemer Platz 6. bequeme Betten 7. ein bequemes Auto 8. bequeme Schuhe

3 2. fröhliche 3. verliebtes 4. neue 5. alte 6. großen

4 *Mögliche Lösungen:* 2. Im Boot sitzen viele Menschen. 3. In der Mitte kann man ein verliebtes Paar sehen. 4. Links sitzt ein alter Mann. 5. Im Boot ist auch ein kleines Kind. 6. Man kann auch eine romantische Landschaft sehen. 7. Man sieht einen breiten Fluss. 8. Auf der rechten Seite steht ein hoher Berg.

5 2. fröhliches 3. große 4. jungen 5. altes 6. viele

6 2. einsamen Insel 3. guten Freunden 4. sonnigen Land 5. weißen Strand 6. einfachen Haus

7 kleinen, roten • müden • grünen, gelben • altmodischen, schwarze • ersten, wunderbaren

8 **-lich:** glücklich, pünktlich, fröhlich, friedlich, unheimlich • **-ig:** langweilig, windig, billig, zufällig • **-isch:** romantisch, europäisch, altmodisch, harmonisch, sympathisch

S. 102/103
1 2. Ist das deine neue Mütze? 3. Das sind ihre alten Strümpfe. 4. Das ist sein buntes Hemd. 5. Das sind ihre eleganten Schuhe.

2 2. Es hat genau seine blonden Haare. 3. Es hat genau ihre kleinen Ohren. 4. Es hat genau ihren hübschen Mund. 5. Es hat genau sein rundes Gesicht.

3 2. Sie steigt mit ihrem schweren Koffer in den Zug ein. 3. Die Fahrkarte ist in ihrer roten Tasche. 4. Sie liest lange in ihrem spannenden Buch. 5. In Dresden holt ihre Oma sie mit ihrem neuen Auto vom Bahnhof ab.

4 berühmten • alte, großen • interessanten, alter, lebendigen • dunklen • verschiedene • harmonisches • sympathischer

5 1. Trockene, spannende 2. ihren bunten, 3. Eine aufregende, ein lustiges, meine lieben • ihren guten, ihren freundlichen 4. einer harmonischen • Meine lieben

S. 104/105 **Adele Zwintscher**
1 2. sich ärgern – sich freuen 3. sich anziehen – sich ausziehen 4. sich wohl fühlen – sich schlecht fühlen 5. sich beeilen – warten

2 2F • 3E • 4B • 5A • 6C

3 2. den Lehrer 3. der Kundin 4. sich selbst 5. seinen Freund

4 1. dich, dich • dir 2. dir • dir, dir 3. dir 4. dich, dich • dich

5 Was sagt sie?: 2. mich 3. mir 4. mich 5. mich • Was sagt er?: 1. mich 2. mir 3. mich 4. mir 5. mich

6 2. sich 3. sich 4. mich 5. euch 6. mich 7. uns 8. dir 9. dir

7 dich • sich • – • – • – • dich • sich • – • sich • – • sich • – • sich • –

8 2. ihn, sie, sich 3. ihn, sie, sich 4. ihn, sie 5. ihm, ihr, sich 6. sich, sich

S. 106–108 **Verena und Frau Graf beim Arzt**
1 **a)** B Kopfschmerzen C Halsschmerzen D Ohrenschmerzen E Bauchschmerzen
b) 2. tut … weh 3. tut … weh 4. tun … weh 5. tut … weh

2 2. Ärztin 3. Patienten 4. Ärztin 5. Patienten 6. Patienten 7. Patienten 8. Ärztin

3 2B • 3B • 4B • 5A

4 2H • 3D • 4E • 5F • 6A • 7B • 8G

5 2B • 3C • 4E • 5A

6 2. solltet 3. solltest 4. sollte 5. sollten 6. sollte

7 7 • 2 • 5 • 1 • 6 • 3 • 4: Frau Pflaum ruft bei ihrem Arzt an. Sie macht einen Termin aus. –Sie sitzt im Wartezimmer. Mit ihr warten viele Leute. Frau Pflaum liest eine Zeitschrift. – Nach zwanzig Minuten ist Frau Pflaum endlich dran. – Frau Pflaum geht in das Sprechzimmer. Der Arzt sitzt schon dort und begrüßt sie. Er fragt sie, wie es ihr geht. – Sie erzählt, dass sie seit drei Tagen Fieber hat und sich nicht wohl fühlt. Der Arzt untersucht sie. – Nun verschreibt der Arzt ein Medikament. Er sagt zu Frau Pflaum, dass sie zwei Tage im Bett bleiben soll. Er schreibt ihr auch eine Krankmeldung. – Frau Pflaum geht schließlich noch zur Apotheke und kauft das Medikament. Dann kann sie nach Hause gehen und sich wieder ins Bett legen.

S. 108 **Dresdens Wahrzeichen**
1 **a)** 1. r 2. r 3. r 4. f 5. r 6. f 7. r
b) 2A • 3C • 4B

2 Wiederaufbau • Spenden • Bauwerke • Denkmäler • Erinnerung • Vergangenheit

3 2. denken 3. zerstören 4. retten 5. ausgehen 6. begleiten 7. einwandern 8. anbieten 9. vergleichen 10. verstecken 11. kombinieren 12. korrigieren

S. 109–111
1 2B • 3F • 4A • 5D • 6C

2 Den • den • der • Der • der • dem

3 2. Jedes 3. alle 4. Jede 5. Alle 6. jeden

4 meinen • meine • meinem • meins • meine

5 2C • 3B • 4D • 5A

6 **a)** 2. einen 3. eine 4. welche 5. welche 6. einen

b) 2. keiner 3. keins 4. keinen 5. keine 6. keins

7 2. dieser 3. diesem 4. diese 5. diese 6. dieses

S. 112/113 ## 13. Februar 1945

1 2H • 3A • 4B • 5F • 6G • 7E • 8D

2 2. Rettung 3. Meer 4. Angst 5. Köfferchen 6. weinen

3 **Vor dem Krieg:** hat Dresden die Namen „Elbflorenz" und „Venedig des Ostens" bekommen, war die Frauenkirche die berühmteste protestantische Kirche in Deutschland • **Nach dem Krieg:** war Dresden zu 80% zerstört, war keine andere Stradt in Deutschland so stark zerstört wie Dresden, hat man einen Teil der historischen Gebäude in Dresden wieder aufgebaut

4 2. Semperoper 3. Tabak- und Zigarettenfabrik Yenidze 4. Bürgerwiese

Lektion 15

S. 114/115 ## In Wien zu Hause

1 2A • 6C • 8D • 9E • 10B

2 2C • 3D • 4F • 5A • 6E

3 2. Galerie 3. Post 4. Hotel 5. Kirche 6. Geschäft

4 2. Hausfrau 3. Arbeiter 4. Hausmeister 5. Bundeskanzler 6. Badegäste 7. Autofahrer 8. Professorin 9. Dauercamper 10. Zimmermädchen

5 **a)** 2. Österreich 3. Österreich 4. Deutschland 5. Österreich 6. Österreich

b) **Deutschland:** Hallo, Kneipe, gegenüber, Geburtstagspäckchen, Treppe • **Österreich:** Servus, Beisel, vis-à-vis, Geburtstagspackerl, Stiege

S. 116 ## Im UNO-Gebäude

1 **b)** 2. 26 3. 188 4. 4 5. 4000 6. 100

c) 2. Krieg 3. Europa 4. Mitglied 5. Politiker

S. 117–119 **1** 2. Krisztina hat keine Stelle bei der UNO, sondern sie macht ein Praktikum. 3. Aischa arbeitet in Wien, aber sie wohnt in Baden. 4. Juan Pablo geht gern zu Fuß zur Arbeit oder er fährt mit dem Fahrrad. 5. Debbi geht jedes Jahr zum Opernball, denn sie tanzt so gern Walzer. 6. John hat in New York bei der UNO gearbeitet und dann ist er nach Wien gegangen.

2 2. Nach der Hochzeit wartet der Fiaker vor der Kirche und nun beginnt die romantische Fahrt. 3. Die Gäste gratulieren dem Paar, aber der Fiaker fährt schnell ab. 4. Der Fiaker sieht wunderschön aus, denn er und sein Pferd tragen Blumen. 5. Die Fahrt ist nicht windig, sondern man sitzt bequem und angenehm.

3 2. Sie hat ein Zimmer in Wien, aber sie wohnt auch in Veszprém bei ihren Eltern. 3. Sie ist gut in Fremdsprachen und sie versteht auch das Wienerische. 4. Sie kennt Wien ein bisschen, denn sie hat hier ein Semester studiert. 5. Abends geht sie oft ins Kino oder sie sitzt mit Kollegen im Kaffeehaus. 6. Nach dem Praktikum geht sie nicht nach Ungarn zurück, sondern sie zieht nach London um.

4 2. Früher hat man Aachener Printen mit kunstvollen Modeln hergestellt, aber heute findet man nur noch die einfache Schnittprinte. 3. In und um Dresden gibt es nicht nur schöne alte Gebäude und Denkmäler, sondern man kann auch schöne Landschaften an der Elbe entdecken. 4. Die Stadt Dresden braucht zurzeit sehr viel Geld, denn sie will die Frauenkirche wieder aufbauen. 5. Fast alle Wien-Touristen besichtigen das Hundertwasserhaus oder sie besuchen die Wiener Kaffeehäuser. 6. Die Staatsoper, das Burgtheater und viele andere kulturelle Einrichtungen machen Wien zu einer Weltstadt, und Organisationen wie die UNO geben der Stadt die internationale Atmosphäre.

5 **a)** 2. denn 3. weil 4. denn 5. weil 6. weil

b) 2. sie interessieren sich nämlich für Architektur. 3. in Wien gibt es nämlich viele gute Theater. 4. Wien ist nämlich eine wunderschöne Stadt. 5. es gibt nämlich viele bekannte Sehenswürdigkeiten 6. sie haben nämlich schon viel über Wien gelesen.

6 2. weil 3. weil 4. nämlich 5. nämlich 6. denn

S. 119–121 Wohnhäuser

1 **a)** 2. Hundertwasserhaus 3. Gasometer 4. Hundertwasserhaus 5. Gasometer 6. Hundertwasserhaus 7. Hundertwasserhaus

b) ☺: 4, 5 • ☹: 1, 2, 3, 5, 7

c) 2. 7 3. 3 4. 2 5. 1

2 2. Gasometer 3. Hundertwasserhaus 4. Gasometer 5. Hundertwasserhaus 6. Hundertwasserhaus 7. Hundertwasserhaus

3 2. Würdest 3. würde 4. würden 5. Würdet 6. würden

4 2. hätten 3. hätte 4. hätten 5. wäre 6. wär(e)t.

5 **sein:** ich wäre, er/sie/es wäre, wir wären, ihr wär(e)t • **haben:** ich hätte, du hättest, wir hätten, sie/Sie hätten • **andere Verben:** du würdest, er/sie/es würde, wir würden, ihr würdet, sie/Sie würden

6 2. aber er hätte lieber eine Katze. 3. aber sie würde lieber auf dem Land wohnen. 4. sie würde lieber Kuchen essen. 5. aber er würde lieber im Büro arbeiten. 6. aber er würde lieber Fußball spielen. 7. aber sie wären lieber in Österreich. 8. aber er hätte lieber ein Auto.

7 2. würden • hätten 3. Würdet • hätte • würde 4. würde • würden • hättest 5. würde

8 2. Ich würde so gern besser Englisch sprechen. 3. Ich würde so gern beim Informationsdienst der UNO arbeiten. 4. Ich würde so gern ein Praktikum bei der UNO machen. 5. Ich wäre so gern mit meiner Freundin im Kino. 6. Ich würde so gern ein Stipendium bekommen. 7. Ich hätte so gerne einen Computer.

S. 122–125 Im Opernhaus

1 1. r 2. f 3. r 4. r 5. f

2 **Entschuldigung:** Oh, das wollte ich nicht! Es tut mir schrecklich Leid. Entschuldigung! • **Antwort:** Das macht doch nichts. Das kann doch jedem mal passieren. Reden wir nicht mehr davon. Das ist schon in Ordnung.

3 **a)** **-heit:** Gelegenheit, Besonderheit • **-keit:** Persönlichkeit, Möglichkeit • **-ung:** Sammlung • **-schaft:** Landschaft, Gesellschaft • **-ik:** Musik, Politik

b) **Adjektiv:** persönlich, ländlich, politisch, gelegentlich, gesellschaftlich • **Verb:** sammeln, veranstalten, musizieren

4 2B • 3A • 4B • 5B • 6A

5 2. Dürfte ich dein Handy mal kurz benutzen? 3. Würdest du mir etwas Geld leihen? 4. Könntest du bitte das Fenster aufmachen? 5. Hätten Sie etwas Zeit für ein Gespräch?

6 2. Dürften 3. Könnten 4. Könntest 5. Dürfte 6. Könnte

7 2. Hätten Sie vielleicht ein Aspirin dabei? 3. Dürfte ich das Fenster öffnen? 4. Würdest du mir deine Jacke leihen? 5. Könntest du mich schnell zur Schule fahren? 6. Würdest du noch schnell ein Brot kaufen? 7. Würden Sie mir bitte das Formular zeigen? 8. Dürfte ich mal Ihren Kugelschreiber benutzen?

8 **b)** 2. Mama, hättest du vielleicht etwas Schokolade für mich? 3. Paula, könntest du mir bitte sagen, wie spät es ist? 4. Pia, würdest du bitte noch die Küche aufräumen? 5. Mama, könntest du mir bitte den Orangensaft geben? 6. Toni, würdest du bitte den Mülleimer nach unten bringen?

9 3A • 5B • 6D

Wiener Kaffeehäuser

1 2. Aachener 3. Nürnberger 4. Berliner 5. München 6. Salzburger 7. Dresden 8. Freiburger

2 **a)** 2. Bayrisches Bier 3. Saubere Umwelt 4. Weißes Weihnachtsfest 5. Hohe Berge 6. Schwere Stunden 7. Schrecklicher Frühling

b) **f:** ewige Ruhe, saubere Umwelt • **n:** bayrisches Bier, weißes Weihnachtsfest • **Pl.:** hohe Berge, schwere Stunden

3 2. starker Kaffee 3. warme Milch 4. leckere Mehlspeisen 5. internationale Gäste 6. elegante Kaffeetassen 7. herrlicher Kaffeeduft 8. traditionelles Angebot an Mehlspeisen

4 2. weißen Sand 3. roten Wein 4. frisches Obst 5. herrlichen Kaffeeduft 6. günstige Angebote 7. nette Kollegen 8. neue Gedanken

5 2. tollen 3. schnellem 4. großem 5. erster 6. kleinen 7. neuen 8. alten

6 guten, angenehmer, klassische • **Hauptgerichte:** 1. jungen, grünem 2. Scharfe, französischem 3. Bunter, schwarzen • **Desserts:** 1. Heiße 2. Großes 3. Frischer, dunkler

7 1. gemütliches 2. traditionsreichem, leckere 3. Teuerste, kühler 4. Modernes, gemütliches 5. Klassisches, zentraler 6. Legendärer

8 **a)** fröhlicher, großes, alten, moderner • nette, jugendliche, eigenen, großen, sicheren
b) fröhlicher, großem, alten, moderner, nette, jugendliche, eigenem, großer, sicherem

9 2. jung, alt, arm, reich 3. braun 4. bekannt 5. deutsch 6. süß 7. fremd 8. neu

Wiener und ihre Häuser

1 2B • 3A • 4C • 5A • 6A

2 **a) Meinung:** Ich bin der Meinung, Ich glaube • **Ratschläge:** Ihr solltet, Aber sieh doch …

b) *Mögliche Lösung:* Vielen Dank für deinen lieben Brief und deine guten Ratschläge. Sie haben mir wirklich sehr geholfen. Du schreibst, dass du noch immer keine Stelle gefunden hast. Das tut mir wirklich Leid. Du fragst mich auch, ob ich dir noch Ratschläge für die Stellensuche geben kann. Sicherlich hast du schon viele Bewerbungen geschrieben, aber vielleicht solltest du doch noch mehr schreiben. Vielleicht solltest du auch noch mal einen Sprachkurs besuchen und dein Deutsch verbessern. Du könntest natürlich auch eine Anzeige in der Zeitung aufgeben oder geh doch einfach bei einer für dich interessanten Firma mal persönlich vorbei. Leider habe ich im Moment keine besseren Ideen. Ich hoffe aber, dass du schon bald Arbeit findest und wünsche dir viel Glück und Erfolg bei der Suche.
Viele liebe Grüße,
Hocine

Lektion 16

Eine E-Mail aus Zürich

1 1. r 2. f 3. r 4. f 5. r 6. r

2 1. Z 2. U 3. E 4. R 5. I 6. C 7. H *Lösungswort:* Zuerich

3 2. am Anfang 3. am Anfang 4. am Ende 5. am Anfang 6. am Ende 7. am Anfang 8. am Ende

4 **a) Freude:** Es ist toll, Es ist schön, Es freut mich • **Entschuldigung:** Entschuldige bitte, Es ist schade • **Wunsch:** Ich hoffe, Ich wünsche dir, Hoffentlich • **Erzählen:** Stell dir vor, Übrigens, Erinnerst du dich noch

b) Stell dir vor • Übrigens • Erinnerst du dich • Ich hoffe • Es ist wirklich schade • hoffentlich

S. 132/133 **In der Bank**

1 a) 2. Überweisung 3. Schalter 4. Geldautomat 5. Kasse 6. Kontoauszug
b) 2. Kasse 3. Auszugsdrucker 4. Überweisung

2 a) 2. eröffnen 3. abheben 4. ausdrucken 5. eingeben
b) 2A • 3D • 4C • 5F • 6E

3 2. der Drucker 3. die Geheimzahl

4 2. Frau Schuppli hat 400 CHF überwiesen. 3. Frau Garí hat Geld gewechselt. 4. Herr Leber hat Kontoauszüge ausgedruckt. 5. Frau Bertucelli hat ihre Geheimzahl eingegeben. 6. Herr Strittmatter hat ein Konto eröffnet. 7. Herr Löffner hat Geld eingezahlt.

5 2. der Kunde / die Kundin 3. der / die Bankangestellte 4. der / die Bankangestellte 5. der Kunde / die Kundin 6. der Kunde / die Kundin

S. 134 **Freizeitbeschäftigungen**

1 2B • 3D • 4A • 5E

2 2. Hast du am Wochenende eigentlich schon was vor? 3. Schade. Ich wollte dir mal Zürich zeigen. 4. Kannst du nicht einen anderen Termin ausmachen? 5. Also gut, dann treffen wir uns am Samstagmorgen, vielleicht so um neun? 6. Am besten direkt am Bahnhof. Um neun Uhr. Pünktlich! 7. Also dann bis morgen.

S. 135–137 **1** 2. Er vergisst immer 3. Sie hat nie Zeit 4. Es ist unhöflich 5. Er hat nie Lust 6. Versuch bitte nicht

2 a) 5. besuchen 7. unternehmen 8. vergessen 9. verschieben
b) 2. auszugehen 3. zu verschieben 4. anzurufen 5. zu besuchen 6. zu unternehmen 7. zu bezahlen 8. einzukaufen

3 2. mit dem Zug zu reisen 3. unsere Eltern zu besuchen 4. in der Sonne zu liegen 5. Deutsch zu lernen 6. am Samstag zu Hause zu bleiben 7. ihm nicht abzusagen 8. in der Nacht allein zu sein 9. morgens fernzusehen 10. nach 22 Uhr anzurufen

4 2. immer meinen Computer auszuschalten 3. zu meinen Eltern zu fahren 4. mir im August Urlaub zu nehmen 5. einkaufen zu gehen 6. Geld für Computerspiele auszugeben

5 2. Tamara 3. Roland 4. Roland 5. Tamara 6. Roland

6 2. zu 3. – 4. zu 5. – 6. zu 7. zu 8. –

7 a) 2. auf die Party bei Urs zu gehen 3. tanzen gehen 4. auf dem Zürichsee eine Schifffahrt zu machen 5. sich zum Frühstück im Café am Hechtplatz treffen
b) 2. mit Susanne auf die Party bei Urs zu gehen • sich mit Jörg im Café Capri treffen 3. essen zu gehen • vom Bahnhof abholen 4. tanzen zu gehen • nach Bern fahren 5. keine Schifffahrt auf dem Zürichsee machen • erst am Abend zurück 6. sich am Sonntag zum Frühstück im Café am Hechtplatz treffen.

S. 138 **„Blinde Kuh"**

1 a) 2. sehen 3. hören 4. schmecken 5. riechen
b) 2. hören 3. tasten 4. schmecken 5. sehen

2 1 • 3 • 2 • 6 • 4 • 5 Blinde Kuh, Pauli, guten Tag! – Fries, guten Tag. Ich wollte fragen, ob Sie für Samstagabend noch einen Tisch frei haben? – Für wie viele Personen denn? – Für vier Personen. – Ja, das geht. Wie war noch mal Ihr Name? – Fries

S. 138–141 **1 a)** 2. für 3. über 4. zu 5. auf 6. mit 7. bei 8. vor 9. mit
b) 2. Dativ 3. Dativ 4. Akkusativ 5. Akkusativ 6. Akkusativ 7. Dativ 8. Dativ 9. Dativ

2 2B • 3I • 4C • 5G • 6E • 7A • 8F • 9D

3 a) mich • mir • Leuten • beim Deutschlernen, zum Essen • meiner
b) 2. für ihn 3. vor ihm 4. mit Leuten aus seinem Heimatland 5. beim Deutschlernen 6. zum Essen 7. mit seiner Ausbildung

4 1. mit … angefangen • freuen uns … auf 2. mich … an … gewöhnt • mich … für … interessiert 3. mich … zu … eingeladen • mich … über … geärgert • hatte … Angst vor 4. habe mich … mit … getroffen • uns … beim … geholfen

5 2. Er interessiert sich für Wielands Bücher. 3. Sie treffen sich mit ihren Eltern. 4. Wir freuen uns über deinen Erfolg. 5. Sie ärgert sich über ihren großen Bruder. 6. Interessiert ihr euch für den Film? 7. Ich freue mich über Melindas Postkarte. 8. Andrea trifft sich mit einer alten Schulfreundin.

6 2. Wann fängst du mit der Arbeit an? 3. Hast du keine Angst vor der Prüfung? 4. Ärgerst du dich über das Wetter? 5. Freust du dich auf die Party? Interessierst du dich nicht für Politik?

7 2A • 4E • 6D • 7C

S. 141–143 Das schwarze Brett

1 2A • 3H • 4B • 5F • 6C • 7D • 8G

2 1. warten 2. denken, sich erinnern 3. Probleme haben, sich unterhalten 4. sich Zeit nehmen, sich bedanken 5. sich kümmern, sich Sorgen machen 6. sich bedanken, helfen

3 2. für 3. an 4. um 5. um 6. auf 7. mit 8. bei 9. mit 10. an 11. für 12. mit 13. auf

4 2. sie 3. ihr 4. mir 5. mir 6. sie 7. sie 8. diese 9. meinem

5 2. Woran 3. Wobei 4. Worum 5. Worauf 6. Wofür

6 2F • 3E • 4A • 5D • 6B

7 2. Mit wem 3. An wen 4. Auf wen 5. Woran 6. Für wen 7. Womit 8. Worauf

S. 143/144

1 2. Großvater 3. Arbeit 4. Der Drucker geht mal wieder nicht. 5. Karin 6. Hier regnet es so oft. 7. Meine Enkel 8. Herr Tritschler ist oft so unfreundlich.

2 2. über ihn 3. darauf 4. mit ihnen 5. darum 6. um sie 7. daran 8. mit ihr

3 2. Helfen Sie ihr doch dabei! 3. Kümmern Sie sich doch mehr um sie! 4. Unterhalten Sie sich doch öfter mit ihr! 5. Machen Sie sich doch keine Sorgen darum! 6. Telefonieren Sie doch öfter mit ihr! 7. Ärgern Sie sich doch nicht darüber!

4 2. damit 3. Wofür 4. Für 5. dafür 6. an 7. um sie 8. daran 9. für ihn 10. Mit wem 11. mit ihnen 12. an ihn

S. 145 Ein Quiz

1 b) 2B • 4D • 5C • 6A

Lektion 17

S. 146 Die Schwabenmetropole: Stuttgart

1 2. Bauer 3. Technik 4. Azubi 5. Wald 6. Pasta

2 2B • 3C • 4B • 5B • 6C

3 2. gründen 3. suchen 4. besuchen 5. machen 6. besitzen

S. 147/148 Robert Bosch – ein Erfinder

1 2. Apparat 3. gründen 4. entwickeln 5. wichtig 6. beruflicher Erfolg

2 2. Praktikum 3. Fabrik 4. Motor 5. öffnen 6. machbar

3 a) -bar: furchtbar, verwendbar, wunderbar • **-los:** kostenlos, grenzenlos, arbeitslos, problemlos

b) 2. verwenden 3. arbeiten 4. machen 5. regnen 6. kennen 7. kosten 8. brauchen

4 2. Besuch 3. Entwicklung 4. Ausbildung 5. Eröffnung 6. Spende 7. Stiftung 8. Hilfe

5 a) 2. entdeckt 3. erfunden 4. erfunden 5. erfunden 6. entdeckt

b) 2. erfinden 3. entdecken

S. 148–151

1 2D • 3A • 4B • 5C • 6E

2 2. Dativ 3. Akkusativ 4. Dativ 5. Nominativ 6. Akkusativ

3 2. die sich den ganzen Tag mit den Nachbarn unterhält. 3. das einen furchtbaren Lärm macht. 4. die immer Besuch haben. 5. die in der Wohngemeinschaft im zweiten Stock wohnen. 6. der sich um nichts kümmert.

4 2. den du vorher auf den Tisch gelegt hast. 3. die du noch nie benutzt hast, 4. die du gestern im Brillengeschäft abgeholt hast. 5. die wir gestern bekommen haben. 6. die du im Urlaub auf Mallorca gekauft hast.

5 2. der ich mein großes Haus geschenkt habe. 3. dem ich mein teures Auto gegeben habe. 4. denen ich meine Bibliothek versprochen habe. 5. der ich finanziell geholfen habe. 6. dem ich meine Kreditkarten geschickt habe. 7. dem ich gestern die Rolex-Armbanduhr gebracht habe? 8. dem ich meinen Garten geschenkt habe.

6 2. Letzte Woche hat er sich ein teures Auto gekauft. Es kommt aus Stuttgart. 3. Das Auto gefällt auch seiner Frau. Sie fährt ebenfalls gern Auto. 4. Manche Männer glauben, dass Frauen schlechter Auto fahren als Männer. Sie sind etwas altmodisch. 5. Immer mehr Leute fahren gar nicht mehr mit dem Auto, sondern mit Bus und Bahn. Sie denken umweltfreundlich.

7 2. der 3. die 4. die 5. die 6. denen

8 2. den … gründet 3. die … gibt 4. die … sind 5. die … hat 6. die … beschäftigt

S. 151–154 **„Lehrjahre sind keine Herrenjahre"**

1 2D • 3A • 4F • 5C • 6B

2 sehr gut • gut • befriedigend • ausreichend • mangelhaft

3 **a)** 2. Grundschule 3. Hauptschule 4. Ausbildungsplatz 5. Berufsschule 6. Ausbildungsabschluss

b) Grundschule • Hauptschule • Realschule • Gymnasium

4 **a) praktisch:** das Handwerk, die Werkstatt • **schulisch:** der Fachunterricht, das Studium, die Berufsschule

b) beim Handwerk: der Lehrling, die Lehrstelle • lehren • **in der Industrie:** der Azubi, der Ausbildungsplatz • der Ausbilder

5 2. dem 3. das 4. die 5. dem 6. denen 7. den 8. denen

6 2. für die sich die Jugendlichen entscheiden können. 3. in der es Fachunterricht, aber auch Unterricht in Deutsch, Religion oder Wirtschaftskunde gibt. 4. ohne den es fast unmöglich ist, eine Lehrstelle zu finden. 5. mit denen die Betriebe zusammenarbeiten, sind staatlich finanziert.

7 2. für die 3. zu der 4. von der 5. in der 6. mit dem 7. über die 8. auf der

8 2. an die Baden-Württemberg grenzt? 3. die Stadt, aus der der Philosoph Georg Wilhelm Friedrich Hegel stammt? 4. die berühmte Schule, auf die der Schriftsteller Hermann Hesse gegangen ist? 5. die europäischen Staaten, zu denen der Bodensee gehört? 6. das Stuttgarter Museum, das zu den wichtigsten Kunstmuseen in Deutschland gehört? 7. das deutsche Bundesland, in dem die meisten Menschen leben? 8. die europäische Großstadt, in der das meiste Mineralwasser aus Quellen fließt?

S. 154–157 **Der Familienrat tagt**

1 2B • 3A • 4C • 5A • 6C

2 2. muss 3. soll 4. soll 5. muss 6. muss

3 2. soll 3. sollst 4. muss 5. muss 6. muss 7. soll 8. muss

4 2. Ihr Vater soll mehr Zeit mit der Familie verbringen. 3. Melanie muss noch zur Schule gehen. 4. Sie muss auch Fremdsprachen lernen. 5. Sie muss das Abitur machen, weil sie Biologie studieren will. 6. Sie soll eine Ausbildung bei einer Bank machen.

5 2. Magst 3. mag 4. mögen 5. Mögt 6. mögen

6 2. mochte • mochte • mochtest 3. mochte • mochten 4. mochtet

7 1. möchte 2. Magst • möchte 3. möchte 4. mögen 5. magst, magst, magst 6. möchte

8 **b)** C

Schwäbische Landeskunde

1 2B • 3I • 4J • 5G

2 **maskuline Personen und Berufe auf -e:** Kollege, Junge, Kunde • **Nationalitäten auf –e:** Chinese, Franzose, Türke • **Wörter auf –ist:** Komponist, Tourist, Spezialist • **Wörter auf –ant:** Chemielaborant, Gaslieferant, Praktikant • **Wörter auf -ent:** Patient, Assistent, Produzent • **Wörter auf -oge:** Psychologe, Biologe, Informationstechnologe • **andere Fremdwörter:** Automat, Fotograf, Architekt • **nicht n-Deklination:** Mann, Niederländer, Chemiker

3 **Singular:** Herr, Herrn, Herrn, Herrn • **Plural:** Herren, Herren, Herren

4 2. Bauer, Bauern 3. Kunden 4. Student 5. Fotograf 6. Fotografen

5 **a)** 2. Juristen 3. Komponisten 4. Journalisten 5. Polizisten 6. Christen 7. Praktikant 8. Patienten 9. Präsidenten 10. Fotografen
b) 2. Architektin 3. Patientin 4. Fotografin 5. Komponistin 6. Christin 7. Praktikantin 8. Präsidentin 9. Journalistin 10. Polizistin

6 2. Demonstrant, Polizisten 3. Verkäufer, Kunden, Kollege 4. Verkäufer, Kollegen, Kunde

7 2. Die Schweizer 3. Den Briten 4. Den Russen 5. Die Schwaben 6. der Belgier

Traumberuf: Dichter

1 2. b) • 3. b) • 4. a) • 5. a) • 6. a) • 7. b) • 8. b)

2 1. versuchen 2. aufgehen, ausgehen, mitgehen, weitergehen, zurückgehen 3. aufstellen, ausstellen, bestellen, herstellen, vorstellen 4. abgeben, aufgeben, eingeben, wiedergeben, zurückgeben 5. aufmachen, ausmachen, mitmachen, weitermachen 6. einnehmen, teilnehmen, übernehmen, unternehmen

Lektion 18

Eine Firma in Hannover

1 2. Mark Oldfield 3. Berniece Bruckner 4. Katrin Oppermann 5. Zoran Bunoza 6. Thomas Schmolling

2 **a)** 2A • 3B • 4C
b) 2. a) 3. a) 4. b) 5. a) 6. a) 7. a) 8. a)

3 2. die Arbeit 3. die Beschäftigung 4. die Tätigkeit 5. die Verantwortung 6. die Leitung

4 2. Sie ist für die Postverteilung zuständig. 3. Herr Walz arbeitet als Techniker bei Meierhäuser. 4. Er ist für die Systembetreuung verantwortlich. 5. Frau Sonnenfels leitet die Personalabteilung. 6. Sie ist als Personalreferentin tätig.

5 **Name früher:** Essigfabrik Kallhardt & Hengstenberg • **Gründungsjahr:** 1876 • **Umsatz:** 150 Millionen Euro • **Zentrale:** Esslingen • **Mitarbeiterzahl:** 750 • **Auszubildende:** 30 • **Produkte:** Sauerkraut, Essig, saures Gemüse im Glas

Die Geschichte der Firma Minolta

1 2. für ein Jahr 3. einen Firmengründer 4. eine Zusammenarbeit 5. bergauf 6. ins Inland

2 **a)** 1. f 2. r 3. f 4. f 5. r 6. f
b) 2C • 3C • 4B • 5B • 6A
c) **regelmäßig:** produzierte–produzieren, reiste–reisen, machten–machen, benutzten–benutzen, entwickelten–entwickeln, eröffneten–eröffnen, präsentierte–präsentieren, feierte–feiern • **unregelmäßig:** hatte–haben, hieß–heißen, kam–kommen, blieb–bleiben, flog–fliegen, gab–geben, starb–sterben, ging–gehen, begannen–beginnen

3 **sagen:** du sagtest, er/sie/es sagte, wir sagten, ihr sagtet, sie/Sie sagten • **exportieren:** ich exportierte, du exportiertest, er/sie/es exportierte, wir exportierten, ihr exportiertet, sie/Sie exportierten • **warten:** ich wartete, du wartetest, er/sie/es wartete, wir warteten, ihr wartetet, sie warteten • **beginnen:** du begannst, er/sie/es begann, wir begannen, ihr begannt, sie/Sie begannen • **gehen:** ich ging, du gingst, er/sie/es ging, wir gingen, ihr gingt, sie/Sie gingen

4 2. du arbeitetest 3. er reiste 4. wir feierten 5. ihr präsentiertet 6. sie besichtigten

5 **a)** 2. kam 3. gab 4. fand 5. bestand 6. ging
  b) 2. fandest 3. bestand 4. kamen 5. gabt 6. begannen

6 2. wir, sie/Sie 3. wir, sie/Sie • 4. du 5. ihr 6. ich, er/sie/es

7 **a)** **regelmäßig:** reisen, besichtigen, besuchen, gründen, entwickeln, produzieren • **unregelmäßig:** beginnen, bleiben, sterben, sein, haben
  b) 1. besuchte 2. ging, besichtigte, entwickelte 3. hatte • gründete 4. produzierte • begann 5. war • starb

8 2E • 3A • 4D • 5B

9 **a)** „Hänsel und Gretel"
  b) 1. war, lebte 2. nahm, ging 3. lief, blieben, hatten 4. suchten, konnten 5. entdeckten, wohnte 6. holte, gab 7. musste, sollte 8. durfte, putzte, kochte, arbeitete 9. wollte 10. machte 11. fiel 12. gingen, fanden

S. 168/169 Aus der Mitarbeiterzeitschrift

1 2. Präsidentenwahl 3. Neueinstellung 4. Ausbildungsabschluss 5. Kündigung

2 2. abschließen 3. wählen 4. erhalten 5. feiern 6. wechseln

3 **regelmäßige Verben:** kündigen, kündigte • besuchte, hat besucht • machen, hat gemacht • hören, hörte • leitete, hat geleitet • beenden, hat beendet • wechseln, wechselte •
  unregelmäßige Verben: erhalten, hat erhalten • beginnen, hat begonnen • kommen, kam • verlassen, hat verlassen • sein, war • sprach, hat gesprochen • ging, ist gegangen • geben, gab

4 2. ist … passiert 3. haben erzählt, gearbeitet haben 4. hat … begonnen, hat … genommen 5. hat … verfolgt, hat … verloren 6. haben … gestohlen

S. 170/171

1 2. einmal 3. mehrmals 4. einmal 5. mehrmals 6. mehrmals

2 2. Wenn 3. wenn 4. Als 5. Wenn 6. Als 7. als 8. wenn

3 2. Als der Krieg zu Ende war, ging sie das erste Mal in die Schule. 3. Als sie mit ihrem Vater nach Berlin zog, stand die Mauer noch nicht. 4. Als sie heiratete, war sie 25. 5. Als sie ihr erstes Kind bekam, war Konrad Adenauer deutscher Bundeskanzler. 6. Als das neue Jahrhundert begann, wurde sie Oma.

4 2. wenn 3. Wenn 4. wann 5. Wenn 6. Wann 7. wann

5 2. Wenn 3. wann 4. Als 5. Als 6. Wenn 7. wann 8. Wenn

6 1. Weil 2. ob, dass • wenn 3. Als 4. wenn 5. wann • als

S. 171–173 Ein Vorstellungsgespräch

1 2. der Verdienst 3. die Erfahrung 4. die Stelle 5. die Lehre

2 2. motiviert 3. fest 4. engagiert 5. teamfähig 6. qualifiziert

3 1. Nach meiner Ausbildung habe ich bei der Telekom in der Kundenberatung angefangen, wo ich jetzt immer noch tätig bin. 2. Wir suchen eine Person mit technischer Ausbildung und Berufserfahrung • Welche Voraussetzungen gibt es für die Stelle? 3. Haben Sie Erfahrung mit elektronischer Buchhaltung? • Ich habe vier Jahre lang mit UNIX gearbeitet. 4. Ihre Arbeitszeiten bestimmen sie selbst, von 9 bis 15 Uhr müssen Sie aber da sein. • Wie sind denn Ihre Arbeitszeiten geregelt. 5. Das Gehalt beträgt 1800 Euro brutto. • Wie hoch ist denn das Gehalt? 6. Wir suchen jemanden, der schnellstmöglich anfangen kann. • Ab wann soll ich denn anfangen?

4 Stellengesuch B

5 2A • 3B • 4A • 5A • 6B

Ein Betriebsausflug

1 a) ☺: 2. Alle hatten gute Laune. 3. Wir haben viel gesehen 4. Celle ist eine hübsche kleine Stadt. 5. Das Essen war sehr gut. 6. Den ganzen Tag schien die Sonne. ☹: 2. Wir mussten auch noch auf zwei Kollegen warten. 3. Die Fahrt nach Celle hat sehr lang gedauert. 4. Wir sind erst spät nach Hause gekommen. 5. Am Abend wurde das Wetter schlecht. 6. Wir konnten erst eine Stunde später losfahren.

b) ☺: 2. weil die Fahrt gut organisiert war. 3. weil wir viel gesehen haben. 4. weil Celle eine hübsche kleine Stadt ist. 5. weil das Essen sehr gut war. 6. weil den ganzen Tag die Sonne schien. ☹: 2. obwohl wir auch noch auf zwei Kollegen warten mussten. 3. obwohl die Fahrt nach Celle sehr lang gedauert hat. 4. obwohl wir erst spät nach Hause gekommen sind. 5. obwohl am Abend das Wetter schlecht wurde. 6. obwohl wir erst eine Stunde später losfahren konnten.

2 a) 2. Obwohl seine Frau oft krank war, waren alle von ihrem frühen Tod überrascht. 3. Obwohl der Teamleiter die Sache selbst entschieden hat, ist er sehr ärgerlich. 4. Obwohl Minolta eine gute Firma ist, hat Elisabeth gekündigt.

b) 2. Seine Frau war oft krank. Trotzdem waren alle von ihrem frühen Tod überrascht. 3. Der Teamleiter hat die Sache selbst entschieden. Trotzdem ist er sehr ärgerlich. 4. Minolta ist eine gute Firma. Trotzdem hat Elisabeth gekündigt.

3 2. weil 3. obwohl 4. weil 5. obwohl 6. weil

4 2. Obwohl 3. Trotzdem 4. Weil 5. weil 6. weil 7. Obwohl

1 2C • 3E • 4F • 5D • 6A

2 a) 2E • 3D • 4C • 5B • 6A

b) 2. Fritz ist wütend auf die Crusaders. 3. Corinna ist überrascht über Tinas Besuch beim Friseur. 4. Anna hat Angst vor dem Zahnarzt. 5. Die Mutter macht sich Sorgen um ihre Tochter. 6. Philipp ist begeistert von Rinaldo.

Arbeit am Computer

1 2. Frau Kern 3. Herr Schmolling 4. Frau Kern 5. Herr Schmolling

2 a) 2. Wir schauen gleich mal im Internet nach. 3. Ich zeige Ihnen gleich mal Ihren neuen Arbeitsplatz. 4. Wir kopieren gleich mal das Programm. 5. Wir gehen gleich mal durch den Betrieb.

b) 2. Wie verschickt man eigentlich eine Mail? 3. Wo legt man eigentlich die Diskette ein? 4. Gibt es in der Firma eigentlich eine Kantine? 5. Wie spät ist es eigentlich?

3 2. Laufwerk 3. Tastatur 4. Drucker 5. Monitor 6. Festplatte 7. Maus 8. Scanner

4 2. im Internet surfen 3. Texte und Tabellen tippen 4. Seiten ausdrucken 5. Textteile markieren 6. Bilder und Texte einscannen

5 den Rechner anschalten – das Passwort eingeben – das Programm starten – eine Datei öffnen – Daten eingeben – die Änderungen speichern – die Datei schließen – den Computer ausmachen

Inhalt der Grammatik

Sätze und Satzkombinationen

1 Satzkombinationen mit *aber, denn, und, sondern, oder*

→ L15

aber, **d**enn, **u**nd, **s**ondern, **o**der *(aduso)* sind **Konjunktionen**. Sie verbinden oft zwei **Hauptsätze** miteinander. Dabei ändert sich die Wortstellung der beiden Hauptsätze nicht. Deshalb sagt man, sie stehen auf **Position 0**.

Hauptsatz 1			Pos. 0	Hauptsatz 2		
Pos. 1	Pos. 2			Pos. 1	Pos. 2	
Jan	lernt	nicht gern Sprachen,	aber	er	muss	gut Englisch sprechen.
Attila	arbeitet	bei der UNO,	denn	er	interessiert	sich für Politik.
Krisztina	gefällt	es gut bei der UNO	und	Jan	findet	es auch interessant.
Verena	will	keine Musik hören,	sondern	(sie	will)	ins Kino gehen.
Ich	muss	schnell telefonieren	oder		soll	ich lieber warten?

Konjunktionen können auch Wörter und Wortgruppen verbinden:

Krisztina und Attila arbeiten bei der UNO. Ich maile ihm nicht heute, sondern morgen. Man braucht ein Stipendium oder Geld von den Eltern.

Bedeutung:

Ich möchte ein Auto kaufen, aber ich habe kein Geld.	**Gegensatz**
Sie wohnt jetzt auch in Wien, denn ihre Tochter lebt dort.	**Korrektur**
Ich bin nun schon zwei Wochen in Zürich und habe viel Arbeit.	**Wahl, Alternative**
Stuttgart liegt nicht am Rhein, sondern am Neckar.	**Grund**
Ich will im Juli oder August Urlaub machen.	**Verbindung**

2 Nebensätze mit *als, wenn, obwohl*, W-Wort und *ob*

→ L13, 18

als, *wenn*, *obwohl*, *ob* sind **Subjunktionen**. Sie stehen auf **Position 1 des Nebensatzes**. Am Ende des Nebensatzes steht das **konjugierte Verb**. Auch die W-Wörter *(wer, warum, woher ...)* kann man als Subjunktionen verwenden.

Hauptsatz	Subjunktion		Satzende
Alle sind zufrieden,	obwohl	sie heute früh	aufstehen mussten.
Wir waren nicht zu Hause,	als	er gestern	zu uns kam.
Ich verstehe nicht,	warum	sie mich nicht	gefragt hat.

|———————————— **Nebensatz** ————————————|

Wenn der Nebensatz **zuerst** kommt, steht er auf **Position 1 des Hauptsatzes**.

Position 1	Position 2		Satzende
Nebensatz	konjugiertes Verb		zweiter Verbteil
Obwohl er Medizin studierte,	wollte	er lieber Dichter	werden.
Als sie zum Himmel schaute,	sah	sie Flugzeuge	kommen.

Tipp Nebensätze mit *ob* und W-Wörtern stehen meistens **nach** dem Hauptsatz.

So verwendet man die Subjunktionen:

Von Zürich habe ich noch nichts gesehen, obwohl ich seit drei Wochen hier bin.	**Gegensatz:** **Man erwartet etwas anderes**
Obwohl die UNO den Praktikanten nichts bezahlt, bewerben sich viele.	
Als die Türken 1683 Wien verließen, fand man Säcke mit Kaffeebohnen.	**einmal**
Als ich in die erste Klasse kam, war ich sechs Jahre alt.	
Wenn wir in den Urlaub gefahren sind, standen wir jedes Mal im Stau.	**Zeitpunkt,** **mehrmals**
Die Mutter war immer schon wach, wenn wir morgens aufgestanden sind.	

Tipp Zeit**punkt** in der Vergangenheit → als

	Vergangenheit
einmal	als
mehrmals	wenn

Nebensätze mit W-Wort oder ob

Sag mir bitte, wer die E-Mail geschrieben hat.	(Sag mir bitte: Wer hat die E-Mail geschrieben?)
Ich habe mich immer gefragt, warum sie nie Urlaub genommen hat.	(Ich habe mich immer gefragt: Warum nimmt sie sich nie Urlaub?)
Viele Leute wissen nicht, woher der Kaffee kommt.	(Viele Leute wissen nicht: Woher kommt der Kaffee?)
Ich frage mich, ob das Leben in der Schweiz wohl sehr anders ist.	(Ich frage mich: Ist das Leben in der Schweiz wohl sehr anders?)

3 Relativsätze

→ L17

Relativsätze charakterisieren meistens ein Nomen genauer.

Ist das die Kirche, die dir so gefällt? Da vorn hängt das Bild, von dem ich dir erzählt habe.

Relativsätze sind **Nebensätze**. Das Relativpronomen steht **auf Position1**, das **konjugierte Verb** steht am Ende.

	Relativpronomen		konjugiertes Verb
(... die Kirche,)	die	dir so gut	gefällt.
(... das Bild,)	von dem	ich dir	erzählt habe.

Nebensatz

Das Relativpronomen hat das gleiche **Genus** (maskulin m , feminin f , neutrum n oder Plural Pl) wie das Nomen im **Hauptsatz**. Vergleiche dazu auch S. 208 (Deklination der Relativpronomen).

… der Mann, der …   … die Kirche, die …   … das Bild, das …

Das Verb im **Nebensatz** bestimmt den **Kasus** des Relativpronomens:

Siehst du die Frau, die dort über die Straße geht?	Wer geht über die Straße?	**Nominativ**
Das Rad, das dort steht, gehört mir.	Was steht dort?	
Ist das der Mann, den du gestern gesehen hast?	Wen hast du gesehen?	**Akkusativ**
Ist das die Frau, der du gestern geholfen hast?	Wem hast du geholfen?	**Dativ**
Das ist das Industriegebiet, über das alle reden.	Worüber reden alle?	**Präposition + Akk. / Dat.**
Das Kind, mit dem sie spielt, ist erst 3 Jahre alt.	Mit wem spielt sie?	

Der Relativsatz steht meistens direkt nach dem Nomen, zu dem er gehört:
Das beste <u>Kaffeehaus</u>, das ich kenne, ist das „Hawelka".

4 *zu* + Infinitiv

→ L16

Bei manchen Verben, Nomen und Adjektiven kann *zu* + Infinitiv stehen.

Hast du schon versucht ihn zu sprechen?
Hast du Lust mich nachher anzurufen?
Es ist wirklich anstrengend, an diesem
Computer zu arbeiten.

Tipp Bei trennbaren Verben steht *zu* zwischen Präfix und Verb: anzurufen.

Die Konstruktion mit *zu* + Infinitiv steht nach dem Hauptsatz.
zu + Infinitiv steht ganz am Ende.

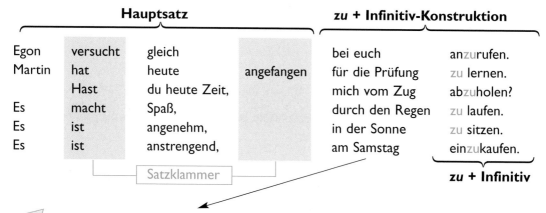

Tipp Die Reihenfolge dieser Satzglieder ist wie in der Satzmitte.
Vor der Infinitiv-Konstruktion kann ein Komma stehen,
wenn es für das Verständnis hilfreich ist.

Diese Verben, Nomen und Adjektive haben oft *zu* + Infinitiv:

- anfangen, aufhören, sich freuen, hoffen, meinen, vergessen, versprechen ...
- die Freude, die Lust, die Möglichkeit, das Problem, der Spaß, die Zeit ...
- es ist angenehm, es ist anstrengend, es ist falsch, es ist gut, es ist leicht, es ist möglich, es ist richtig, es ist schlecht, es ist schwierig ...

5 Die Stellung des Reflexivpronomens → L14

Das Reflexivpronomen steht normalerweise ganz **links in der Satzmitte**.

Position 1	Verb	Satzmitte	Satzende
Karola	hat	sich schon lange nicht mehr so	gefreut.
Gestern	hat	sie sich endlich den neuen Computer	gekauft.
	Wollt	ihr euch nicht	setzen?
Ich	ziehe	mir jetzt den Mantel	an.

Satzklammer

Tipp Ein Personalpronomen im Nominativ steht **vor** dem Reflexivpronomen: Wollt ihr euch ...

Tipp Vergleiche dazu auch S. 200 (Reflexive Verben) und S. 208 (Das Reflexivpronomen).

6 Die Stellung des Präpositional-Objekts → L16

Das Präpositional-Objekt steht **rechts in der Satzmitte** oder auf **Position 1**.

Position 1	Verb	Satzmitte		Satzende
Ich	freue	mich schon	auf dich.	
Gestern	hat	er mich	zum Essen	eingeladen.
Mit meiner Mutter	diskutiere	ich nie mehr	über meine Ausbildung.	

Satzklammer

Tipp Vergleiche dazu auch S. 201 (Verben mit Präpositional-Objekt).

Das Verb

1 Das Präteritum → L18

Man benutzt das Präteritum, um Ereignisse und Zustände in der Vergangenheit auszudrücken. Vergleiche dazu auch **Passwort Deutsch 1**, S. 201 (Das Präteritum von *haben, sein, es gibt*).

1962 reiste Minolta das erste Mal ins Weltall. US-Astronauten machten sensationelle Bilder von der Erde. Sechs Jahre später flog Minolta zum zweiten Mal ins All.

- Regelmäßige Verben haben die **Präteritumsendung** -te und die **Personalendungen** -st, -n, -t, -n.

	machen	sagen	produzieren	reden
ich	machte	sagte	produzierte	red-e-te
du	machtest	sagtest	produziertest	red-e-test
er • sie • es	machte	sagte	produzierte	red-e-te
wir	machten	sagten	produzierten	red-e-ten
ihr	machtet	sagtet	produziertet	red-e-tet
sie • Sie	machten	sagten	produzierten	red-e-ten

Endet der Verbstamm auf -d, -t, -tm, -chn, steht zur besseren Aussprache noch ein -e:
~~redte~~ → redete; ~~wartte~~ → wartete; ~~atmte~~ → atmete; ~~zeichnte~~ → zeichnete

 Tipp Die Modalverben *sollen* und *wollen* haben regelmäßige Formen im Präteritum (*ich sollte, ich wollte* ...).

- Bei unregelmäßigen Verben **ändert** sich der **Stamm**; sie haben die gleichen Personalendungen wie die regelmäßigen Verben.

	bleiben	fahren	gehen	kommen	lesen	sehen	werden
ich	blieb	fuhr	ging	kam	las	sah	wurde
du	bliebst	fuhrst	gingst	kamst	last	sahst	wurdest
er • sie • es	blieb	fuhr	ging	kam	las	sah	wurde
wir	blieben	fuhren	gingen	kamen	lasen	sahen	wurden
ihr	bliebt	fuhrt	gingt	kamt	last	saht	wurdet
sie • Sie	blieben	fuhren	gingen	kamen	lasen	sahen	wurden

- Manche Verben haben besondere Formen im Präteritum:

	sein	haben	können	müssen	dürfen	mögen
ich	war	hatte	konnte	musste	durfte	mochte
du	warst	hattest	konntest	musstest	durftest	mochtest
er • sie • es	war	hatte	konnte	musste	durfte	mochte
wir	waren	hatten	konnten	mussten	durften	mochten
ihr	wart	hattet	konntet	musstet	durftet	mochtet
sie • Sie	waren	hatten	konnten	mussten	durften	mochten

 Tipp Lernen Sie die unregelmäßigen Verben möglichst immer mit den drei Formen. Eine Verbliste finden Sie im Anhang (ab S. 209).

	Präsens	**Präteritum**	**Perfekt**
(ich)	gehe	ging	*bin gegangen*
(ich)	sehe	sah	*habe gesehen*
(ich)	bin	war	*bin gewesen*

Die Regeln zur Verwendung des Präteritums und des Perfekts sind Tendenzregeln – oft ist es eine Stilfrage, was man verwendet. Diese Tendenzen gibt es:

- In der **gesprochenen** Sprache verwendet man oft das **Perfekt**, vor allem im Süden Deutschlands, in Österreich und in der Schweiz.
- Das **Perfekt** verwendet man auch oft in **Nachrichten, Diskussionen und Analysen** (auch in geschriebener Sprache):
  Der Bundeskanzler ist gestern nach Nairobi geflogen.
  Wissenschaftliche Untersuchungen haben gezeigt, dass Rauchen gefährlich ist.
- *haben, sein* und die Modalverben *(können, müssen, wollen, dürfen, sollen)* verwendet man meist im **Präteritum** (in gesprochener und geschriebener Sprache).
- Das **Präteritum** verwendet man besonders für **Erzählungen und Geschichten**, vor allem in der geschriebenen Sprache, aber auch im gesprochenen Deutsch:
  Ein Auto fuhr langsam die Straße entlang. Der Fahrer suchte wohl eine Adresse. Plötzlich hielt der Wagen und …

2 Der Konjunktiv II → L15

Mit dem Konjunktiv II drückt man zum Beispiel Wünsche und höfliche Bitten aus.
So bildet man den Konjunktiv II:

Einige unregelmäßige Verben:

	Präteritum	Konjunktiv II
• **Präteritumform** des Verbs + **Konjunktivendung** -e + Personalendungen *(-st, -n, -t, -n)* • Die Vokale *a, o, u* werden zu *ä, ö, ü*	ich hatte →	ich hätte, du hättest, …
	ich war →	ich wäre, du wär(e)st, …
	ich konnte →	ich könnte, du könntest …
	ich durfte →	ich dürfte, du dürftest …
	ich wurde →	ich würde, du würdest …

	sein	haben	es gibt	können	dürfen	werden	wissen
ich	wäre	hätte		könnte	dürfte	würde	wüsste
du	wär(e)st	hättest		könntest	dürftest	würdest	wüsstest
er • sie • es	wäre	hätte	gäbe	könnte	dürfte	würde	wüsste
wir	wären	hätten		könnten	dürften	würden	wüssten
ihr	wär(e)t	hättet		könntet	dürftet	würdet	wüsstet
sie • Sie	wären	hätten		könnten	dürften	würden	wüssten

Die meisten anderen Verben:

- Bei den regelmäßigen und vielen unregelmäßigen Verben bildet man den Konjunktiv II meistens mit ***würde* + Infinitiv**:
  ich würde arbeiten, du würdest leben, ihr würdet spazieren gehen, sie würden wohnen

würde und Infinitiv bilden eine **Satzklammer**.

Jana und Max	würden	am liebsten in einem modernen Haus	wohnen.
Wohin	würden	Sie jetzt gern	gehen?
	Würdest	du bitte noch einen Moment	warten?

Satzklammer

Verwendung des Konjunktiv II:

- Mit dem Konjunktiv II + *gern / lieber / am liebsten* drückt man oft **Wünsche** aus.

Ich	hätte		so gern	ein Haus am Meer!	
Ich	wäre	jetzt	am liebsten	bei dir!	
Sie	wäre	jetzt	nicht so gern		allein.
Sie	wäre		so gern		Lehrerin.

Ich	würde	auch	gern	im Hundertwasserhaus	wohnen.
Am liebsten	würde	ich		auf dem Land	leben.
	Würdest	du auch	lieber	nach Wien	ziehen?

 Tipp Im Deutschen drückt man Wünsche nicht mit „lieben" aus:
„~~Ich würde lieben, auf dem Land zu leben~~" → „Ich würde (sehr) gern auf dem Land leben."

- Mit dem Konjunktiv II drückt man **höfliche Bitten und Fragen** aus. Man verwendet hier sehr oft den Konjunktiv II von *können, dürfen* und *werden*:

Würden	Sie	mit mir		tanzen?	
Würdest	du	mich nachher bitte		anrufen?	
Könnte	ich	kurz Ihr Telefon		benutzen?	
Könnten	Sie	vielleicht noch einen Moment		warten?	
Könnten	Sie	mir bitte		sagen,	wo der Teesalon ist?
Dürfte	ich	Sie vielleicht noch zu einem Wein		einladen?	
Hätten	Sie	vielleicht ein Aspirin für mich?			

3 Reflexive Verben

→ L14

Manche Verben haben ein Reflexivpronomen im Akkusativ oder Dativ bei sich. Man nennt sie reflexive Verben. Vergleiche dazu auch S. 197 (Die Stellung des Reflexivpronomens) und S. 208 (Das Reflexivpronomen).

Hast du dich schon gewaschen? Beeilen Sie sich bitte! Ich wünsche mir ein Buch zum Geburtstag.

Einige Verben benutzt man **immer** mit Reflexivpronomen. Der Kasus ist fest.

Beeil dich bitte! Vorsicht, beweg dich nicht! Freust du dich schon auf die Ferien? Er ärgert sich über das schlechte Ergebnis. Im Urlaub haben wir uns gut erholt. Bei Musik entspanne ich mich am besten. Gestern hat sie sich schlecht gefühlt, heute fühlt sie sich schon wieder besser.	**Reflexivpronomen im Akkusativ**
Ich wünsche mir ein Buch zum Geburtstag. Stell dir vor, ich habe eine Weltreise gewonnen! Ich muss mir noch schnell die Zähne putzen.	**Reflexivpronomen im Dativ**

 Tipp Lernen Sie bei diesen Verben das Reflexivpronomen gleich mit: *ich beeile mich, ich wünsche mir …* So wissen Sie immer, welchen Kasus das Reflexivpronomen hat.

Bei einigen Verben steht oft ein Reflexivpronomen (aber nicht immer):

Ich wasche mich.	Ich wasche das Auto.
Er kämmt sich.	Sie kämmt die Puppe.
Wir kaufen uns ein Eis.	Ich kaufe dir jetzt ein Eis.
Er macht sich das Frühstück immer selbst.	Ich mache euch jetzt Frühstück.

sich anziehen, sich kämmen, sich hinlegen, sich ins Bett legen, sich rasieren, sich schminken, sich setzen, sich waschen

Reflexivpronomen im Akkusativ

Wenn man genauer sagt, **was** man anzieht, kämmt, schminkt ..., steht das Reflexivpronomen im Dativ:

Ich wasche mir die Haare.	Ich wasche dem Kind noch die Haare.
Sie zieht sich ein neues Kleid an.	Er zieht der Puppe ein rosa Kleid an.
Ich muss mir noch die Haare kämmen.	Die Mutter kämmt der Tochter die Haare.

Bei einigen Verben bedeutet das Reflexivpronomen „gegenseitig":

Frau Weber und Herr Wolter begrüßen sich.
(Frau Weber begrüßt Herrn Wolter und Herr Wolter begrüßt Frau Weber.)
Karla und Paul haben sich im Urlaub kennen gelernt.
(Karla hat Paul und Paul hat Karla kennen gelernt.)
Seitdem lieben sie sich. *(Sie liebt ihn und er liebt sie.)*

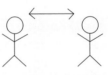

4 Verben mit Präpositional-Objekt

→ L16

Viele Verben haben ein Präpositional-Objekt. Vergleiche dazu auch S. 197 (Die Stellung des Präpositional-Objekts).

Herr Bode wartet auf den Kollegen.   **Präposition + Nomen**

Die Präposition gehört fest zum Verb und bestimmt den Kasus des Nomens. Dies sind einige wichtige Verben mit Präpositional-Objekt:

Sie denkt immer an ihre Arbeit.	denken an + Akkusativ
Erinnerst du dich noch an ihn?	sich erinnern an + Akkusativ
Sie kümmert sich um ihre Mutter.	sich kümmern um + Akkusativ
Ich warte schon lange auf das Essen.	warten auf + Akkusativ
Karla interessiert sich nicht für Fußball.	sich interessieren für + Akkusativ

Wann fangen wir mit dem Essen an?	anfangen mit + Dativ
Erzähl doch mal von deiner Schulzeit!	erzählen von + Dativ
Sie hilft ihm bei den Hausaufgaben.	helfen bei + Dativ
Komm, ich lade dich zum Essen ein.	einladen zu + Dativ
Regula hat Angst vor der Dunkelheit.	Angst haben vor + Dativ

Manche Verben können zwei Präpositional-Objekte haben:

Hast du dich schon bei deiner Freundin für das tolle Geschenk bedankt?	sich bedanken bei + Dativ, für + Akkusativ
Sprich mal mit ihm über das Problem.	sprechen mit + Dativ, über + Akkusativ

Bei manchen Verben gibt es zwei Möglichkeiten:

- Mit wem unterhältst du dich gern?

- Ich freue mich auf das Wochenende. *(Das Wochenende kommt bald.)*
- Ich habe die Uhrzeit vergessen. (deutscher Standard)

- Über welches Thema unterhältst du dich am liebsten?
- Ich freue mich über das Geschenk. *(Ich habe das Geschenk schon.)*
- Ich habe auf die Uhrzeit vergessen. (österreichischer Standard)

 Tipp Lernen Sie die Verben mit der Präposition und dem Kasus, am besten mit einem Beispiel: *warten auf den Bus; sich interessieren für den Film; sich bedanken bei der Frau …*

Präpositionen mit Akkusativ:
- auf, durch, für, gegen, ohne, über, um

Präpositionen mit Dativ:
- aus, bei, mit, nach, seit, von, unter, zu

- *an* kann Akkusativ oder Dativ haben.

Bezug auf Präpositional-Objekte

Wenn man sich auf Personen bezieht, verwendet man Präposition + Pronomen.

Mein Chef war gestern unheimlich nervös. Ich habe mich sehr über ihn geärgert.
Viele Menschen kennen den Namen Albrecht Dürer, aber wenige haben Bilder von ihm gesehen.

Bei Fragen nach Personen verwendet man Präposition + W-Wort.

▶ Über wen redet ihr denn? ◁ Über Herrn Tritschler.
▶ Mit wem hast du eigentlich vorhin gesprochen? ◁ Mit meiner Kollegin Helga.

Wenn man sich auf **Sachen oder Aussagen** bezieht, verwendet man *da* **+ Präposition**.

Matthias will seine Ausbildung abbrechen. Darüber streitet er sich mit seinen Eltern.
Am nächsten Wochenende machen wir ein großes Fest. Dazu lade ich dich herzlich ein!

Vor Vokal fügt man ein „r" ein:

da + auf → darauf; ebenso: darin, darum, darunter, darüber …

Bei Fragen nach **Sachen oder Aussagen** verwendet man *wo* **+ Präposition**:

▶ Worauf hast du jetzt Lust? ◁ Auf ein gutes Essen.
▶ Worüber redet ihr denn so lange? ◁ Über das Fußballspiel gestern.

Vor Vokal fügt man ein „r" ein:

wo + auf → worauf; ebenso: worin, worunter, worüber …

5 *mögen* + Akkusativ → L17

mögen bedeutet: etwas gern haben, etwas gut finden. Man verwendet *mögen* mit Akkusativ-Objekt.

	Präsens	**Präteritum**
ich	mag	mochte
du	magst	mochtest
er • sie • es	mag	mochte
wir	mögen	mochten
ihr	mögt	mochtet
sie • Sie	mögen	mochten

Er mag keine Katzen.
Sie mag die Altstadt von Stuttgart.
Mögen Sie klassische Musik?
Ich mag dieses Bild nicht.

 Tipp — Mit anderen Verben verwendet man *(sehr) gern, am liebsten, nicht gern*:
Ich schwimme gern. Ich gehe nicht gern spazieren. Am liebsten lese ich am Abend.
Ich sehe gern fern.

Das Nomen

1 Der Genitiv → L13

Der Genitiv zeigt im Deutschen an: Es gibt eine enge Beziehung zwischen zwei Nomen.
Der Genitiv steht normalerweise **nach** dem Nomen, zu dem er gehört.

die Räume des Unternehmens: Die Räume gehören dem Unternehmen.
der Bau der Autobahn: Man baut eine Autobahn.
die Freundin meines Bruders: Die Freundin von meinem Bruder.
das Geschenk seiner Frau: Seine Frau macht ihm ein Geschenk.

Nur Namen (Personennamen, Eigennamen) können **vor dem Nomen** stehen.
Wenn der Name auf -s oder -z endet, steht ein Apostroph (').

Europas Grenzen:	Die Grenzen zwischen Europa und anderen Kontinenten.
Heikes Uniform:	Die Uniform gehört Heike.
Markus' Kinder:	Es sind seine Kinder.
Frau Tallowitz' Doktorarbeit:	Frau Tallowitz hat die Doktorarbeit geschrieben.

Man erkennt den Genitiv an der **Endung des Artikelworts** (▽m, ▽n : -es, ▽f ,
▽Pl : -er). Bei vielen maskulinen ▽m und neutralen ▽n **Nomen** erkennt man ihn außerdem an der Endung -(e)s.

	▽ m	▽ f	▽ n	▽ Pl
bestimmter Artikel	die Freundin des Bruders	der Freund der Schwester	das Dach des Hauses	der Bau der Häuser
unbestimmter Artikel	das Büro eines Direktors	das Büro einer Direktorin	das Dach eines Hauses	Achtung: der Bau von Autobahnen
possessiver Artikel	die Meinung seines Vaters	die Meinung seiner Mutter	die Freunde seines Kindes	die Freunde seiner Kinder

Ebenso: keines Menschen, keiner Frau, keines Kindes; dieses / dieser; jedes / jeder etc.

◹Tipp◸ Der unbestimmte Artikel *(ein, eine)* hat keinen Plural. Deshalb steht im Plural
von + Dativ: der Export von Computern, der Bau von Autobahnen, der Alltag
von Kindern …

In der Umgangssprache verwendet man auch sonst oft *von* + Dativ statt des Genitivs.

Standardsprache	**Umgangssprache**
die Freundin meines Bruders	die Freundin von meinem Bruder
Frau Schneiders Auto	das Auto von Frau Schneider
die Strategie unseres Unternehmens	die Strategie von unserem Unternehmen

Mit *wessen* fragt man nach dem Nomen im Genitiv.

▶ Wessen Tasche ist das? ◁ Das ist sicher die Tasche meiner Kollegin.
▶ Wessen Büro ist denn dieses? ◁ Das Büro meiner Sekretärin.

2 Die n-Deklination

→ L17

Eine Gruppe von Nomen gehört zur „n-Deklination". Diese Nomen haben immer die
Endung -(e)n, nur nicht im Nominativ Singular.

Nominativ	Akkusativ	Dativ	Genitiv	Plural
der Mensch	den Menschen	dem Menschen	des Menschen	die Menschen
der Junge	den Jungen	dem Jungen	des Jungen	die Jungen
der Nachbar	den Nachbarn	dem Nachbarn	des Nachbarn	die Nachbarn

Ebenso: **männliche Personen und Tiere**: der Herr, der Bauer, der Bub, der Kunde, der
Hase … **Nationalitäten auf e-**: der Türke, der Franzose, der Pole … **Fremdwörter
auf -loge, -ent, -ant, -ist, -at**: der Biologe, der Student, der Praktikant, der Spezialist,
der Automat …

Eine kleine Gruppe von Nomen der n-Deklination hat ein -s im Genitiv:

Nominativ	Akkusativ	Dativ	Genitiv	Plural
der Name	den Namen	dem Namen	des Namens	die Namen
der Buchstabe	den Buchstaben	dem Buchstaben	des Buchstabens	die Buchstaben
der Friede	den Frieden	dem Frieden	des Friedens	

Alle Nomen der n-Deklination sind ▽m▽. Ausnahme: *das Herz* ist ▽n▽ und hat keine Endung im Akkusativ.

Nominativ	Akkusativ	Dativ	Genitiv	Plural
das Herz	das Herz	dem Herzen	des Herzens	die Herzen

Artikelwörter und Adjektive

1 Das Adjektiv vor dem Nomen: Adjektivendungen → L13, 14, 15

Vor dem Nomen hat das Adjektiv bestimmte Endungen. Das Artikelwort bestimmt, welche Endung das Adjektiv hat:

Der schöne Park. Die ruhige Bank. Ein neues Buch. Und ein hoher Baum …

Wenn das Artikelwort die Endungen des bestimmten Artikels hat (die **Signalendungen**), dann hat das Adjektiv die Endungen -e oder -*en*:

	▽m▽	▽f▽	▽n▽	▽Pl▽
Nominativ	der schöne Park	die ruhige Bank	das neue Buch	die hohen Bäume
Akkusativ	den schönen Park	die ruhige Bank	das neue Buch	die hohen Bäume
Dativ	dem schönen Park	der ruhigen Bank	dem neuen Buch	den hohen Bäumen
Genitiv	des leisen Windes	der ruhigen Bank	des neuen Buchs	der hohen Bäume

Ebenso nach den Artikelwörtern *dieser, jener, jeder, mancher, welcher, alle, irgendwelche*.

Tipp Das sind die Signalendungen:

	▽m▽	▽f▽	▽n▽	▽Pl▽
Nominativ	r	e	s	e
Akkusativ	n	e	s	e
Dativ	m	r	m	n
Genitiv	s	r	s	r

Wenn das Artikelwort die Signalendungen **nicht** hat, oder wenn **kein Artikelwort** steht, übernimmt das **Adjektiv** die Signalendungen.

der	alte Baum	ein	alter	Baum
das	neue Buch	ein	neues	Buch
der	schwarze Kaffee		schwarzer	Kaffee
dieser	schöne Tag	ein	schöner	Tag

Signalendung am Artikelwort	**Signalendung am Adjektiv**

Tipp Diese Artikelwörter haben das Signal nicht immer: *ein, mein / dein / sein ..., kein*

	m	f	n	Pl
Nom.	sein alter Baum	seine ruhige Bank	sein neues Buch	seine alten Bäume
Akk.	seinen alten Baum	seine ruhige Bank	sein neues Buch	seine alten Bäume
Dativ	seinem alten Baum	seiner ruhigen Bank	seinem neuen Buch	seinen alten Bäumen
Gen.	seines alten Baums	seiner ruhigen Bank	seines neuen Buchs	seiner alten Bäume

Tipp Der unbestimmte Artikel *(ein, eine, ein)* hat keine Pluralformen. Im Plural hat deshalb das Adjektiv die Signalendung.

Wenn kein Artikelwort steht, hat das Adjektiv die Signalendungen
(außer im Genitiv maskulin und neutrum → Signal am Nomen):

	m	f	n	Pl
Nom.	schwarzer Kaffee	gute Luft	gutes Wetter	hohe Bäume
Akk.	schwarzen Kaffee	gute Luft	gutes Wetter	hohe Bäume
Dativ	(mit) schwarzem Kaffee	(in) guter Luft	(bei) gutem Wetter	(auf) hohen Bäumen
Gen.	schwarzen Kaffees	guter Luft	guten Wetters	hoher Bäume

2 Adjektive als Nomen

→ L13, 14, 15

Man kann viele Adjektive auch als Nomen verwenden:

deutsch:	der Deutsche, die Deutsche	gut:	das Gute,
	ein Deutscher, eine Deutsche ...		das Beste (Superlativ)
arbeitslos:	der/die Arbeitslose, ein Arbeitsloser ...	schön:	das Schöne,
			das Schönste (Superlativ)
angestellt:	der/die Angestellte, ein Angestellter ...	... ...	
Personen		**Abstrakte Konzepte**	
		(immer neutrum)	

Adjektive behalten ihre Adjektivendungen auch als Nomen:

der Angestellte – ein Angestellter   die Angestellte – eine Angestellte
der Deutsche – ein Deutscher   die Deutsche – eine Deutsche
das Gute – Gutes

Tipp Signalendung beim Artikel → Adjektivendung -e oder -en.
Signalendung nicht beim Artikel → beim Adjektiv.

Pronomen

1 *der, dieser, jeder/alle; einer/welche, keiner, meiner*

→ L14

der, dieser, jeder; einer, keiner, meiner kann man zusammen mit einem Nomen
(als Artikelwort) oder allein (als Pronomen) verwenden.

Verwendung als **Artikelwort**: der schwierige Text, diese leichte Aufgabe, jedes Tier, ein intelligentes Tier, keine schlechte Idee, mein guter Freund

Verwendung als **Pronomen**:

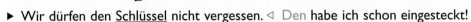

- ▶ Wir dürfen den <u>Schlüssel</u> nicht vergessen. ◁ Den habe ich schon eingesteckt!
- ▶ Ist das <u>Ihr Haus?</u> ◁ Ja, das ist unseres. Nicht sehr groß, aber gemütlich.
- ▶ Wie schön für Sie! Wir möchten auch gern eins, aber wir können uns keins kaufen.

Als Pronomen haben *der, dieser, jeder, einer, keiner, meiner* immer die Signalendungen (= die Endungen des bestimmten Artikels). Steht danach ein Adjektiv, hat es die Endung *-e* oder *-en*.

	m	**f**	**n**	**Pl**
Nom.	der, dieser, jeder, einer, keiner, meiner	die, diese, jede, eine, keine, meine	das, dieses, jedes, ein(e)s, kein(e)s, mein(e)s	die, diese, alle, welche, keine, meine
Akk.	den, diesen, jeden, einen, keinen, meinen	die, diese, jede, eine, keine, meine	das, dieses, jedes, ein(e)s, kein(e)s, mein(e)s	die, diese, alle, welche, keine, meine
Dat.	dem, diesem, jedem, einem, keinem, meinem	der, dieser, jeder, einer, keiner, meiner	dem, diesem, jedem, einem, keinem, meinem	denen, diesen, allen, welchen, keinen, meinen

Der Plural der Pronomen *einer, eine, eines* ist *welche.* Der Dativ Plural von *der, die, das* als Pronomen heißt *denen,* nicht ~~den~~. Statt *eines, keines, meines* sagt man in der gesprochenen Sprache meistens *eins, keins, meins.*

Verwendung der Pronomen

der, die, das und *dieser, diese, dieses* verwendet man, wenn man Aufmerksamkeit für ein ganz bestimmtes Element im Satz möchte. Deshalb stehen diese Pronomen oft auf **Position 1** und sind betont.

- ▶ Wo ist nur <u>Klaus?</u> ◁ Den habe ich gerade noch gesehen, wahrscheinlich ist er zum Mittagessen gegangen.
- ▶ Wir müssen uns bei <u>Rüdiger und Julia</u> für die Einladung bedanken. ◁ Bei denen habe ich mich gestern bedankt, aber bei Maria noch nicht. Ich ruf sie heute an.

Ich muss <u>eine neue Uhr</u> kaufen – diese hier ist kaputt. Sie hat nicht lange gehalten.

Tipp Wenn man etwas betont, verwendet man *der, die, das* oder *dieser, diese, dieses;* sonst verwendet man *er, sie, es.*

das und *es* beziehen sich oft auf eine ganze Aussage oder auf etwas, was man sieht.

- ▶ <u>Wann kommen noch mal Simone und Gisbert zu Besuch?</u> ◁ Das weiß ich nicht! Du hast es mir nicht erzählt.
- ▶ Schau mal da vorn – was ist denn das? ◁ Das ist ein Schiff, glaube ich.

Mit *jeder, alle* und *keiner* bezieht man sich auf die Elemente einer Gruppe oder die ganze Gruppe.

Ich habe <u>drei Brüder</u> – und ich verstehe mich mit jedem gut.   **jeder Einzelne**
Keiner ist bisher verheiratet.   **kein Einziger**
In unserer Familie verstehen sich alle gut miteinander.   **die ganze Gruppe**
Hast du alles eingepackt?   **alle Dinge**

Mit *einer / welche, keiner* bezieht man sich auf Nomen mit unbestimmtem Artikel.

◁ Ja, gern, ich nehme gern noch einen.

▶ Magst du noch <u>einen Espresso</u>?   ◁ Nein, danke, für mich bitte keinen mehr, sonst werde ich zu nervös.

Ich habe <u>keine Disketten</u> mehr – kannst du mir welche leihen?

Tipp *einer* kann auch Zahlwort sein.

▶ Wie viele Geschwister hast du denn? ◁ Nur eins.

meiner zeigt Besitz oder enge Verbindung an.

Frau Krämer: „Das ist unser neues Klavier." Frau Reich: „Und das ist unseres."
Lehrerin: „Hier liegt noch eine Tasche – wem gehört die wohl?" Frau Malek: „Oh, das ist meine!"

2 Das Relativpronomen → L17

Mit dem Relativpronomen bildet man Relativsätze. Vergleiche dazu auch S. 195 (Relativsätze).

	m	f	n	Pl
Nominativ	der	die	das	die
Akkusativ	den	die	das	die
Dativ	dem	der	dem	denen

Tipp Das Relativpronomen hat die gleichen Endungen wie der bestimmte Artikel. Ausnahme: Dativ Plural.

3 Das Reflexivpronomen → L14

Die Reflexivpronomen verwendet man im Akkusativ oder Dativ.

	Akkusativ			Dativ		
ich	wasche	mich		**ich**	wasche	mir	die Haare
du	wäschst	dich		**du**	wäschst	dir	die Haare
er • sie • es	wäscht	sich		**er • sie • es**	wäscht	sich	die Haare
wir	waschen	uns		**wir**	waschen	uns	die Haare
ihr	wascht	euch		**ihr**	wascht	euch	die Haare
sie • Sie	waschen	sich		**sie • Sie**	waschen	sich	die Haare

Tipp Der Unterschied zwischen Akkusativ und Dativ ist nur bei *ich* und *du* deutlich: mich – mir, dich – dir.

Alphabetische Liste der wichtigsten Verben mit Unregelmäßigkeiten

Infinitiv	3. P. Sing. Präsens	3. P. Sing. Präteritum	3. P. Sing. Perfekt
abbrechen	bricht ab	brach ab	hat abgebrochen
abfahren	fährt ab	fuhr ab	ist abgefahren
abgeben	gibt ab	gab ab	hat abgegeben
abheben	hebt ab	hob ab	hat abgehoben
anbieten	bietet an	bot an	hat angeboten
anfangen	fängt an	fing an	hat angefangen
ankommen	kommt an	kam an	ist angekommen
anrufen	ruft an	rief an	hat angerufen
sich anziehen	zieht sich an	zog sich an	hat sich angezogen
aufgeben	gibt auf	gab auf	hat aufgegeben
aufgehen	geht auf	ging auf	ist aufgegangen
sich aufhalten	hält sich auf	hielt sich auf	hat sich aufgehalten
aufschreiben	schreibt auf	schrieb auf	hat aufgeschrieben
aufstehen	steht auf	stand auf	ist aufgestanden
ausgehen	geht aus	ging aus	ist ausgegangen
aussehen	sieht aus	sah aus	hat ausgesehen
aussprechen	spricht aus	sprach aus	hat ausgesprochen
aussteigen	steigt aus	stieg aus	ist ausgestiegen
sich ausziehen	zieht sich aus	zog sich aus	hat sich ausgezogen
backen	bäckt	backte	hat gebacken
sich befinden	befindet sich	befand sich	hat sich befunden
beginnen	beginnt	begann	hat begonnen
bekommen	bekommt	bekam	hat bekommen
beschließen	beschließt	beschloss	hat beschlossen
beschreiben	beschreibt	beschrieb	hat beschrieben
besitzen	besitzt	besaß	hat besessen
bestehen	besteht	bestand	hat bestanden
betragen	beträgt	betrug	hat betragen
sich bewerben	bewirbt sich	bewarb sich	hat sich beworben
bieten	bietet	bot	hat geboten
bitten	bittet	bat	hat gebeten
bleiben	bleibt	blieb	ist geblieben
braten	brät	briet	hat gebraten
brechen	bricht	brach	hat gebrochen
brennen	brennt	brannte	hat gebrannt
bringen	bringt	brachte	hat gebracht
denken	denkt	dachte	hat gedacht
durchstreichen	streicht durch	strich durch	hat durchgestrichen
dürfen	darf	durfte	
einfallen	fällt ein	fiel ein	ist eingefallen
eingeben	gibt ein	gab ein	hat eingegeben
einladen	lädt ein	lud ein	hat eingeladen
einschließen	schließt ein	schloss ein	hat eingeschlossen
eintragen	trägt ein	trug ein	hat eingetragen
empfangen	empfängt	empfing	hat empfangen
empfehlen	empfiehlt	empfahl	hat empfohlen
entlassen	entlässt	entließ	hat entlassen
sich entscheiden	entscheidet sich	entschied sich	hat sich entschieden
entstehen	entsteht	entstand	ist entstanden
erfinden	erfindet	erfand	hat erfunden

Infinitiv	3. P. Sing. Präsens	3. P. Sing. Präteritum	3. P. Sing. Perfekt
erhalten	erhält	erhielt	hat erhalten
erschießen	erschießt	erschoss	hat erschossen
erwerben	erwirbt	erwarb	hat erworben
essen	isst	aß	hat gegessen
fahren	fährt	fuhr	ist gefahren
fallen	fällt	fiel	ist gefallen
fernsehen	sieht fern	sah fern	hat ferngesehen
finden	findet	fand	hat gefunden
fliegen	fliegt	flog	ist geflogen
fließen	fließt	floss	ist geflossen
freihaben	hat frei	hatte frei	hat freigehabt
geben	gibt	gab	hat gegeben
gefallen	gefällt	gefiel	hat gefallen
gehen	geht	ging	ist gegangen
gelten	gilt	galt	hat gegolten
genießen	genießt	genoss	hat genossen
gewinnen	gewinnt	gewann	hat gewonnen
gießen	gießt	goss	hat gegossen
haben	hat	hatte	hat gehabt
hauen	haut	haute	hat gehauen
heißen	heißt	hieß	hat geheißen
halten	hält	hielt	hat gehalten
helfen	hilft	half	hat geholfen
kennen	kennt	kannte	hat gekannt
klingen	klingt	klang	hat geklungen
kommen	kommt	kam	ist gekommen
können	kann	konnte	
lassen	lässt	ließ	hat gelassen
laufen	läuft	lief	ist gelaufen
lesen	liest	las	hat gelesen
leihen	leiht	lieh	hat geliehen
liegen	liegt	lag	hat* gelegen
losgehen	geht los	ging los	ist losgegangen
messen	misst	maß	hat gemessen
mitbringen	bringt mit	brachte mit	hat mitgebracht
mitgehen	geht mit	ging mit	ist mitgegangen
mitkommen	kommt mit	kam mit	ist mitgekommen
mögen	mag	mochte	hat gemocht
müssen	muss	musste	
nehmen	nimmt	nahm	hat genommen
nennen	nennt	nannte	hat genannt
raten	rät	riet	hat geraten
reiten	reitet	ritt	ist geritten
riechen	riecht	roch	hat gerochen
rufen	ruft	rief	hat gerufen
scheinen	scheint	schien	hat geschienen
schieben	schiebt	schob	hat geschoben
schlafen	schläft	schlief	hat geschlafen
schlagen	schlägt	schlug	hat geschlagen
schließen	schließt	schloss	hat geschlossen
schneiden	schneidet	schnitt	hat geschnitten
schreiben	schreibt	schrieb	hat geschrieben
schreien	schreit	schrie	hat geschrien
schwimmen	schwimmt	schwamm	ist geschwommen
sehen	sieht	sah	hat gesehen

Infinitiv	3. P. Sing. Präsens	3. P. Sing. Präteritum	3. P. Sing. Perfekt
sein	ist	war	ist gewesen
senden	sendet	sendete/sandte	hat gesendet/gesandt
singen	singt	sang	hat gesungen
sitzen	sitzt	saß	hat* gesessen
sollen	soll	sollte	
sprechen	spricht	sprach	hat gesprochen
stattfinden	findet statt	fand statt	hat stattgefunden
stehen	steht	stand	hat* gestanden
stehlen	stiehlt	stahl	hat gestohlen
steigen	steigt	stieg	ist gestiegen
sterben	stirbt	starb	ist gestorben
streiten	streitet	stritt	hat gestritten
teilnehmen	nimmt teil	nahm teil	hat teilgenommen
tragen	trägt	trug	hat getragen
treffen	trifft	traf	hat getroffen
treiben	treibt	trieb	hat getrieben
trinken	trinkt	trank	hat getrunken
tun	tut	tat	hat getan
übernehmen	übernimmt	übernahm	hat übernommen
überschreiten	überschreitet	überschritt	hat überschritten
umsteigen	steigt um	stieg um	ist umgestiegen
umziehen	zieht um	zog um	ist umgezogen
sich unterhalten	unterhält sich	unterhielt sich	hat sich unterhalten
unternehmen	unternimmt	unternahm	hat unternommen
unterschreiben	unterschreibt	unterschrieb	hat unterschrieben
verbinden	verbindet	verband	hat verbunden
verbrennen	verbrennt	verbrannte	hat verbrannt
verbringen	verbringt	verbrachte	hat verbracht
vergessen	vergisst	vergaß	hat vergessen
vergleichen	vergleicht	verglich	hat verglichen
verlassen	verlässt	verließ	hat verlassen
verleihen	verleiht	verlieh	hat verliehen
verlieren	verliert	verlor	hat verloren
verraten	verrät	verriet	hat verraten
verschlafen	verschläft	verschlief	hat verschlafen
verschreiben	verschreibt	verschrieb	hat verschrieben
versenden	versendet	versendete/versandte	hat versendet
versprechen	verspricht	versprach	hat versprochen
verstehen	versteht	verstand	hat verstanden
verwenden	verwendet	verwendete	hat verwendet
vorhaben	hat vor	hatte vor	hat vorgehabt
vorkommen	kommt vor	kam vor	ist vorgekommen
vorlesen	liest vor	las vor	hat vorgelesen
vorschlagen	schlägt vor	schlug vor	hat vorgeschlagen
wachsen	wächst	wuchs	ist gewachsen
wehtun	tut weh	tat weh	hat wehgetan
weitergehen	geht weiter	ging weiter	ist weitergegangen
werden	wird	wurde	ist geworden
wiedergeben	gibt wieder	gab wieder	hat wiedergegeben
wissen	weiß	wusste	hat gewusst
wollen	will	wollte	
ziehen	zieht	zog	hat gezogen
zurückgeben	gibt zurück	gab zurück	hat zurückgegeben
zurückgehen	geht zurück	ging zurück	ist zurückgegangen
zurückkommen	kommt zurück	kam zurück	ist zurückgekommen

* in Süddeutschland, Österreich und der Schweiz auch: ist gelegen, ist gesessen, ist gestanden

Alphabetische Wortliste

Die folgende Wortliste enthält den relevanten Wortschatz der Texte, Dialoge und Aufgaben der Kursbuch-Lektionen 13 bis 18.

- Nicht aufgenommen wurden Artikelwörter, Zahlwörter, grammatische und phonetische Fachbegriffe sowie Eigennamen von Personen und Städten.
- Nomen erscheinen mit ihrem Artikel und der Pluralform. Nomen, die nur im Singular oder Plural verwendet werden, sind entsprechend mit *(nur Sing.)* oder *(nur Pl.)* gekennzeichnet.
- Verben erscheinen nur im Infinitiv. Eine Liste der wichtigsten Verben mit Unregelmäßigkeiten finden Sie auf Seite 209–211.
- Zur Erleichterung des Auffindens im Text sind hinter jedem Eintrag nicht nur Lektion und Seite, sondern auch die jeweilige Text- oder Aufgabennummer angegeben; zum Beispiel bedeutet „angenehm L13, 17/5", dass das Wort „angenehm" zum ersten Mal in Lektion 13, auf Seite 17 und dort in der Aufgabe 5 erscheint.
- Wörter, die auf der Liste zum *Zertifikat Deutsch* stehen, sind mit • markiert. Sie sind besonders wichtig für Sie.
- Wörter, die nur oder vorwiegend in Österreich oder der Schweiz gebräuchlich sind, sind mit *(A)* für Österreich bzw. *(CH)* für die Schweiz markiert.
- Verwendete Abkürzungen: Adv. (= Adverb), Adj. (= Adjektiv), Akk. (= Akkusativ), Dat. (= Dativ), Dekl. (= Deklination), etw. (= etwas), Gen. (= Genitiv), Pl. (= Plural), Sing. (= Singular)

A

- • ab und zu L14, 27/3
- Abbildung, die, -en L14, 20/1
- abbrechen L17, 62/2a
- Abenteuer, das, - L13, 10/3b
- • abheben *(Geld)* L16, 46/2a
- abkürzen L17, 65/4a
- Ablauf, der, Abläufe L18, 76/1
- absagen L16, 48/1c
- abschicken L15, 34/1a
- Abschluss, der, Abschlüsse L17, 58/2a
- absolut L17, 66/1a
- Abstand, der, Abstände L17, 65/4a
- Abteilungsleiter, der, - / Abteilungsleiterin, die, -nen L18, 75/4
- abwechslungsreich L18, 74/1
- • achten (auf + *Akk.*) L14, 27/3
- adoptieren L14, 28/1a
- • ähnlich L14, 28/1b
- Aktion, die, -en L18, 74/1
- Aktivität, die, -en L14, 21/2b
- All, das *(nur Sing.)* L18, 70/1a
- Allergie, die, -n L14, 26/1a

- aller- L17, 62/2a
- alljährlich L13, 16/2a
- • Alltag, der *(nur Sing.)* L13, 10/2
- Altbundespräsident, der, -en L13, 8
- Alternative, die, -n L17, 62/2a
- Altpapier, das *(nur Sing.)* L17, 62/1b
- • ändern L18, 78/1b
- anerkannt L17, 60/2b
- • von Anfang an L 17, 59/2b
- • anfangs L18, 70/1a
- Angabe, die, -n L18, 74/1
- • angeblich L17, 65/4a
- angemessen L18, 74/1
- • angenehm L13, 17/5
- Angina, die, -s L14, 26/2a
- Angriff, der, -e L14, 30/1a
- anklicken L18, 78/2b
- • ankommen (auf + *Akk.*) L17, 62/2a
- anlegen L17, 65/4a
- • anrufen L14, 27/5b
- anschalten L18, 78/1b
- • (sich etw.) anschauen L14, 24/1a
- anschließend L18, 72/1
- • Ansicht, die, -en L16, 49/4

- anspruchsvoll L16, 44/1a
- Anteil, der, -e L17, 57/2b
- Antibiotikum, das, -a L14, 26/2b
- • (sich / sich etw.) anziehen L14, 24/1a
- • Anzug, der, Anzüge L14, 22/1a
- Apfelstrudel, der, - L15, 40/1
- • Apparat, der, -e L17, 58/1a
- Applaus, der *(nur Sing.)* L13, 17/4b
- • Arbeitgeber, der, - / Arbeitgeberin, die, -nen L17, 60/2b
- Arbeitsweise, die, -n L18, 74/1
- architektonisch L15, 32/1a
- Architektur, die, -en L15, 32/1a
- Ärger, der *(nur Sing.)* L16, 44/1a
- • sich ärgern (über + *Akk.*) L14, 25/5b
- • Arm, der, -e L14, 22/1a
- Armbanduhr, die, -en L14, 28/1a
- Asche, die *(nur Sing.)* L14, 28/1a
- • asiatisch L17, 63/4a
- Aspirin, das *(nur Sing.)* L14, 27/5b
- Assoziation, die, -en L13, 8/1a
- Astronaut, der, -en / Astronautin, die, -nen L18, 70/1a
- Atom, das, -e L15, 34/1a

attraktiv   L16, 44/1a

Aufbau, der *(nur Sing.)*   L14, 28/1a

• Aufenthalt, der, -e   L18, 72/2a

• Aufgabe, die, -n   L18, 68

sich aufhalten   L17, 66/1a

• aufhören (mit + *Dat.*)   L16, 48/1c

• aufmerksam   L13, 16/2b

• aufpassen (auf + *Akk.*)   L16, 52/1a

Aufpreis, der, -e   L16, 47/3a

• sich aufregen (über + *Akk.*)
L17, 63/5

• aufregend   L13, 8/1b

Aufregung, die, -en   L16, 44/1a

aufrichtig   L13, 10/1a

Aufruf, der, -e   L14, 20/1

• Auftrag, der, Aufträge   L15, 32/1a

aufzählen   L13, 17/5

Ausbau, der *(nur Sing.)*   L18, 74/1

Ausbilder, der, - / Ausbilderin, die,
-nen   L17, 56/1

Ausbildungsplatz, der, -plätze
L17, 60/2a

• Ausdruck, der, Ausdrücke
L18, 77/3c

ausdrucken   L16, 46/2a

• Ausflug, der, Ausflüge   L16, 48/1a

• Ausland, das *(nur Sing.)*
L15, 38/1a

aussagefähig   L18, 74/1

ausschenken   L17, 65/4a

ausschließlich   L15, 34/1b

Ausschnitt, der, -e   L15, 36/2a

• außer + *Dat.*   L15, 32/1a

• Aussicht (auf + *Akk.*), die, -en
L13, 10/2

Ausstattung, die, -en   L15, 40/1

• ausstellen   L13, 14/1a

ausverkauft   L15, 38/1a

Auswahl, die *(nur Sing.)*
L14, 30/1a

Auswanderung, die, -en
L18, 73/5a

• Ausweis, der, -e   L16, 44/1a

Auszahlung, die, -en   L16, 47/3a

auszeichnen   L13, 18/1

• (sich / sich etw.) ausziehen
L14, 25/5a

Auszug, der, Auszüge   L16, 46/1

Auszugsdrucker, der, -   L16, 46/1

• Automat, der, -en   L16, 46/1

• automatisch   L17, 58/1a

Automobil, das, -e   L13, 12/1b

• Autor, der, -en / Autorin, die,
-nen   L15, 36/2a

Azubi, der / die, -s   L17, 56/1

B

Baby, das, -s   L14, 30/1a

Bäckermeister, der,- /
Bäckermeisterin, die, -nen
L13, 14/1a

Ball, der, Bälle   L15, 32/1a

Ballade, die, -n   L17, 66/1a

Ballkleid, das, -er   L15, 38/1a

Ballon, der, -s   L13, 8/1b

Ballonfahrt, die, -en   L13, 8/1b

Ballsaison, die, -s   L15, 38/1a

• Bart, der, Bärte   L17, 65/4b

• Bau, der *(hier nur Sing.)*
L13, 12/1b

• Bau *(Gebäude)*, der, -ten
L15, 36/2a

• Bauch, der, Bäuche
L14, 26/1a

Bauchschmerzen *(hier nur Pl.)*
L14, 26/1a

• bauen   L13, 11/5

• Bauer, der, - / Bäuerin, die,
-nen   L17, 56/1

Bauwerk, das, -e   L14, 28/1a

• sich bedanken (für + *Akk.*)
L16, 52/1a

• bedeutend   L18, 74/1

• bedienen   L16, 46/2a

• sich beeilen   L14, 24/1a

Befehl, der, -e   L18, 78/2b

sich befinden   L15, 32/1a

Befreiung, die, -en   L15, 32/1a

Begeisterung (für + *Akk.*), die
(nur Sing.)   L17, 66/1a

Beginn, der *(nur Sing.)*
L18, 70/1a

Begriff, der, -e   L14, 20/1

• begründen (Argument)
L16, 45/1c

begründen *(Grundlage schaffen)*
L17, 58/2a

Begründer, der, - / Begründerin,
die, -nen   L15, 42/1c

• begrüßen   L14, 26/2b

Beileid, das *(nur Sing.)*   L13, 10/1a

• Bein, das, -e   L14, 22/1a

• Beisel (A), das, -   L15, 33/2b

• bekannt   L13, 14/1a

belagern   L15, 32/1a

Belichtungsmesser, der, -
L18, 70/1a

bemannt   L18, 70/1a

• benutzen   L15, 39/3a

Benutzung, die *(nur Sing.)*
L18, 78/1a

• Benzin, das *(nur Sing.)*   L17, 58/2a

Benzinmotor, der, -en   L17, 58/2a

Berater, der, - / Beraterin, die,
-nen   L16, 52/1a

Beratung, die, -en   L18, 68/1a

bereits   L18, 70/1a

bergauf   L18, 70/1a

• Bericht, der, -e   L14, 30/1a

• berichten   L13, 15/4b

beruflich   L16, 44/1a

Berufsausbildung, die, -en
L17, 60/2a

Berufsberatung, die, -en
L17, 60/2a

Berufserfahrung, die, -en
L18, 74/2

Berufsfachschule, die, -n
L18, 72/1

Berufsschule, die, -n   L17, 56/1

Berufstätigkeit, die, -en
L17, 60/2b

• beruhigen   L13, 17/4b

berühren   L14, 28/1a

• sich beschäftigen (mit + *Dat.*)
L17, 58/2a

Beschäftigung, die, -en   L16, 48

• beschließen   L13, 11/5

• sich beschweren (bei + *Dat.*,
über + *Akk.*)   L17, 60/1a

Besen, der, -   L17, 64/1a

Besenwirtschaft, die *(nur Sing.)*
L17, 64/1a

Besichtigung, die, -en   L13, 14/1a

Besitz, der *(hier nur Sing.)*
L17, 58/2a

besitzen   L17, 56/1

Besonderheit, die, -en
L15, 36/2b

Besprechung, die, -en   L18, 73/2b

- Gute Besserung! L14, 26/2b
- bestehen *(existieren)*
  L13, 18/2
- bestehen (Prüfung) L18, 72/1
- bestehend L13, 18/2
- bestimmt *(Adv.)* L14, 26/1b
- bestimmt *(Adj.)* L13, 11/4
  Besuch, der, -e L16, 49/3
  zu Besuch kommen/sein
  L14, 20
  sich beteiligen L17, 63/5
  Betreff, der, -e L18, 76/1
  Betreuung, die, -en L15, 40/1
- Betrieb *(Firma)*, der, -e
  L13, 12/1a
- außer Betrieb L15, 32/1a
  Betriebsausflug, der, -ausflüge
  L16, 52/1a
  Betriebszugehörigkeit, die *(hier nur Sing.)* L18, 68
- (sich) bewegen L14, 24/1a
- sich bewerben (um + *Akk.*)
  L15, 35/3
  Bewerber, der, - / Bewerberin, die,
  -nen L15, 36/2a
- Bewerbung, die, -en L15, 34/1a
- Bewohner, der, - / Bewohnerin,
  die, -nen L15, 36/2a
  Bezahlung, die, -en L17, 60/2b
  bezugsfertig L13, 12/1b
  Bierbrauer, der, - / Bierbrauerin,
  die, -nen L17, 56/1
  bieten L13, 12/1b
  bilden L13, 9/2
- Bildschirm, der, -e
  L18, 78/2b
  Biografie, die, -n L17, 66/1a
  Biologe, der, -n / Biologin, die,
  -nen L17, 64/1a
- Biologie, die *(nur Sing.)*
  L17, 57/2a
  Biomedizin, die *(nur Sing.)*
  L13, 12/1b
  Biotechnologie, die *(nur Sing.)*
  L13, 12/1b
- bis zu + *Dat.* L16, 47/3a
- bisher L18, 72/1
  bisherig L18, 74/2
- bitten (um + *Akk.*) L15, 34/1a
- bitter L13, 14/1a

bleiben bei + *Dat.* L17, 62/2a
- blind L16, 50
  Blinde Kuh *(Spiel)* L16, 50
  Blockunterricht, der *(nur Sing.)*
  L17, 62/2a
  blöd L16, 49/4
- Boden, der, Böden L15, 32/1a
- Bombe, die, -n L14, 30/1a
  Bombenangriff, der, -e
  L14, 30/1a
- Boot, das, -e L14, 23/3
  an Bord L18, 70/1a
  botanisch L17, 57/2b
  Botschafter, der, - / Botschafterin,
  die, -nen L13, 15/5
- (sich etw.) brechen
  L14, 26/1a
- breit L14, 23/2b
- brennen L14, 28/1b
  Brett, das, -er L16, 52
- Broschüre, die, -n L14, 20/1
  brutto L18, 75/4
- Bub *(A, CH)*, der, Buben
  L17, 66/1a
  Buchhalter, der, - / Buchhalterin,
  die, -nen L18, 72/1
  Buchhaltung, die *(nur Sing.)*
  L18, 69/2
  Buchtel *(A)*, die, -n L15, 40/1
  Bügeleisen, das, - L17, 58/2a
  Bühne, die, -n L15, 32/1a
- Bundespräsident, der, -en
  L13, 8
- Bürger, der, - / Bürgerin, die,
  -nen L14, 28/1a

C

  Cafeteria, die, -s L16, 48/1
- CD, die, -s L17, 59/4
- CD-ROM, die, -s L18, 78/1b
  Champagner, der, - L15, 38/2a
- Charakter, der *(hier nur Sing.)*
  L13, 17/4a
  Charakteristik, die, -en
  L13, 17/5
  charakteristisch (für + *Akk.*)
  L13, 11/6a
  circa L15, 38/1a
  City, die, -s L15, 32/1a
  Container, der, - L17, 62/1b

  Controlling, das *(nur Sing.)*
  L18, 73/4
- Cousine, die, -n L16, 49/3

D

- dabei L17, 62/2a
  Dachgarten, der, -gärten
  L15, 37/3b
- dafür *(stattdessen)* L16, 44/1a
  damalig L13, 11/5
- daneben L17, 58/2a
- Dank, der *(nur Sing.)* L13, 10/3a
  Darm, der, Därme L14, 26/2a
- Datei, die, -en L18, 78/1b
  Dateianhang, der, -anhänge
  L18, 76/1
- Daten *(nur Pl.)* L18, 68/1a
  Datenbank, die, -en L18, 68/1a
  Dauer, die *(nur Sing.)* L17, 60/2b
- davor L14, 28/1a
  dazugehörig L13, 13/3
  dazukommen L14, 28/1a
  Delegation, die, -en L18, 73/2b
  Denkmal, das, -mäler
  L14, 28/1a
  Denkmalpfleger, der, - /
  Denkmalpflegerin, die, -nen
  L14, 28/1a
  Diagnose, die, -n L14, 26/2a
  Dialekt, der, -e L15, 33/2c
- Diät, die, -en (eine Diät machen)
  L14, 27/5b
- dicht L15, 38/1a
- Dichter, der, - L17, 66/1
- dick L14, 27/5b
  Dienst, der, -e L15, 34/1a
  Dienstleistung, die, -en
  L18, 68/1a
  diesjährig L18, 76/1
  digital L18, 70/1a
- Ding, das, -e L13, 17/5
  Diplomatie, die *(hier nur Sing.)*
  L15, 32/1a
  Direktor, der, -en / Direktorin,
  die, -nen L18, 72/1
- Diskette, die, -n L18, 78/1b
  Dokument, das, -e L18, 74/1
  Drama, das, Dramen L17, 66/1a
  (spät, früh) dran sein
  L14, 24/1a

Dressur, die *(hier nur Sing.)*
L13, 16/2a

• dringend L17, 58/2a

zu dritt L16, 49/3

• Droge, die, -n L15, 34/1a

• Drucker, der, - L16, 46/1

duale System, das *(hier nur Sing.)*
L17, 60/1

Duft, der, Düfte L15, 40/1

Dunkel, das *(nur Sing.)* L16, 50/1a

Dunkelheit, die *(nur Sing.)*
L16, 50/1a

durchmüssen L14, 30/1a

durchwehen L15, 40/1

E

echt *(Adv.)* L17, 63/5

EC-Karte, die, -n L16, 47/3a

edel L15, 40/1

EDV, die *(nur Sing.)* L18, 74/1

eher L15, 34/1a

• einfach *(Adj.)* L13, 14/1a

einfallen L17, 58/1b

eingeben L16, 46/2a

einheitlich L13, 18/2

Einiger, der, - / Einigerin, die, -nen
L13, 18/1

Einigung, die, -en L13, 18/1

Einkauf, der, Einkäufe L13, 11/5

Einkaufsbummel, der, -
L16, 48/1a

• Einkommen, das, - L16, 47/4

einlegen L18, 78/1b

• einrichten (Wohnung) L15, 40/1

• einrichten (E-Mail-Adresse)
L18, 78/1b

einscannen L18, 78/2b

• einsetzen L13, 17/4b

• einstellen L18, 72/1

Einstellung, die, -en L18, 72/1

Eintrag, der, Einträge L16, 50/3a

• Eintritt (Veranstaltung), der, -e
L15, 38/1a

Eintrittstermin, der, -e L18, 74/1

• einzahlen L16, 46/2a

Einzahlung, die, -en L16, 47/3a

• jeder einzeln L14, 28/1a

• einzeln L15, 34/1b

• einzig L13, 11/5

• elektrisch L17, 58/2a

Elektronik, die *(nur Sing.)*
L17, 58/2a

elektronisch L16, 52/1

• zu Ende (sehen, sprechen usw.)
L17, 61/6

Endung, die, -en L13, 11/5

• Energie, die, -n L15, 34/1a

engagiert L18, 74/1

• Enkel, der, - / Enkelin, die, -nen
L16, 52/1a

enorm L13, 17/4a

• entlassen L13, 18/1

• sich entscheiden (für + *Akk.*)
L16, 47/3b

entscheidend L13, 18/2

• entschuldigen L16, 44/1a

sich entspannen L14, 27/5b

• entstehen L14, 28/1a

• entwickeln L18, 70/1a

Entwicklung, die, -en L13, 12/1b

Entzündung, die, -en L14, 26/2a

Epoche, die, -n L13, 18/2

• Erde, die *(nur Sing.)* L18, 70/1a

• Erfahrung, die, -en L16, 51/5

• erfinden L13, 15/3

Erfinder, der, - / Erfinderin, die,
-nen L17, 58

Erfindung, die, -en L17, 58/1b

erfolgreich L13, 17/4a

• erfüllen L18, 75/3b

• sich erholen (von + *Dat.*)
L14, 25/5b

• sich erinnern (an + *Akk.*)
L16, 52/1a

• Erinnerung, die, -en L14, 20/1

• erkältet L14, 26/1a

• erleben L14, 30/1a

• erledigen L17, 62/1b

Ernst, der *(nur Sing.)* L13, 8/1b

• Ernte, die, -n L17, 64/1

Eröffnung, die, -en L15, 38/1a

erstaunlich L14, 28/1a

• erwarten L13, 12/1b

Erwartung, die, -en L18, 74/1

Europäische Union, die
L13, 11/5

europaweit L18, 70/1a

Ex- L15, 38/1a

• existieren L17, 60/2b

exklusiv L16, 47/3a

Experte, der, -n / Expertin, die,
-nen L17, 64/3

extra L16, 47/3a

F

Fachhändler, der, - L18, 74/1

Fachunterricht, der *(nur Sing.)*
L17, 60/2b

Fähigkeit, die, -en L18, 74/1

• Fahrkarte, die, -n L14, 20/1

• Fahrplan, der, -pläne L15, 39/5

Fahrzeug, das, -e L17, 58/2a

• Fall, der, Fälle L17, 66/1a

• für den Fall, dass L17, 66/1a

Familienrat, der, -räte L17, 62

Fasching, der *(nur Sing.)* L13, 9/2

Fassade, die, -n L15, 36/2a

Fastfood, das *(nur Sing.)* L17,
65/4a

faszinierend L15, 34/1a

Faulheit, die *(nur Sing.)* L17, 63/5

Faxgerät, das, -e L18, 69/2

• Fehler, der, - L15, 32/1a

Feinmechanik, die *(nur Sing.)*
L17, 56/1

• Feld, das, -er L13, 17/4b

Fell, das, -e L13, 16/2b

• fest *(regelmäßig)* L16, 47/4

festlegen L17, 65/4a

• Festplatte, die, -n L18, 78/2a

• feucht L13, 11/6a

• Feuer, das, - L14, 28/1a

• Fieber, das *(nur Sing.)* L14, 26/1a

• Figur, die, -en L13, 14/1a

Filiale, die, -n L16, 52/1a

Finanzen *(nur Pl.)* L18, 69/2

• Finger, der, - L14, 22/1a

• flach L13, 14/1a

• Fleck, der, -en L15, 36/2a

flexibel L18, 74/1

• fließen L14, 23/3

• Flug, der, Flüge L13, 11/6b

Flugangst, die *(nur Sing.)*
L13, 11/6b

• Flughafen, der, -häfen L14, 29/4

• folgend- L13, 12/1b

Folkmusik, die *(nur Sing.)*
L17, 64/1a

• Form, die, -en L13, 14/1a

formbar L13, 14/1a

formell   L15, 42/1c

formulieren   L13, 12/1c

Fortbildung, die, -en   L18, 73/4

fortsetzen   L16, 53/3

Frack, der, Fräcke   L15, 38/1a

Franke, der, -en   L13, 8/1a

Freizeitbeschäftigung, die, -en
L16, 48

• fremd   L13, 17/5

• sich freuen (auf + Akk.)
L16, 44/1a

Frist, die, -en   L18, 72/1

fristgerecht   L18, 72/1

• früh (Adj.)   L13, 14/1a

• (sich) fühlen   L14, 24/1a

• führen (Grenze)   L13, 12/1b

• führen (Krieg)   L13, 15/4a

Führer, der, - / Führerin, die, -nen
L14, 23/2b

• Führerschein, der, -e   L16, 44/1a

füllen   L13, 12/1b

Funktion, die, -en   L15, 36/2a

• Fuß, der, Füße   L14, 22/1a

G

Galerie, die, -n   L14, 22/1a

ganz schön + Adj.   L13, 10/3

• Ganze, das (nur Sing.)   L14, 28/1a

• Garderobe, die (hier nur Sing.)
L15, 39/3a

Gasometer, der, -   L15, 32/1a

Gästebuch, das, -bücher
L16, 50/3

Gaststättenführer, der, -
L15, 41/6

Gatte, der, -n / Gattin, die, -nen
L14, 24/1

• Gebäck, das (nur Sing.)   L13, 14/1a

• Gebirge, das, -   L13, 11/5

Geburtsjahr, das, -e   L17, 58/2a

• Gedanke, der, -n   L14, 28/1a

Gefangene, der / die, -n
L13, 18/1

• Gefühl, das, -e   L15, 34/1a

• gegen + Akk. (gegen Geld)
L16, 47/3a

• gegen + Akk. (gegen 19.30 Uhr)
L18, 76/1

• Gegend, die, -en   L13, 8/1b

• gegenüber   L15, 33/2b

• Gehalt, das, Gehälter   L18, 74/1

• geheim   L16, 46/2a

Geheimzahl, die, -en   L16, 46/2a

• gehören   L13, 12/1b

Geldautomat, der, -en   L16, 46/1

• Geldbörse, die, -n   L16, 44/1a

Geldsorgen (nur Pl.)   L17, 66/1a

• Gelegenheit, die, -en   L15, 38/1a

• gelten als   L17, 65/4b

Gemälde, das, -   L14, 22/1a

• gemeinsam   L15, 36/2a

• Gemeinschaft, die, -en   L15, 36/2a

Gemeinschaftsraum, der, -räume
L15, 36/2a

• gemütlich   L15, 40/1

Genossenschaft, die, -en
L17, 64/1a

• gerade (speziell)   L18, 75/4

Geschäftsführer, der, - /
Geschäftsführerin, die, -nen
L13, 12/1b

Geschäftskonto, das, -konten
L16, 46/2a

Geschehen, das, -   L15, 38/1a

• geschlossen   L13, 11/5

• Geschmack, der, Geschmäcke
L15, 40/1

• Gesellschaft (Firma), die, -en
L18, 69/2

gesellschaftlich   L15, 38/1a

• Gesicht, das, -er   L14, 22/1a

gestresst   L14, 25/5b

• Gesundheit, die (nur Sing.)
L14, 27/5a

geteilt (Meinung)   L15, 32/1a

Gewehr, das, -e   L16, 54/1

Gewerbe, das, -   L13, 8/1b

Gewerbegebiet, das, -e
L13, 8/1b

• Gewicht, das (hier nur Sing.)
L14, 27/3

• gewinnen   L16, 49/5

• sich gewöhnen (an + Akk.)
L16, 51/3a

hinter Gittern (sitzen, sein)
L13, 18/1

Glanz, der (nur Sing.)
L15, 32/1a

Glanzleistung, die, -en
L15, 32/1a

Gläschen, das, - → Glas, das,
Gläser   L15, 38/2a

sein Glück versuchen   L17, 66/1

• zum Glück   L15, 36/2a

• Glückwunsch, der, -wünsche
L13, 10/1b

Glühbirne, die, -n   L17, 59/4

GmbH (= Gesellschaft mit
beschränkter Haftung), die, -s
L17, 58/2a

Gnädigste (veraltete Anrede)
L15, 38/2a

Gold, das (nur Sing.)   L16, 47/3a

• Gott sei Dank!   L14, 24/3

Graben, der, Gräben   L16, 54/1

Grafik, die, -en   L17, 60/1

• gratis   L16, 47/3a

grenzüberschreitend
L13, 8/1b

• Grippe, die, -n   L14, 26/2a

Grüezi miteinander! (CH)
L16, 52/1a

• gründen   L14, 28/1a

Gründer, der, - / Gründerin,
die, -nen   L18, 70/1a

• Grundlage, die, -n   L17, 60/2b

gründlich   L17, 60/2b

Grundschule, die, -n   L17, 57/2a

Grundstück, das, -e   L15, 36/2a

Gründung, die, -en   L18, 69/2

Guthaben, das, -   L16, 47/3a

Gutschein, der, -e   L13, 10/1a

H

• Haar, das, -e   L14, 22/1a

Haft, die (nur Sing.)   L13, 18/1

• Hälfte, die, -n   L16, 54/1

• Halle, die, -n   L15, 36/2a

• Hals, der, Hälse   L14, 22/1a

Halsentzündung, die, -en
L14, 26/2a

Händler, der, - / Händlerin,
die, -nen   L18, 74/1

• Handwerker, der, - /
Handwerkerin, die, -nen
L17, 58/2a

Harmonie, die (hier nur Sing.)
L17, 60/1

harmonisch   L13, 17/4a

• hart   L16, 52/1a

hauen   L14, 28/1a

• hauptsächlich   L18, 73/2b

• Hauptschule, die, -n   L17, 57/2a

• Hauptstadt, die, -städte   L15, 38/1a

Hausarbeit, die, -en   L17, 63/5

Hausaufgabe, die, -n   L17, 62/1b

Haushaltsgerät, das, -e   L17, 59/2b

• Haut, die, Häute   L14, 22/1a

Heißluftballon, der, -s   L13, 10/1a

herausholen   L14, 30/1a

• Herr, der, -en   L17, 62

• herrlich   L13, 10/3a

• herstellen   L13, 14/1a

Hightech-Konzern, der, -e   L17, 56/1

• Himmel, der (nur Sing.)   L14, 22/1a

• hinaus   L14, 24/1a

Hintergebäude, das, -   L17, 56/1

Hintergedanke, der, -n   L15, 38/2c

HipHop-Musik, die (nur Sing.)   L17, 57/2b

Hochdeutsch (Sprache)   L16, 44/1a

hochleben   L13, 10/1a

Hochspannungsmagnetzünder, der, -   L17, 58/1a

• Hochzeit, die, -en   L18, 73/5

• höflich   L15, 39/3a

Höhepunkt, der, -e   L15, 38/1a

• Humor, der (nur Sing.)   L13, 18/1

• Husten, der (nur Sing.)   L14, 26/1a

I

indiskret   L13, 15/5

Industriegebiet, das, -e   L13, 10/2

Industriekaufmann, der, -kaufleute   L18, 72/1

industriell   L13, 14/1a

Informationstechnologie, die, -n   L13, 12/1b

• (sich) informieren (über + Akk.)   L18, 71/5

• Ingenieur, der, -e / Ingenieurin, die, -nen   L18, 70/1a

inklusive   L16, 47/3a

Inland, das (nur Sing.)   L15, 38/1a

• Innenstadt, die, -städte   L15, 36/2a

• Innere, das (nur Sing.)   L15, 32/1a

innovativ   L18, 74/1

insbesondere   L13, 12/1b

Installation, die, -en   L17, 58/2a

Institution, die, -en   L13, 18/1

• intelligent   L13, 17/4a

• Ire, der, -n / Irin, die, -nen   L17, 64/1a

• irisch   L17, 64/1a

• Irland   L17, 64/1a

Ironie, die, -n   L13, 18/1

IT (= Informationstechnologie)   L18, 68/1a

IT-Spezialist, der, -en / IT-Spezialistin, die, -en   L18, 68/1a

J

• jahrelang   L14, 28/1a

• jahrhundertelang   L15, 32/1a

jährlich   L13, 16/2a

• Japaner, der, - / Japanerin, die, -nen   L18, 70/1a

• jedenfalls   L16, 44/1a

• jedoch   L18, 70/1a

• jener, jene, jenes   L17, 66/1a

Jubiläum, das, Jubiläen   L18, 70/1a

• Jugendliche, der / die, -n (Dekl. wie Adj.)   L17, 60/2b

Jugendstil, der (nur Sing.)   L15, 42/1c

Jurist, der, -en / Juristin, die, -nen   L17, 66/1a

K

Kaffeebohne, die, -n   L15, 32/1a

Kaffeehaus, das, -häuser   L15, 32/1a

Kaffeestube, die, -n   L13, 14/1a

Kaiserin, die, -nen   L15, 40/1

kaiserlich   L15, 32/1a

• Kamera, die, -s   L18, 69/2

(sich / sich die Haare) kämmen   L14, 24/1a

Karfreitag, der, -e   L17, 65/4a

Karfreitagsspeise, die, -n   L17, 65/4a

Karnevalsverein, der, -e   L13, 18/1

Karriere, die, -n   L18, 72/1

Kartoffelsalat, der, -e   L17, 65/4a

Kaufmann, der, -leute / Kauffrau, die, -en   L18, 72/1

kaufmännisch   L18, 72/1

• kaum   L14, 24/3

Kehrwoche, die, -n   L17, 65/4a

Kfz-Mechaniker, der, - / Kfz-Mechanikerin, die, -nen   L18, 75/4

• klassisch   L15, 40/1

Klatsch, der (nur Sing.)   L18, 76/3

kleinformatig   L15, 40/1

Kleingeld, das (nur Sing.)   L15, 39/5

• Klima, das (nur Sing.)   L13, 17/5

Klimaanlage, die, -en   L17, 58/2a

Köfferchen, das, -   L14, 30/1a

komfortabel   L15, 38/1a

• Kommunikation, die (nur Sing.)   L13, 12/1b

Konditorei, die, -en   L15, 40/1

• Konferenz, die, -en   L15, 32/1a

Konflikt, der, -e   L17, 63/5

• Konsequenz, die, -en   L17, 62/2a

• Konto, das, Konten   L16, 46/2a

Kontoauszug, der, -auszüge   L16, 46/2a

Kontomodell, das, -e   L16, 47/3

• Kopf, der, Köpfe   L14, 22/1a

Kopfschmerzen (hier nur Pl.)   L14, 26/1a

• kopieren   L18, 78/1b

• Kopierer, der, -   L18, 69/2

• Körper, der, -   L13, 16/2b

• Kosten (nur Pl.)   L14, 28/1a

• Krankenkasse, die -n   L14, 27/5b

• Krankheit, die, -en   L14, 26/1a

Krankmeldung, die, -en   L14, 26/2b

krankschreiben   L14, 26/2b

• Kreditkarte, die, -n   L16, 47/3a

• Krieg, der, -e   L13, 11/5

• kriegen   L17, 62/2a

kristallklar   L13, 11/6a

• Küche (Kochkunst), die (nur Sing.)   15, 40/1

Kuckucksuhr, die, -en   L16, 54/1

Kuh, die, Kühe   L16, 50

• kühl   L14, 22/1b

- sich kümmern um + *Akk.*
L16, 52/1a
Kundenberaterin, die, -nen
L16, 52/1a
Kundenservice, der *(nur Sing.)*
L18, 68/1a
- kündigen   L18, 72/1
Kündigung, die, -en   L18, 72/1
- künstlich   L17, 58/1a
Kunststoff, der, -e   L13, 12/1b
kunstvoll   L13, 14/1a

L
- Lage, die, -n *(örtl.)*   L15, 36/2b
- Lage, die, -n *(Situation)*   L17, 66/1a
Lager, das, -   L18, 70/1a
Landeskunde, die *(nur Sing.)*
L17, 64
- Landschaft, die, -en   L13, 10/2
Landung, die, -en   L13, 10/3a
langjährig   L18, 72/1
Langschläfer, der, -   L15, 40/1
Laserdrucker, der, -   L18, 70/1a
- lassen   L17, 63/5
- laufen *(funktionieren)*   L16, 44/1a
- Laufwerk, das, -e   L18, 78/1b
- Laune, die, -n   L18, 76/1
lauten   L18, 75/3b
lauter *(ganz viel / viele)*   L16, 44/1a
- Lautsprecher, der, -   L17, 59/4
- lebendig   L13, 16/2b
Lebensqualität, die *(nur Sing.)*
L15, 32/1a
lecker   L13, 16/2b
legendär   L15, 40/1
Legende, die, -n   L15, 32/1a
- Lehre, die, -n   L17, 56/1
Lehrjahr, das, -e   L17, 62
Lehrling, der, -e   L17, 56/1
Lehrstelle, die, -n   L17, 60/2b
Lehrzeit, die, -en   L18, 72/2a
- Leid tun   L15, 38/2a
- leihen   L15, 39/3b
- leisten (Beitrag)   L13, 18/2
- leisten   L16, 52/1a
- Leistung, die, -en   L15, 32/1a
Leiter, der, - / Leiterin, die, -nen
L16, 52/1b
- lieben   L13, 10/3a
es ist mir lieber   L15, 38/2a

Liebespaar, das, -e   L14, 22
- Lieblings-   L13, 18/1
Lieferant, der, -en / Lieferantin,
die, -nen   L15, 36/2a
- liefern   L15, 32/1a
- liegen lassen   L16, 44/1a
- Liste, die, -n   L15, 36/2a
live   L15, 38/1a
- Loch, das, Löcher   L17, 64/1a
Loge, die, -n   L15, 38/1a
Logenplatz, der, -plätze
L15, 38/1a
Logo, das, -s   L18, 70/1a
- sich lohnen   L16, 50/3a
- Lokal, das, -e   L13, 17/5
- losgehen   L13, 12
- Lösung, die, -en   L16, 54/1
Luftfahrt, die *(nur Sing.)*
L13, 12/1b
- Lust, die *(nur Sing.)*   L13, 9/2
Luxus, der *(nur Sing.)*   L13, 10/3

M
- Magen, der, Mägen   L14, 26/2a
mailen   L16, 44/1a
Management, das, -s   L18, 69/2
Marketing, das *(nur Sing.)*
L18, 68
Marktposition, die, - en   L18, 74/1
- Material, das, -ien   L13, 9/2
- Mathematik, die *(nur Sing.)*
L14, 21/1
- Matura, die, - *(A, CH)*   L17, 60/1
Maultasche, die, -n   L17, 65/4a
- Maus, die, Mäuse   L18, 78/2a
- Medizin, die *(nur Sing.)*   L15, 42/1c
- Meer, das, -e   L13, 11/6a
- Mehlspeise, die, -n *(A)*   L15, 40/1
- meiner / deiner / *usw.* Meinung
nach   L17, 58/2a
- meist-   L16, 44/1a
- sich melden   L15, 34/1a
- menschlich   L15, 32/1a
Menschlichkeit, die *(nur Sing.)*
L15, 36/2a
Menü, das, -s   L15, 40/1
- merken   L16, 52/1a
Merkzettel, der, -   L13, 9/2
messen   L14, 28/1a
Messgerät, das, -e   L18, 69/2

Metropole, die, -n   L15, 38/1a
Mieter, der, - / Mieterin, die, -nen
L15, 36/2a
Mietshaus, das, -häuser
L15, 42/1c
Militär, das *(nur Sing.)*   L17, 66/1a
- mitarbeiten   L17, 63/5
Mitarbeiterzeitschrift, die, -en
L18, 72
- mitgehen   L14, 30/1a
mithilfe + *Gen.*   L14, 23/5
Mitleid, das *(nur Sing.)*   L18, 76/3a
mitleidig   L18, 77/4a
- mitteilen   L17, 62/2a
mittelalterlich   L18, 76/1
mittelmäßig   L17, 60/2
mittendrin   L15, 38/1a
Mobiltelefon, das, -e   L13, 12/1b
Model, der, -   L13, 14/1a
Modell, das, -e   L16, 47/3
Modem, das, -s   L18, 78/2a
- mögen   L17, 60/2
- möglichst   L13, 15/4a
- Mond, der, -e   L14, 22/1a
- Monitor, der, -e   L18, 78/2a
Moor, das, -e   L13, 10/2
- Mord, der, -e   L13, 9/2
morgendlich   L17, 62/1
Motiv, das, -e   L13, 14/1a
motiviert   L18, 74/1
- Motor, der, -en   L17, 58/2a
- Mühe, die, -n   L16, 44/1a
- sich Mühe geben   L16, 44/1a
- Mund, der, Münder   L14, 22/1a
Museumsführerin, die, -nen
L14, 23/2b
Museumswärter, der, - / Museums-
wärterin, die, -nen   L14, 24/1a
Musikrichtung, -en   L17, 57/2b
Muster, das, -   L13, 14/1a
Muttergesellschaft, die, -en
L18, 69/2
Mütze, die, -n   L14, 22/1a

N
- nach (Legende; Geschmack)
L15, 32/1a
Nachfolger, der, - / Nachfolgerin,
die, -nen   L18, 72/1
- nachher   L14, 24/3

Namensgeber, der, - /
Namensgeberin, die, -nen
L13, 18/1
• Nase, die, -n L14, 22/1a
die Nase voll haben L17, 60/2a
Nation, die, -en L15, 34/1a
Nationalbibliothek, die, -en
L15, 32/1a
Nationalsozialist, der, -en
L13, 11/5
naturfreundlich L15, 32/1a
Naturschützer, der, - /
Naturschützerin, die, -nen
L13, 12/1b
Navigation, die (nur Sing.)
L17, 58/2a
• Nebel, der, - L14, 22/1a
• neblig L14, 22/1b
• Neffe, der, -n L17, 64/1a
nennen L15, 34/1b
nervig L17, 63/6
netto L14, 28/1a
Neueinstellung, die, -en
L18, 72/1
Niederlassung, die, -en L18, 69/2
• normalerweise L17, 60/2b
• nötig L13, 13/4
• notwendig L15, 34/1a
• nur (Partikel) L14, 30/1a
nutzen L13, 11/5

O

Oase, die, -n L15, 36/2a
• ob L13, 14/2a
• obwohl L18, 76/1
• Ofen, der, Öfen L17, 59/4
• offen L13, 10/2
• öffentlich L13, 18/1
• Ohr, das, -en L14, 22/1a
ökologisch L15, 32/1a
Oma, die, -s L14, 21/2
online L16, 47/3a
Online-Banking, das (nur Sing.)
L16, 47/3a
Opernball, der, -bälle L15, 32/1a
Opernhaus, das, -häuser L15, 33
Orchester, das, - L15, 40/1
Orden, der, - L13, 8/1b
Ordensritter, der, - L13, 18/1
• ordentlich L14, 24/3

• Organisation, die, -en
L15, 34/1a

P

• Päckchen, das, - L15, 33/2b
• Packerl (A), das, - L15, 33/2b
Palais, das, - L15, 32/1a
Parkett, das, -s L15, 32/1a
Parkettboden, der, -böden
L15, 40/1
• Parkplatz, der, -plätze L18, 76/1
• Parterre (A, CH), das, -s
L15, 38/1a
Partnerschaft, die, -en L18, 74/1
Passwort, das, -wörter
L18, 78/1b
Pasta, die, Pasten L17, 57/2b
• Patient, der, -en / Patientin, die,
-nen L14, 26/2b
PC, der, -s L18, 78/1a
• in Pension gehen L16, 52/1a
Peperoni, die, - L13, 15/5
Personal, das (nur Sing.)
L18, 69/2
• Personalausweis, der, -e
L16, 44/1a
Personalreferentin, die, -nen
L18, 68/1a
Personalwechsel, der, -
L18, 72/1
• persönlich L15, 35/4
Persönlichkeit, die, -en
L13, 18/1
Petersilie, die (nur Sing.)
L17, 65/4a
Pfalz, die, -en L13, 18/1
Pferderennen, das, - L13, 16/1
Pferdesport, der (nur Sing.)
L13, 16
• Pflanze, die, -n L15, 36/2a
• Pflege, die (nur Sing.) L17, 58/1
Pflegeleiter, der, - / Pflegeleiterin,
die, -nen L18, 75/4
• Pflicht, die, -en L17, 60/2b
Pilot, der, -en / Pilotin, die, -nen
L13, 10/2
Planetarium, das, Planetarien
L18, 70/1a
• Politik, die (nur Sing.) L13, 18/1
Position, die, -en L18, 74/1

Postverteilung, die, -en
L18, 68/1a
prächtig L15, 40/1
• Praktikant, der, -en / Praktikantin,
die, -nen L15, 34/1a
Praktikantenstelle, die, -n
L15, 34/1a
• Praktikum, das, Praktika
L15, 34/1
• Präsident, der, -en / Präsidentin,
die, -nen L13, 8
• Preis, der, -e L13, 18/1
Preisträger, der, - / Preisträgerin,
die, -nen L13, 18/2
Printe, die, -en L13, 8/1a
Printenbäcker, der, -
L13, 14/1a
Privatkonto, das, -konten
L16, 47/3a
problemlos L17, 58/2a
produktiv L18, 74/1
professionell L18, 74/1
Projektarbeit, die (hier nur Sing.)
L13, 9/2
Projekt-Assistent, der, -en /
Projekt-Assistentin, die, -nen
L18, 74/1
prominent L15, 38/1a
• Protest, der, -e L13, 12/1b
• prüfen L18, 78/1a
Psychoanalyse, die (nur Sing.)
L15, 42/1c
Psychoanalytiker, der, - /
Psychoanalytikerin, die, -nen
L15, 42/1a
• Publikum, das (nur Sing.)
L13, 16/2b
Puzzle, das, -s L14, 28/1a

Q

Qualifikation, die, -en
L17, 66/1a
qualifiziert L18, 74/1
Quelle, die, -n L17, 57/2b
• quer (durch) L13, 12/1b
Quiz, das, - L15, 40/1

R

• Rad, das, Räder L16, 49/4
• (sich) rasieren L14, 25/5a

- Rat, der, Räte   L17, 62
- raten   L17, 61/7
- Ratschlag, der, -schläge   L14, 27/3
  Rätsel, das, -   L17, 63/4b
  Räuber, der, - / Räuberin, die, -nen
  L17, 66/1a
  Rauch, der (nur Sing.)   L14, 30/1a
  Raumfahrt, die (nur Sing.)
  L13, 12/1b
- realisieren   L15, 32/1a
- realistisch   L14, 22/1b
  Realschulabschluss, der,
  -abschlüsse   L17, 60/1
- Realschule, die, -n   L17, 60/1
  recherchieren   L13, 9/2
  Rechner, der, -   L18, 78/1b
- recht-   L14, 30/1a
- Recht, das, -e   L17, 60/2a
  reden   L17, 60/2
  Referent, der, -en / Referentin, die,
  -nen   L18, 68/1a
- regeln   L17, 60/2b
  Regiment, das, -er   L17, 66/1a
  reichen (von + Dat. ... bis; bis zu
  + Dat.)   L17, 58/1a
- Reihenfolge, die, -n
  L17, 60/2a
  rein (= herein)   L15, 36/2a
- reinigen   L17, 65/4a
  Reiseführer, der, -   L15, 36/2a
  Reiter, der, - / Reiterin, die, -nen
  L13, 17/4
  Rennen, das, -   L13, 16/1
- Reparatur, die, -en   L17, 58/2a
  Residenz, die, -en   L15, 32/1a
- Rest, der, -e   L13, 11/5
  Rettung, die, -en   L14, 30/1a
- Rezept (ärztl.), das, -e
  L14, 26/2b
  Rheinland, das   L13, 8/1b
- richtig (sehr)   L15, 38/1a
- Richtung (Stil), die, -en
  L17, 57/2b
  riesig   L14, 28/1a
  Risiko, das, Risiken
  L13, 10/3b
  Ritter, der, -   L13, 18/1
  Roboter, der, -   L17, 58/2a
  Rockmusik, die (nur Sing.)
  L17, 63/4b

- eine Rolle spielen   L17, 57/2b
  Rollenspiel, das, -e   L17, 63/5
  Rösti (nur Pl.)   L16, 54/1
  Röstigraben, der (nur Sing.)
  L16, 54/1
  Routine, die (hier nur Sing.)
  L14, 27/3
  Routineuntersuchung, die, -en
  L14, 27/3
- Rücken, der, -   L14, 22/1a
  Rückkehr, die (nur Sing.)
  L18, 76/1
  Rückmeldung, die, -en
  L18, 76/1
- ruhig (Adv.)   L14, 27/3
  Ruine, die, -n   L14, 28
- rund   L15, 36/1
  rund um   L17, 65/4a

S

- Sache, die, -n   L16, 44/1a
  Sack, der, Säcke   L15, 32/1a
- Saison, die, -s   L15, 38/1a
  Salon, der, -s   L15, 38/2a
  Sammlung, die, -en   L15, 32/1a
  Sandstein, der (nur Sing.)
  L14, 28/1a
  Satellit, der, -en   L18, 70/1a
- sauber machen   L17, 65/4a
  Sauerkraut, das (nur Sing.)
  L17, 65/4a
  Scanner, der, -   L18, 69/2
- (es) schaffen   L14, 30/1a
- Schalter, der, -   L16, 46/1
  Schalterhalle, die, -n   L16, 46/2a
- scharf   L13, 14/1a
- schenken   L13, 10/1a
- schicken   L18, 78/2b
- schieben   L16, 46/2a
  Schlaftablette, die, -n   L14, 27/5b
- schließlich   L14, 30/1a
  Schmankerl (A), das, -n   L15, 33/2
- Schmerz, der, -en   L14, 26/1a
  (sich) schminken   L14, 24/1a
- Schnupfen, der (nur Sing.)
  L14, 26/1a
- schon (Partikel)   L17, 66/1a
  Schönheit, die (hier nur Sing.)
  L14, 28/1a
- schrecklich   L14, 23/2a

  Schreibverbot, das (hier nur Sing.)
  L17, 66/1a
- Schritt, der, -e   L15, 40/1
  Schulfreund, der, -e   L16, 51/3a
  Schulzeit, die (nur Sing.)
  L17, 60/2b
  Schupfnudel, die, -n   L17, 57/2b
- Schutz, der (nur Sing.)   L13, 11/5
  Schwabe, der, -n / Schwäbin, die,
  -nen   L17, 56
  Schwaben (Region)   L17, 65/4a
  Schwäche, die, -n   L16, 52/1a
  schwarze Brett, das, -er   L16, 52
  schwerhörig   L16, 53/3
- schwierig   L17, 66/1
  Schwyzerdütsch (Sprache)
  L16, 52/1a
  seither   L13, 14/1a
  Sekretär, der, -e / Sekretärin, die,
  -nen   L17, 56/1
- selb-   L17, 5671
  Selbstironie, die (nur Sing.)
  L13, 18/1
- selbstständig   L18, 74/1
- selbstverständlich   L15, 38/2a
- seltsam   L18, 77/4a
- senden   L18, 74/1
  sensationell   L18, 70/1a
  sensibel   L13, 17/4a
  Servus! (A)   L15, 33/2b
- Sicherheit, die (hier nur Sing.)
  L13, 17/4a
  siehe   L18, 76/1
  Single, der, s   L15, 36/2a
- Sinn, der (hier nur Sing.)
  L13, 8
  Sirup, der, -e   L13, 14/1a
- Sitz, der, -e   L15, 32/1a
- Sitzung, die, -en   L18, 72/1
  Smalltalk, der, -s   L15, 38/2
  so genannt   L13, 11/5
  somit   L15, 32/1a
- sondern   L14, 30/1a
- sorgen (für + Akk.)   L17, 58/1a
- sich Sorgen machen (um + Akk.)
  L16, 52/1a
  sorgsam   L13, 13/4
  Sorte, die, -n   L17, 65/4a
- sowohl ... als auch ...   L13, 8/1b
- sozial   L17, 58/1a

Sozialleistung, die, -en L18, 74/1

• spannend L13, 10/3a

spätestens L18, 76/1

Spätzle, das, - *(Dialekt)*
L17, 57/2b

• speichern L18, 78/1b

• Speise, die, -n L15, 40/1

Spende, die, -n L14, 20/1

Spendenaufruf, der, -e L14, 20/1

Spezialist, der, -en / Spezialistin,
die, -nen L16, 47/4

Spinat, der *(nur Sing.)* L17, 65/4a

Sportflugzeug, das, -e L13, 11/6b

Sprachgrenze, die, -n L16, 54/1

Sprachschule, die, -n L16, 51/5

sprechen für + *Akk.* L13, 12/1c

• Staat, der, -en L15, 32/1a

• staatlich L17, 61/4

Stadtbahn, die, -en L15, 42/1c

Stadtgebiet, das, -e L17, 57/2b

• städtisch L18, 75/4

Stadtordnung, die, -en L17, 65/4a

Stäffele, das, - *(Dialekt)*
L17, 65/4a

Standard, der, -s L16, 47/3a

Standort, der, -e L13, 13/4

• Star, der, -s L15, 38/1a

Stärke, die, -n L15, 34/1a

• Station *(A, CH)*, die, -en
L15, 33/2b

• statt L13, 15/3

Steckbrief, der, -e L18, 68/1c

• stehen bleiben L14, 24/1a

• steil L14, 23/2b

• Stein, der, -e L14, 28/1a

Steinmetz, der, -e L14, 28/1a

Stellenanzeige, die, -n
L18, 74/1

Stichpunkt, der, -e
L14, 30/1b

• Stiege *(A)*, die, -n L15, 33/2b

Stiftung, die, -en L17, 58/2a

• Stimmung, die, -en L18, 77/5

• stolz (auf + *Akk.*) L15, 32/1a

• stören L15, 32/1a

• (sich) streiten (mit + *Dat.*)
L17, 60/1a

• Strumpf, der, Strümpfe
L14, 22/1a

Suche, die *(nur Sing.)* L16, 44/1a

Sünder, der, - / Sünderin, die, -nen
L13, 18/1

(im Internet) surfen
L18, 78/2b

Symmetrie, die, -n L15, 36/2a

• System, das, -e L17, 58/1a

Systembetreuung, die (hier *nur
Sing.*) L18, 68/1a

T

• Tablette, die, -n L14, 27/5b

Tagebuch, das, -bücher L14, 20/1

tagen L17, 62

Tagesablauf, der, -abläufe
L18, 76/1

Takt, der, -e L15, 38/1a

Tal, das, Täler L17, 65/4a

Tanzboden, der, -böden
L15, 32/1a

tanzfreudig L15, 38/1a

Tanzschule, das, -n L14, 29/4

Taschenmesser, das, - L16, 54/1

• Tastatur, die, -en L18, 78/2a

tasten L16, 50/1a

tätig L18, 68/1b

• Tätigkeit, die, -en L17, 60/2b

• Team, das, -s L18, 74/1

teamfähig L18, 74/1

Techniker, der, - / Technikerin,
die, -nen L18, 70/1a

• technisch L17, 56/1

Teesalon, der, -s L15, 38/2a

Teig, der *(nur Sing.)* L13, 14/1a

• Teil, das, -e L17, 58/1a

• teilnehmen (an + *Akk.*)
L16, 54/1

Telefonat, das, -e L16, 53/3

Telefon-Banking, das *(nur Sing.)*
L16, 47/3a

Textil, das *(nur Sing.)*
L17, 60/2b

Theaterstück, das, -e
L17, 66/1

theoretisch L17, 60/2b

• Tier, das, -e L13, 9/2

tierisch L13, 8/1b

• tippen L18, 78/2b

Tirol (Region) L17, 65/4a

Tochterunternehmen, das, -
L17, 58/2a

• Topfen *(A)*, der *(nur Sing.)*
L15, 40/1

total L16, 44/1a

• töten L14, 30/1a

Tour, die, -en L16, 52/1a

traditionsreich L15, 38/1a

• Training, das, -s L18, 69/2

Tratsch, der *(nur Sing.)* L18, 76/3

Traube, die, -n L17, 64/1a

Traumberuf, der, -e L17, 66

• sich treffen (mit + *Dat.*)
L15, 36/2a

• treiben L13, 10/3a

• Sport treiben L13, 16/1

• trocken L13, 11/6a

Trümmer *(nur Pl.)* L14, 28/1a

• zu tun haben L16, 44/1a

• Tür, die, -en L13, 17/5

Turnier, das, -e L13, 8/1a

• Typ, der, -en L17, 58/1a

U

• über + *Akk.* *(zeitl.)* L13, 18/1

über + *Akk.* ... hinaus L13, 14/1a

Überfahrt, die, -en L14, 22

übergeben L17, 58/1a

• überlegen *(Verb)* L13, 15/4b

• übermorgen L13, 15/4a

Übernahme, die *(hier nur Sing.)*
L18, 73/4

• übernehmen L14, 27/6

überprüfen L15, 34/1a

Überraschung, die, -en
L18, 77/5a

• überreden (zu + *Dat.*) L16, 49/5

überschreiten L13, 8/1b

• überweisen L16, 46/2a

Überweisung, die, -en L16, 47/3a

• überzeugen (von + *Dat.*)
L13, 17/4b

• Übung, die, -en L16, 54/1

Übungsbuch, das, -bücher
L16, 54/1

• Ufer, das, - L14, 22/1a

• um + *Akk.* ... herum L13, 14/1a

Umbau, der, -ten L15, 32/1a

umbauen L15, 32/1a

umfassend L18, 74/1

• Umgebung, die, -en L13, 10

Umsatz, der, Umsätze L18, 69/2

umschütten   L16, 51/3a
- Umwelt, die *(nur Sing.)*
  L18, 69/2
- unangenehm   L17, 58/1a
- unaufmerksam   L17, 63/5
- unbedingt *(Adj.)*   L15, 40/1
  unbekannt   L15, 34/1a
  unbestimmt   L13, 13/4
- Unfall, der, Unfälle   L18, 73/5a
  ungehindert   L17, 66/1a
  ungewöhnlich   L13, 18/2
  unglaublich   L15, 34/1a
- unheimlich   L13, 11/5
  uniform   L15, 32/1a
  Unikum, das, Unika   L13, 12/1b
  Union, die, -en   L13, 11/5
- unmöglich   L17, 63/5
  unnötig   L13, 10/3b
  UNO (Vereinte Nationen), die
  L15, 32/1a
  Untat, die, -en   L17, 65/4b
  unter anderem   L15, 32/1a
  untergebracht sein   L16, 44/1a
- Unterhaltung, die, -en   L13, 16/1
  Unternehmen, das, -   L13, 12/1a
  unternehmen   L16, 48/1c
  Unternehmer, der,- /
  Unternehmerin, die, -nen
  L17, 59/2b
- Unterschied, der, -e   L15, 38/2b
  unterschiedlich   L15, 36/2a
- unterschreiben   L17, 60/2b
- untersuchen   L14, 26/2b
- Untersuchung, die, -en   L14, 27/3
- unvernünftig   L17, 63/5
  unzählig   L17, 66/1a
  ursprünglich   L13, 14/1a
- US *(Adj. zu USA)*   L18, 70/1a
- USA *(Pl.)*   L18, 72/1

V

- vegetarisch   L14, 27/5a
  Veilchen, das, -   L15, 40/1
- verändern   L17, 58/1b
- verantwortlich (für + *Akk.*)
  L17, 61/3
- Verantwortung, die *(nur Sing.)*
  L14, 30/1a
  Verarbeitung, die *(nur Sing.)*
  L18, 74/1

- Verbot, das, -e   L17, 66/1
- Verbrechen, das, -   L15, 34/1a
  Verbrechensverhütung, die
  (nur Sing.)   L15, 34/1a
  Verdienst, der *(hier nur Sing.)*
  L18, 74/1
  sich verdient machen (um + *Akk.*)
  L13, 18/1
  vereint   L15, 34/1a
  vergleichbar   L18, 74/1
- Verhalten, das *(nur Sing.)*
  L14, 30/1b
- verlangen   L17, 65/4a
  verleihen   L13, 18/1
- Verletzung, die, -en   L15, 38/2a
- verliebt   L14, 23/2b
  vermenschlichen   L13, 18/1
  Vermutung, die, -en   L14, 29/4
- veröffentlichen   L16, 51/5
- verraten   L13, 15/5
  verschlafen   L14, 24/2
  verschreiben   L14, 26/2b
  Verschwendung, die, -en
  L17, 62/2a
  versenden   L13, 14/1a
- Versichertenkarte, die, -n
  L14, 27/5b
- versprechen   L16, 48/1c
- sich verstehen (mit + *Dat.*)
  L16, 44/1a
- versuchen   L16, 48/1c
- verteilen   L14, 24/1b
  Verteilung, die, -en   L18, 68/1a
- Vertrag, der, Verträge
  L13, 11/5
- Vertrauen, das *(nur Sing.)*
  L13, 17/4a
- Vertreter, der, - / Vertreterin,
  die, -nen   L13, 18/1
  Vertrieb, der *(nur Sing.)*   L18, 68
- Verwaltung, die, -en   L18, 68/1a
  verwendbar   L17, 58/2a
- verwenden   L13, 14/1a
- verwitwet   L14, 21/1
  Verwunderung, die *(nur Sing.)*
  L18, 77/3c
- Video, das, -s   L18, 70/1a
  vielseitig   L13, 13/4
  Viertelstunde, die, -n   L14, 24/3
- vis-à-vis   L15, 33/2b

  Völkerverständigung, die *(nur Sing.)*
  L15, 32/1a
  vollständig   L18, 75/3b
  vor allem   L15, 36/2a
- Voraussetzung, die, -en
  L15, 34/1a
  vorbeitanzen   L15, 38/1a
  Vorbereitung (für + *Akk.*), die, -en
  L14, 28/1a
- vorhaben   L14, 21/2b
- vorher   L15, 38/1a
- vorkommen   L14, 24/1a
- Vorschlag, der, Vorschläge
  L14, 21/2a
- einen Vorschlag machen
  L15, 34/1a
- vorschlagen   L15, 34/1a
  Vorstand, der, Vorstände
  L18, 72/1
- sich (etw.) vorstellen   L16, 44/1a
- Vorstellung, die, -en   L18, 74/1
  Vorstellungsgespräch, das, -e
  L18, 74
- vorwärts   L14, 30/1a

W

- wachsen   L15, 36/2a
- Wahl, die, -en   L16, 54/1
- wahnsinnig   L18, 77/5a
- wahr   L13, 10/3a
- Wald, der, Wälder   L13, 11/5
  Wall, der, Wälle   L13, 11/5
  Walzer, der, -   L15, 38/1a
  Wanderjahre *(nur Pl.)*
  L17, 58/2a
- Ware, die, -n   L18, 68/1a
  Warteliste, die, -n   L15, 36/2a
  Wartezimmer, das, -   L14, 26/1
- was (= etwas)   L14, 27/3
- Wäschepflege, die *(nur Sing.)*
  L17, 58/1
  Wechsel, der, -   L18, 72/1
- wechseln   L16, 46/2a
  Wehrdienst, der *(nur Sing.)*
  L18, 72/1
- wehtun   L14, 26/1a
- Fröhliche Weihnachten!
  L13, 10/1a
  Weihnachtsfeier, die, -n
  L16, 52/1a

Passwort Deutsch Band 3   675847

Lieder:	„Ein ganz normaler Tag", Mareike Nickel/Andreas Nesic
Musik:	Koch Music Library
Sprecherinnen und Sprecher:	Robert Atzlinger; Günther Arnulf; Silja Bächli; Hans Peter Dörig; Franziska Eicken; Heike Ewers; Natalie Fischer; Frank Frede; Rudolf Guckelsberger; Astrid Kaminke; Antje Keil; Christine Kienzle; Yavuz Köroglu; Silja Markgräfe; Eva Michel-Lessing; Marcus Michalski; Stephan Moos; Giovanna Mungai-Maier; Lars Munz; Paul Newcomb; Gerhard Polatschek; Daniela Rössl; Gunda Schanderer; Willi Schneck; Claudine Schweizer; Inge Spaughton; Carola Ulmer; Susanne Weber; Dietrich Wiesner; Luise Wunderlich
Aufnahme und Tonregie:	Annemarie Weik, Klett Studio
Presswerk:	P + O Compact Disc GmbH, Diepholz

Verzeichnis der Hörtexte

Lektion	Seite	Übung	Track
13	8	1	1–4
13	10	2	5
13	13	5	6
13	16	2	7
13	17	4	8
14	21	2	9
14	23	2	10
14	25	6	11–12
14	26	1	13–18
14	26	2	19
14	27	3	20
15	33	2	21–26
15	37	3	27–31
15	38	2	32–33
15	42	1	34–37
15	42	2	38–39
16	45	2	40
16	46	2	41–44
16	47	3	45
16	48	1	46
16	49	6	47
16	50	2	48
16	53	3	49
17	57	2	50–51
17	62	1	52
17	62	2	53
17	63	6	54
17	65	4	55
17	65	5	56
18	68	1	57–62
18	72	2	63
18	75	3	64
18	76	2	65
18	76	3	66–69
18	77	4	70
18	78	1	71